La bonne cuisine de Margo Oliver

La bonne cuisine de Margo Oliver

HB&Cie Éditeurs inc.

Gestion de projet
HB & Cie Éditeurs inc.

Photographie
Studio Michel Bodson inc.

Stylisme
Muriel Bodson

Préparation des mets
Chef Stéphane Drouin

Assistance à la cuisine
Isabelle Gagnon

Traduction
Isabelle Lefrançois

Accessoires
Pier 1 Imports, La Baie Centre-Ville et Stokes Ltée

Pour informations, écrire à :
Casier postal 237
Station Victoria
Montréal H3Z 2V5
ou s'adresser par télécopieur au (514) 937-1558

Dépôt légal : 4e trimestre 1992

Bibliothèque nationale du Québec
Bibliothèque nationale du Canada

Premier tirage : novembre 1992

ISBN 2-9803258-0-5

Les recettes paraîssant dans cet ouvrage ont d'abord été publiées dans « Perspectives » sous la rubrique *La bonne cuisine de Margo Oliver*. Toutes les photographies de mets illustrant ces recettes ont été produites par l'éditeur, à Montréal, au cours de l'automne 1992 et spécifiquement aux fins de cet ouvrage.

Distribution en librairie par Diffusion du livre Mirabel inc.

Distribution autres secteurs par Sélection Champagne inc.
Téléphone : (514) 595-3276
Télécopieur : (514) 595-3279

Mot de l'éditeur

Margo Oliver fut sans doûte, pendant près de vingt ans, de 1960 à 1980, l'experte culinaire la plus lue au Québec, grâce à sa chronique hebdomadaire de conseils et de recettes de cuisine dans Perspective, le supplément de fin de semaine diffusé par tous les grands quotidiens de l'époque.

Les statistiques d'alors nous apprennent que plus de deux millions de québécois suivaient assidûment sa chronique à chaque semaine. Elle recevait un courrier considérable où certains lecteurs lui faisaient part de recettes inédites ou lui témoignaient leur satisfaction à l'utilisation de ses recettes. Plusieurs lui demandaient des textes de recettes perdues mais tellement appréciées qu'ils souhaitaient absolument les obtenir de nouveau.

Margo Oliver publia au cours des années '70 plusieurs ouvrages de recettes qui, tous, connurent un énorme succès auprès du public, si bien qu'il était devenu coutume à l'époque d'offrir en cadeau un livre de Margo Oliver.

Ces ouvrages sont aujourd'hui disparus des rayons de librairies. Nous avons donc pensé qu'il serait intéressant de redonner vie à ce savoir culinaire de grande qualité, en l'adaptant, bien sûr, aux goûts et besoins actuels.

C'est ainsi que vous retrouverez les ingrédients des recettes exprimés en mesures métriques et impériales. Mais surtout, nous avons voulu apporter à l'ouvrage toute la richesse de l'illustration couleur et la clarté de présentation, image par image, des étapes d'exécution de certaines techniques culinaires.

Nous souhaitons que cette nouvelle édition vous apporte autant de satisfaction que nous en avons eue à la produire et nous vous invitons à reprendre la tradition et à nous communiquer vos impressions et suggestions afin que nous puissions les incorporer aux prochains ouvrages de cette collection.

L'éditeur

Préface

Pourquoi une recette nous est-elle particulièrement chère? Parce qu'on sait si bien la réussir qu'elle devient, à coup sûr, le clou d'un repas et nous vaut les éloges de tous les convives. Parce que, bien que toute simple, elle permet de recevoir avec beaucoup d'élégance. Ou bien parce qu'elle nous donne un bon plat de famille, toujours aimé et sans cesse redemandé. Quoiqu'il en soit, une « recette trésor » en est toujours une que nous tenons beaucoup à conserver.

Le livre que voici est fait de « recettes trésors ». Construit comme la plupart des ouvrages de cuisine, il se divise en chapitres traitant toute la gamme des plats, depuis les soupes jusqu'aux desserts. Mais chacune des recettes qu'il contient a été choisie par nos lecteurs et j'ai voulu réunir ici celles qui m'ont été demandées... et redemandées à maintes reprises. La sélection de recettes que vous retrouverez dans cet ouvrage vous permettra de faire face à toutes les circonstances, qu'il s'agisse d'un repas simple qu'on partagera en famille ou entre amis ou d'un repas plus élaboré qui saura rétablir solidement ou confirmer votre réputation de cordon-bleu. Enfin, j'ai pris soin de choisir des recettes qui s'exécutent sans grande difficulté et qui vous donneront toujours d'excellents résultats, sans exiger trop de temps ou de longs préparatifs.

Bon appétit !

Margo Oliver

Table des matières

Tableaux d'équivalences

Mesures de volumes
(liquides)

Impérial		Métrique
1/8 c. à t.		0,5 ml
1/4 c. à t.		1 ml
1/2 c. à t.		2 ml
3/4 c. à t.		3 ml
1 c. à t.		5 ml
2 c. à t.		10 ml
3 c. à t.		15 ml
1 c. à s.		15 ml
4 c.à t.		20 ml
2 c. à s.	1 once	30 ml
3 c. à s.		45 ml
4 c. à s.	2 onces	60 ml
1/4 tasse	2 onces	60 ml
5 c. à s.		75 ml
1/3 tasse		80 ml
1/2 tasse	4 onces	125 ml
2/3 tasse		160 ml
3/4 tasse	6 onces	180 ml
1 tasse	8 onces	250 ml
1 1/4 tasse	10 onces	300 ml
1 1/2 tasse	12 onces	375 ml
1 3/4 tasse	14 onces	425 ml
2 tasses	16 onces	500 ml
2 1/2 tasses	20 onces	625 ml
3 tasses	24 onces	750 ml
3 1/2 tasses	28 onces	875 ml
4 tasses	32 onces	1 L
5 tasses		1,25 L
1 pinte	40 onces	1,25 L
6 tasses	48 onces	1,5 L
8 tasses	64 onces	2 L
20 tasses	160 onces	5 L
1 gallon	160 onces	5 L

Boîtes de conserve
(sur le marché en Amérique)

Impérial	Métrique
5 onces	142 ml
8 onces	227 ml
10 onces	284 ml
12 onces	341 ml
14 onces	398 ml
19 onces	540 ml
28 onces	796 ml

Mesures de poids

Impérial		Métrique
1 once		30 g
2 onces		60 g
3 onces		90 g
4 onces	1/4 lb	115 g
5 onces		140 g
6 onces		165 g
7 onces		190 g
8 onces	1/2 lb	225 g
9 onces		270 g
10 onces		280 g
12 onces	3/4 lb	350 g
16 onces	1 lb	450 g
	1 1/2 lb	675 g
32 onces	2 lb	900 g
	2 1/4 lb	1 kg
	3 lb	1,4 kg
	4 lb	1,8 kg
	4 1/2 lb	2 kg
	5 lb	2,2 kg
	10 lb	4,5 kg

Mesures de longueurs

Impérial	Métrique
1/8 po	*0,25 cm*
1/4 po	*0,5 cm*
1/2 po	*1,25 cm*
1 po	*2,5 cm*
1 1/2 po	*3,75 cm*
2 po	*5 cm*
3 po	*7,5 cm*
4 po	*10 cm*
5 po	*12,5 cm*
6 po	*15 cm*
7 po	*18 cm*
8 po	*20,5 cm*
9 po	*23 cm*
10 po	*25 cm*
11 po	*28 cm*
12 po	*30,5 cm*
13 po	*33 cm*
14 po	*36 cm*
15 po	*38 cm*
16 po	*41 cm*
17 po	*43 cm*
18 po	*46 cm*

Température

°F	°C
- 40°	*- 40°*
5°	*- 15°*
30°	*- 1°*
32°	*0°*
34°	*1°*
36°	*2°*
41°	*5°*
200°	*95°*
212°	*100°*
225°	*105°*
250°	*120°*
275°	*135°*
300°	*150°*
325°	*160°*
350°	*175°*
375°	*190°*
400°	*205°*
425°	*220°*
450°	*230°*
475°	*245°*
500°	*260°*
525°	*275°*
550°	*290°*

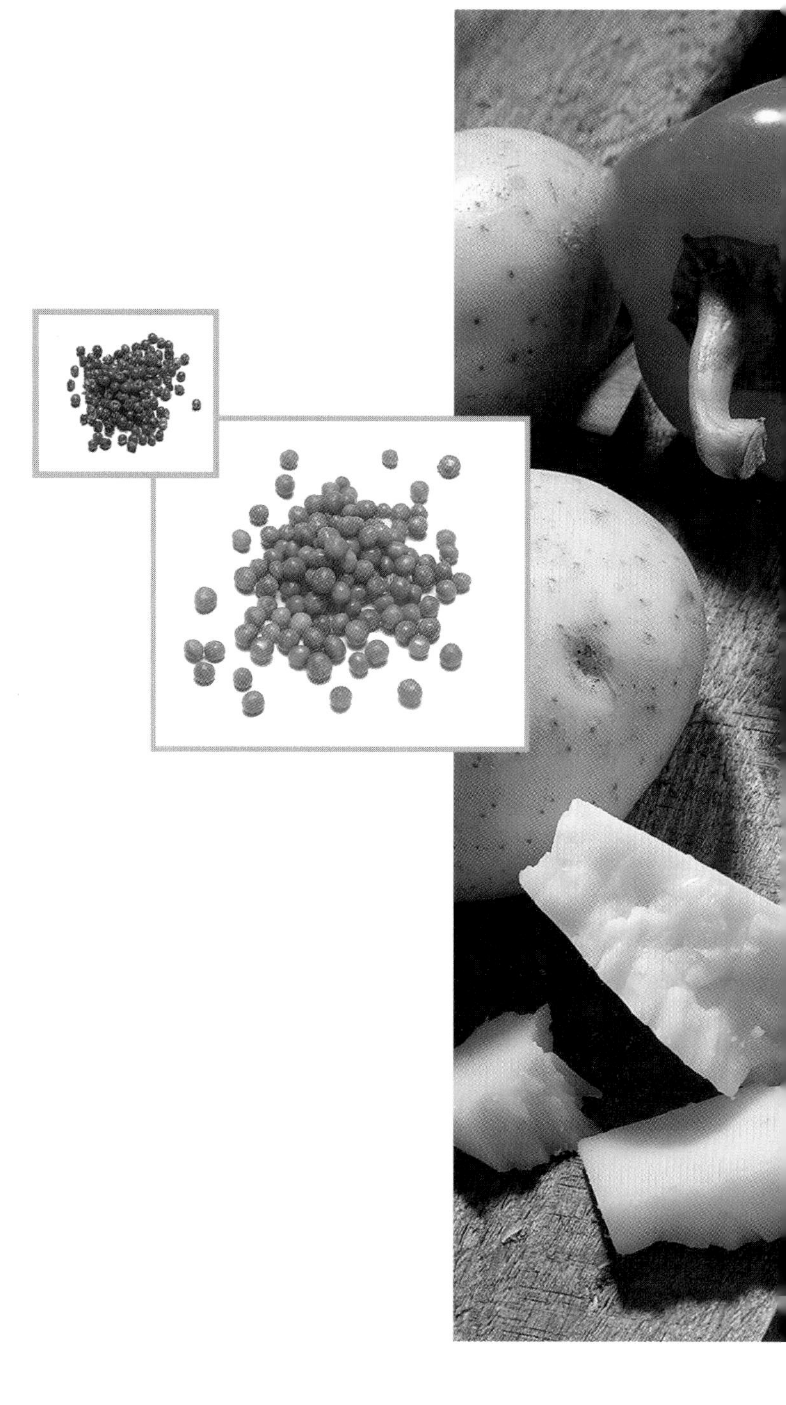

Soupes

Soupes

Les bonnes soupes font les bons vivants. On peut en faire tantôt de merveilleuses entrées ou des plats consistants qui rassasient sans surcharger.

Faire une soupe, c'est vivre chaque fois une aventure nouvelle. C'est sa finesse qui fait la valeur d'un bouillon, tandis qu'un potage ou une bisque ont tout avantage à être fortement épicés. C'est à force d'essayer, de goûter et de varier les dosages qu'on devient expert en soupes.

Épicure prétendait que les seules bonnes soupes sont celles dont le bouillon provient d'ingrédients de première main. Semblable bouillon est certes délicieux. Mais n'oubliez pas que l'on peut, et que l'on doit, faire de succulentes soupes avec les restes.

Évidemment, une soupe à base de bouillon maison est toujours extraordinaire, mais on n'a pas toujours ce précieux ingrédient sous la main. Le lait et les jus de cuisson de légumes peuvent alors remplacer le bouillon pour faire de bonnes chaudrées et des crèmes de légumes veloutées. Et ne boudez pas ces merveilleux auxiliaires que savent être les bouillons en boîtes, en sachets et en cubes.

Voici un bon choix de recettes : certaines de ces soupes sont presque un plat de résistance. D'autres, plus légères, commencent merveilleusement un repas. Et il y a les soupes froides, plus rares mais si savoureuses.

Soupe à l'orge

8 tasses	*bouillon de bœuf*	*2 L*
3/4 tasse	*orge perlé*	*180 ml*
4	*carottes, en bouts de 1 po (2,5 cm)*	*4*
2	*oignons, grossièrement hachés*	*2*
2	*petits navets blancs, en cubes de 1 po (2,5 cm) de côté*	*2*
2	*branches de céleri, en bouts de 1 po (2,5 cm)*	*2*
1	*poireau (la partie blanche seulement), haché*	*1*
1 tasse	*champignons tranchés*	*250 ml*
1/4 tasse	*beurre*	*60 ml*
1/4 c. à t.	*poivre*	*1 ml*
	sel	
1/4 tasse	*persil haché*	*60 ml*

Chauffer le bouillon jusqu'à ébullition. Rincer l'orge à l'eau froide courante et l'ajouter au bouillon bouillant. Chauffer de nouveau jusqu'à ébullition, baisser le feu, couvrir et faire mijoter 1 1/2 heure ou jusqu'à ce que l'orge commence à être tendre. Ajouter les légumes et continuer la cuisson 30 minutes ou jusqu'à ce qu'ils soient tendres. Ajouter le beurre et le poivre, en brassant. Goûter et ajouter du sel si nécessaire. Ajouter le persil.

6 PORTIONS

Soupe aux haricots et au macaroni

1 tasse	*haricots secs*	*250 ml*
4 tasses	*eau froide*	*1 L*
1 c. à s.	*huile d'olive ou autre huile à cuisson*	*15 ml*
1	*gros oignon, haché*	*1*
1	*gousse d'ail, hachée fin*	*1*
1 1/2 tasse	*chou, déchiqueté très fin*	*375 ml*
2	*grosses carottes, hachées*	*2*
28 oz	*tomates*	*796 ml*
1 cube	*bouillon de bœuf*	*1 cube*
1 1/2 c. à t.	*sel*	*7 ml*
1/4 c. à t.	*poivre*	*1 ml*
1/2 c. à t.	*basilic séché*	*2 ml*
1 tasse	*macaroni en coquilles*	*250 ml*
2 c. à s.	*persil haché*	*30 ml*
	parmesan râpé	

Faire tremper les haricots dans de l'eau froide, pendant toute une nuit. Les égoutter, mesurer leur eau de trempage et y ajouter suffisamment d'eau fraîche pour avoir 5 tasses (1,25 L) de liquide. Mettre les haricots dans une grande casserole et ajouter les 5 tasses (1,25 L) d'eau. Chauffer jusqu'à ébullition, baisser le feu, couvrir et faire mijoter, 1 heure ou jusqu'à ce que les haricots commencent à être tendres.

Chauffer l'huile dans une petite poêle épaisse et y cuire l'oignon et l'ail 5 minutes, à feu doux et en brassant. Ajouter aux haricots, ainsi que le chou, les carottes, les tomates, le cube de bouillon, le sel, le poivre et le basilic. Couvrir et faire mijoter 30 minutes.

Cuire le macaroni 3 minutes, dans une abondante quantité d'eau bouillante salée. Égoutter, ajouter à la soupe, ainsi que le persil, et faire mijoter 10 minutes. Goûter et rectifier l'assaisonnement. Servir en parsemant généreusement chaque bol de parmesan râpé.

6 À 8 PORTIONS

Ci-dessus : crème d'asperges

Crème d'asperges

3/4 tasse	*eau*	*180 ml*
3/4 c. à t.	*sel*	*3 ml*
1 lb	*asperges*	*450 g*
1 tasse	*crème à 15 %*	*250 ml*
1/8 c. à t.	*poivre*	*0,5 ml*
1/4 c. à t.	*fenouil séché (facultatif)*	*1 ml*
2 c. à s.	*beurre*	*30 ml*

Chauffer l'eau et le sel jusqu'à ébullition. Ajouter les asperges, coupées en diagonale, en bouts de 1/4 po (0,5 cm), couvrir et cuire environ 5 minutes ou jusqu'à ce que les asperges soient tendres.

Mettre dans le bocal d'un mélangeur électrique et fouetter jusqu'à ce que le tout soit lisse. Ajouter la crème, le poivre et le fenouil et fouetter encore. Remettre dans la casserole et bien chauffer sans toutefois laisser bouillir. Ajouter le beurre et servir.

4 PORTIONS

Soupe au maïs

3 c. à s.	*beurre*	*45 ml*
1	*oignon moyen, tranché mince*	*1*
1/2 tasse	*poivron vert, en petits dés*	*125 ml*
2	*pommes de terre moyennes, tranchées mince*	*2*
2 tasses	*eau bouillante*	*500 ml*
2 tasses	*lait*	*500 ml*
1 c. à s.	*farine*	*15 ml*
1	*petit morceau de feuille de laurier*	*1*
1 c. à t.	*sel*	*5 ml*
1/4 c. à t.	*poivre*	*1 ml*
19 oz	*maïs en crème, en conserve*	*540 ml*

Chauffer le beurre dans une casserole moyenne. Y cuire à feu doux, l'oignon et le poivron, 3 minutes en brassant. Ajouter les pommes de terre et l'eau et chauffer jusqu'à ébullition. Baisser le feu, couvrir et faire mijoter, 15 minutes ou jusqu'à ce que les pommes de terre soient tendres. Faire un mélanger lisse avec 1/4 tasse (60 ml) de lait et la farine et ajouter, en brassant, à la préparation bouillante. Ajouter aussi ce qui reste de lait, le laurier, le sel, le poivre et le maïs. Faire mijoter 15 minutes et jeter le laurier.

Passer au mélangeur, la moitié du mélange à la fois, pour que la soupe soit presque lisse.

Servir très chaud ou glacé.

Soupe au chou et aux tomates

2 c. à s.	*beurre*	*30 ml*
2 tasses	*chou grossièrement coupé*	*500 ml*
2 tasses	*eau*	*500 ml*
1 c. à t.	*sel*	*5 ml*
2 c. à s.	*farine*	*30 ml*
1/4 tasse	*eau froide*	*60 ml*
2	*tomates moyennes, pelées, épépinées et grossièrement hachées*	*2*
1 c. à s.	*persil séché*	*15 ml*
1/2 c. à t.	*basilic séché*	*2 ml*
1/4 c. à t.	*sel de céleri*	*1 ml*
1/8 c. à t.	*sel d'ail*	*0,5 ml*
1/8 c. à t.	*poivre*	*0,5 ml*
3 tasses	*lait*	*750 ml*

Chauffer le beurre dans une grande casserole. Y cuire le chou 3 minutes, à feu doux et en brassant. Ajouter l'eau et le sel, chauffer jusqu'à ébullition, baisser le feu et faire mijoter 5 minutes. Faire bouillir de nouveau.

Agiter vigoureusement, dans un petit bocal fermant hermétiquement, la farine et 1/4 tasse (60 ml) d'eau. Ajouter au liquide bouillant, petit à petit et en brassant. Ajouter aussi les tomates et les assaisonnements.

Chauffer jusqu'à ébullition, baisser le feu et faire mijoter 5 minutes, en brassant souvent. Ajouter le lait et chauffer jusqu'au point d'ébullition. Servir immédiatement.

6 PORTIONS

Soupe au chou-fleur

1	*chou-fleur moyen, défait en bouquets*	1
2	*carottes, tranchées*	2
1/3 tasse	*beurre*	*80 ml*
5 c. à s.	*farine*	*75 ml*
10 oz	*consommé en conserve*	*284 ml*
4 tasses	*liquide (eau de cuisson des légumes et eau)*	*1 L*
1	*poivron vert, en dés*	1
1 1/2 c. à t.	*sel*	*7 ml*
1/4 c. à t.	*poivre*	*1 ml*
1 c. à t.	*sucre*	*5 ml*
2	*jaunes d'œufs, légèrement battus*	2

Cuire séparément, à l'eau bouillante légèrement salée, le chou-fleur et les carottes jusqu'à ce que ces légumes soient tendres mais encore un peu croustillants. Égoutter et conserver l'eau de cuisson.

Faire fondre le beurre dans une grande casserole. Saupoudrer de la farine et bien mêler. Retirer du feu et ajouter le consommé. Ajouter suffisamment d'eau bouillante à l'eau de cuisson des légumes pour obtenir 4 tasses (1 L) de liquide et verser le tout dans la casserole, en brassant. Continuer la cuisson, à feu vif et en brassant constamment, jusqu'à ébullition. Ajouter le poivron, le sel, le poivre et le sucre. Baisser le feu et laisser mijoter 3 minutes.

Ajouter aux jaunes d'œufs environ 1 tasse (250 ml) de la préparation bien chaude, petit à petit et en brassant sans arrêt. Remettre le tout dans la casserole, en brassant constamment. Ajouter le chou-fleur et les carottes et cuire doucement en brassant, pendant 2 minutes. Servir immédiatement.

6 PORTIONS

Consommé relevé de citron

20 oz	*consommé de bœuf en conserve*	*568 ml*
2 1/2 tasses	*eau*	*625 ml*
1 c. à s.	*jus de citron*	*15 ml*
2 c. à t.	*zeste de citron râpé*	*10 ml*
	lamelles de citron	

Mettre dans une casserole le consommé, l'eau, le jus et le zeste de citron. Chauffer et laisser mijoter 5 minutes. Mettre dans des tasses à soupe et couronner chacune d'une lamelle de citron.

6 PORTIONS

Ci-contre : consommé relevé de citron

Soupe froide au concombre

2	*concombres moyens*	*2*
4 tasses	*babeurre*	*1 L*
1 c. à s.	*oignons verts, finement hachés*	*15 ml*
1/4 tasse	*persil finement haché*	*60 ml*
1 c. à t.	*sel*	*5 ml*
1 pincée	*poivre*	*1 pincée*
	petites lamelles de concombre non pelé	

Peler les concombres et les débarrasser de leurs graines. Les couper en petits dés. Ajouter le babeurre, les oignons, le persil, le sel et le poivre et mêler. Bien refroidir.

Brasser et mettre dans des tasses à soupe refroidies. Décorer chaque portion d'une lamelle de concombre.

4 À 6 PORTIONS

Bisque de maïs

1/4 lb	*lard salé, en dés*	*115 g*
2	*oignons moyens, tranchés mince*	*2*
4 tasses	*pommes de terre crues, en cubes de 1/2 po (1,25 cm)*	*1 L*
2 tasses	*eau*	*500 ml*
2 tasses	*maïs frais, cuit ou les grains de 2 gros épis cuits*	*500 ml*
1 tasse	*lait*	*250 ml*
1 tasse	*crème à 15 %*	*250 ml*
1 1/2 c. à t.	*sel*	*7 ml*
1/4 c. à t.	*poivre*	*1 ml*
1 c. à s.	*beurre*	*15 ml*
1 c. à s.	*farine*	*15 ml*
1/4 tasse	*persil haché finement*	*60 ml*
	craquelins	

Faire frire le lard salé à feu doux, dans une grande casserole épaisse, jusqu'à ce que cette dernière soit bien graissée. Ajouter les oignons et cuire, à feu doux et en brassant, pendant 5 minutes. Ajouter les pommes de terre et l'eau, chauffer jusqu'à ébullition, baisser le feu, couvrir et laisser mijoter, 10 minutes ou jusqu'à ce que les pommes de terre soient juste tendres.

Ajouter le maïs, le lait, la crème et les assaisonnements et chauffer jusqu'au point d'ébullition. Travailler ensemble le beurre et la farine et ajouter à la préparation, par pincées et en brassant bien après chaque addition. Laisser mijoter 1 minute. Parsemer du persil.

Verser dans des bols, sur des craquelins.

4 À 6 PORTIONS

Ci-contre : soupe froide au concombre

Potage crème de laitue

1/4 tasse	*beurre*	*60 ml*
4 tasses	*laitue finement déchiquetée*	*1 L*
1 c. à s.	*oignons verts, finement hachés*	*15 ml*
2 c. à s.	*farine*	*30 ml*
1 tasse	*crème à 15 %*	*250 ml*
2 tasses	*bouillon de poulet*	*500 ml*
1/2 c. à t.	*sel*	*2 ml*
1/4 c. à t.	*sauce Worcestershire*	*1 ml*
2 c. à s.	*ciboulette hachée*	*30 ml*
	croûtons (recette ci-après)	

Chauffer le beurre dans une casserole. Ajouter la laitue et les oignons et cuire, à feu vif et en brassant constamment, 1 minute ou jusqu'à ce que la laitue soit ramollie. Saupoudrer de la farine et bien mêler. Retirer du feu et ajouter la crème et le bouillon, d'un trait et en mêlant bien. Continuer la cuisson, à feu moyen, jusqu'à ébullition. Baisser le feu, ajouter le sel et la sauce Worcestershire et faire mijoter 3 minutes.

Ajouter la ciboulette et mettre dans des tasses à soupe. Parsemer de croûtons et servir immédiatement.

4 À 6 PORTIONS

Croûtons

3	*tranches de pain, de la veille*	*3*
2 c. à s.	*beurre*	*30 ml*

Enlever et jeter les croûtes des tranches de pain; couper la mie en cubes de 1/4 po (0,5 cm). Chauffer le beurre dans un poêle épaisse et y cuire les cubes de pain, en brassant, jusqu'à ce qu'ils soient dorés et croustillants. Laisser refroidir.

Soupe au cari et au maïs

2 tasses	*maïs cru (voir note)*	*500 ml*
1 c. à s.	*oignon haché fin*	*15 ml*
1 tasse	*lait*	*250 ml*
2 c. à s.	*beurre*	*30 ml*
1/2 c. à t.	*poudre de cari*	*2 ml*
1 tasse	*crème à 15 %*	*250 ml*
1/2 c. à t.	*sel*	*2 ml*
1/8 c. à t.	*poivre*	*0,5 ml*
	persil haché	

Mettre le maïs, l'oignon et le lait dans une casserole moyenne. Chauffer jusqu'à ébullition, baisser le feu, couvrir et faire mijoter 20 minutes. Verser dans le bocal d'un mélangeur électrique et faire tourner le mélange pour qu'il devienne presque lisse.

Chauffer le beurre dans la casserole déjà utilisée. Ajouter la poudre de cari et cuire 3 minutes, à feu doux et en brassant. Ajouter au maïs, ainsi que la crème, le sel et le poivre. Chauffer, en brassant constamment. Goûter et rectifier l'assaisonnement s'il y a lieu. Servir très chaud, parsemé de persil haché.

Note: détacher les grains des épis avec un couteau tranchant.

3 PORTIONS

Potage crème de persil

2 tasses	*persil finement haché*	*500 ml*
3 tasses	*bouillon de poulet*	*750 ml*
3 tasses	*crème à 15 %*	*750 ml*
2	*jaunes d'œufs*	*2*
1 c. à t.	*sel*	*5 ml*
1 pincée	*poivre de Cayenne*	*1 pincée*
4	*glaçons*	*4*
	crème fouettée salée	
	persil haché	

Mêler le persil et le bouillon de poulet dans une casserole. Chauffer jusqu'à ébullition, baisser le feu, couvrir et laisser mijoter 20 minutes.

Battre ensemble à la fourchette, la crème et les jaunes d'œufs; ajouter au mélange chaud petit à petit et en brassant. Ajouter le sel et le poivre de Cayenne. Goûter et rectifier l'assaisonnement si nécessaire. Faire tiédir rapidement et refroidir ensuite au réfrigérateur.

Servir dans des bols dans lesquels on aura mis, préalablement, un glaçon. Décorer chaque bol d'une petite cuillerée de crème fouettée légèrement salée et d'un peu de persil. Servir immédiatement.

4 PORTIONS

La reine des soupes

3	*grosses pommes de terre pelées et coupées en dés*	*3*
1 tasse	*céleri en dés*	*250 ml*
1	*gros oignon, tranché mince*	*1*
1	*poireau, tranché mince (facultatif)*	*1*
1	*gousse d'ail entière (facultatif)*	*1*
1 1/2 tasse	*eau bouillante*	*375 ml*
1 1/2 tasse	*bouillon de poulet*	*375 ml*
2 c. à t.	*sel*	*10 ml*
1/4 c. à t.	*poivre*	*1 ml*
2 tasses	*feuilles d'épinards, mesurées bien tassées*	*500 ml*
2 tasses	*laitue iceberg déchiquetée, mesurée légèrement tassée*	*500 ml*
1 tasse	*cresson, mesuré non tassé*	*250 ml*
2 tasses	*lait*	*500 ml*
	croûtons (recette à la page 9)	

Mettre les pommes de terre, le céleri, l'oignon, le poireau et l'ail dans une grande casserole. Ajouter l'eau, le bouillon de poulet, le sel et le poivre et chauffer jusqu'à ébullition. Baisser le feu, couvrir et faire mijoter 10 minutes. Ajouter les épinards, la laitue et le cresson, couvrir et faire mijoter 15 minutes. Faire tourner au mélangeur, une petite quantité à la fois, jusqu'à ce que ce soit lisse. Remettre le tout dans la casserole, ajouter le lait et chauffer jusqu'au point d'ébullition. Servir très chaud, garni de croûtons.

6 À 8 PORTIONS

Ci-contre : la reine des soupes et soupe aux pois campagnarde

Soupe aux pois campagnarde

1 lb	*pois cassés, verts ou jaunes*	*450 g*
8 tasses	*eau bouillante*	*2 L*
4 tasses	*jus de tomate*	*1 L*
1	*os de jambon, avec un peu de viande (voir note)*	*1*
1 1/2 tasse	*pommes de terre en dés*	*375 ml*
1 tasse	*céleri en dés*	*250 ml*
1 tasse	*oignons en dés*	*250 ml*
1 tasse	*carottes en dés*	*250 ml*
1	*petite feuille de laurier*	*1*
1 c. à t.	*sel*	*5 ml*
1/4 c. à t.	*poivre*	*1 ml*

Laver les pois. Les mettre dans une grande marmite. Ajouter l'eau et le jus de tomate et chauffer jusqu'à ébullition. Baisser alors le feu, couvrir hermétiquement et faire mijoter, 45 minutes ou jusqu'à ce que les pois soient tendres.

Ajouter l'os de jambon et tous les autres ingrédients. Couvrir de nouveau et faire mijoter, 45 minutes ou jusqu'à ce que tous les légumes soient tendres. Retirer l'os de jambon, couper en bouchées toute la viande qui y adhère et la remettre dans la soupe. Jeter l'os. Rectifier l'assaisonnement (la quantité de sel nécessaire dépend de ce que le jambon était plus ou moins salé). Servir très chaud.

Note: on peut utiliser l'os d'un jambon que l'on a fait cuire.

8 GROSSES PORTIONS

Vichyssoise

6 tasses	*bouillon de poulet*	*1,5 L*
4	*pommes de terres moyennes, pelées et tranchées mince*	*4*
1	*oignon moyen, épluché et tranché mince (facultatif)*	*1*
3	*poireaux tranchés mince (la partie blanche seulement)*	*3*
1 tasse	*crème à 35 %*	*250 ml*
	sel et poivre blanc	
	lait (facultatif)	
	ciboulette hachée	

Chauffer le bouillon jusqu'à ébullition. Ajouter les pommes de terre, l'oignon et le poireau, couvrir et faire mijoter à feu doux, 45 minutes ou jusqu'à ce que les légumes soient très tendres. Passer au mélangeur électrique, une petite quantité à la fois. Ajouter la crème au mélange bien lisse. Goûter, saler et poivrer si nécessaire (saler légèrement trop plutôt que pas assez car le sel perd de sa saveur au froid). Bien réfrigérer.

Allonger la soupe d'un peu de lait si vous la trouvez trop épaisse. La mettre dans des bols refroidis et parsemer chaque portion de ciboulette hachée.

6 À 8 PORTIONS

Soupe aux poireaux et aux pommes de terre

3 c. à s.	*beurre*	*45 ml*
4	*poireaux hachés (la partie blanche seulement)*	*4*
1	*oignon moyen, haché*	*1*
4	*grosses pommes de terre, en dés*	*4*
2	*branches de céleri, hachées*	*2*
6	*grosses brindilles de persil*	*6*
5 tasses	*bouillon de poulet*	*1,25 L*
2 c. à t.	*sel*	*10 ml*
1/4 c. à t.	*poivre*	*1 ml*
1 c. à t.	*cerfeuil séché*	*5 ml*
1/4 c. à t.	*marjolaine séchée*	*1 ml*
3 tasses	*lait, au point d'ébullition*	*750 ml*

Faire fondre le beurre dans une grande casserole et y ajouter le poireau et l'oignon. Cuire 5 minutes, à feu doux et en brassant; ne pas laisser brunir les légumes, toutefois.

Ajouter les pommes de terre, le céleri, le persil, le bouillon de poulet, le sel, le poivre, le cerfeuil et la marjolaine. Couvrir et cuire à feu moyen, 30 minutes ou jusqu'à ce que les légumes soient tendres.

Réduire en crème au mélangeur ou au tamis. Remettre dans la casserole, chauffer de nouveau jusqu'à ébullition et ajouter le lait très chaud, en brassant. Goûter, saler et poivrer si nécessaire.

8 PORTIONS

Ci-contre : soupe aux pommes de terre et au fromage

Soupe aux pommes de terre et au fromage

1 1/2 tasse	*pommes de terre crues, en dés*	*375 ml*
2 tasses	*eau bouillante*	*500 ml*
2 cubes	*bouillon de poulet, déshydraté*	*2 cubes*
2 c. à s.	*beurre*	*30 ml*
1/4 tasse	*oignon finement haché*	*60 ml*
1/4 tasse	*poivron vert finement haché*	*60 ml*
2 c. à s.	*farine*	*30 ml*
2 tasses	*lait*	*500 ml*
1 c. à t.	*sel*	*5 ml*
1/8 c. à t.	*poivre*	*0,5 ml*
1 1/2 tasse	*cheddar fort, finement râpé*	*375 ml*
	persil haché	

Cuire les pommes de terre dans l'eau bouillante, jusqu'à ce qu'elles soient tendres. Égoutter, en conservant l'eau de cuisson. Ajouter les cubes de bouillon à cette eau bien chaude, et brasser jusqu'à ce qu'ils soient dissous.

Faire fondre le beurre dans une casserole. Ajouter l'oignon et le poivron et cuire à feu doux, en brassant, pendant 3 minutes. Saupoudrer de farine et laisser bouillonner un peu. Retirer du feu et ajouter le lait et l'eau de cuisson des pommes de terre, d'un trait et en brassant. Saler et poivrer. Continuer la cuisson, à feu moyen et en brassant sans arrêt, jusqu'à ce que le mélange bouille et soit bien lisse. Baisser le feu et laisser mijoter 2 minutes.

Ajouter le fromage et brasser jusqu'à ce qu'il soit fondu. Ajouter aux pommes de terre et bien chauffer. Servir très chaud, garni de persil haché.

4 À 6 PORTIONS

Bouillon de tomate épicé

48 oz	jus de tomate	1,36 L
1	feuille de laurier	1
6	clous de girofle	6
4 cubes	bouillon de bœuf déshydraté	4 cubes
3/4 c. à t.	sel	3 ml
2 c. à s.	sucre	30 ml
1 tasse	sauce au chili	250 ml
4 tasses	eau bouillante	1 L
1/8 c. à t.	sel de céleri	0,5 ml
1/8 c. à t.	sel d'ail	0,5 ml
1/2 c. à t.	basilic séché	2 ml
1/8 c. à t.	sauce Tabasco	0,5 ml
1/4 tasse	jus de citron	60 ml

Mêler tous les ingrédients, excepté la sauce Tabasco et le jus de citron, dans une casserole. Chauffer jusqu'à ébullition, baisser le feu, couvrir et faire mijoter 10 minutes. Passer le bouillon et le remettre dans la casserole; ajouter la sauce Tabasco et le jus de citron et chauffer jusqu'au point d'ébullition. Servir dans des tasses ou des chopes.

12 PORTIONS

Soupe froide aux tomates et au fromage

19 oz	jus de tomate	540 ml
1 tasse	lait	250 ml
1 tasse	fromage cottage en crème	250 ml
2 c. à s.	jus de citron	30 ml
2 c. à t.	raifort préparé	10 ml
4	oignons verts, hachés grossièrement	4
8	glaçons	8
1/2 c. à t.	sel	2 ml
1/4 c. à t.	poivre	1 ml

Mettre ensemble, dans le bocal d'un mélangeur électrique, le jus de tomate, le lait, le fromage, le jus de citron, le raifort, les oignons et les glaçons. Faire tourner le tout juste assez pour mêler tous les ingrédients (il devrait rester de petits morceaux d'oignons non réduits en purée).

Goûter, saler et poivrer au besoin. Servir immédiatement, dans des chopes.

6 PORTIONS

Soupe paysanne

3 c. à s.	*beurre ou margarine*	45 ml
1	*gousse d'ail, épluchée et coupée en deux*	1
2 tasses	*pain croûté (un peu sec sans être dur, si possible) en cubes de 1 po (2,5 cm) de côté*	500 ml
2 c. à s.	*beurre ou margarine*	30 ml
1 tasse	*oignon haché*	250 ml
1 c. à t.	*paprika*	5 ml
4 tasses	*bouillon de bœuf*	1 L
2	*œufs*	2
1/2 c. à t.	*sel*	2 ml
1/4 c. à t.	*poivre*	1 ml
	persil haché	

Chauffer, dans une grande casserole, 3 c. à s. (45 ml) de beurre et les morceaux d'ail. Cuire 5 minutes, à feu doux et en brassant; jeter l'ail. Mettre les cubes de pain dans le beurre et les cuire, en brassant, jusqu'à ce qu'ils soient dorés. Les retirer de la casserole avec une cuillère perforée.

Ajouter 2 c. à s. (30 ml) de beurre au jus de cuisson. Ajouter l'oignon et le cuire, à feu doux et en brassant, jusqu'à ce qu'il soit doré. Ajouter le paprika et le bouillon, couvrir et faire mijoter 20 minutes.

Au moment de servir, bien battre les œufs. Retirer la soupe du feu; ajouter aux œufs environ 1 tasse (250 ml) de soupe bien chaude, petit à petit et en battant constamment avec une fourchette ou un fouet. Remettre le tout dans la casserole et chauffer, à feu bas et en brassant, jusqu'au point d'ébullition (ne pas laisser bouillir). Saler et poivrer au goût. Servir immédiatement: répartir les cubes de pain dans 4 bols et verser la soupe à la louche. Parsemer abondamment de persil.

4 PORTIONS

Ci-dessus : soupe paysanne

Chaudrée de légumes

1/4 tasse	*beurre*	*60 ml*
1 tasse	*céleri en dés*	*250 ml*
1 tasse	*carottes en dés*	*250 ml*
1 tasse	*pommes de terre en dés*	*250 ml*
1/2 tasse	*navet en dés*	*125 ml*
1/4 tasse	*oignon finement haché*	*60 ml*
1/4 tasse	*poireau en tranches minces*	*60 ml*
1 tasse	*eau bouillante*	*250 ml*
2 c. à t.	*sel*	*10 ml*
1/2 c. à t.	*poivre*	*2 ml*
1 c. à t.	*sucre*	*5 ml*
1 tasse	*petits pois congelés*	*250 ml*
1 tasse	*poivron vert en allumettes*	*250 ml*
4 tasses	*lait, au point d'ébullition*	*1 L*
1/4 tasse	*persil haché*	*60 ml*
1/2 tasse	*cheddar fort, râpé*	*125 ml*

Faire fondre le beurre dans une grande casserole. Ajouter céleri, carottes, pommes de terre, navet, oignon, poireau, eau, sel, poivre et sucre. Couvrir et faire mijoter 10 minutes ou jusqu'à ce que les légumes soient tendres mais encore un peu croquants.

Ajouter les petits pois et le poivron et faire mijoter, 5 minutes ou jusqu'à ce que tous les légumes soient tendres. Ajouter le lait très chaud et parsemer du persil.

Mettre dans des bols et garnir de cheddar râpé.

Soupe campagnarde

2 c. à s.	*beurre*	*30 ml*
2 c. à s.	*eau*	*30 ml*
1/2 tasse	*haricots verts frais, coupés en diagonale*	*125 ml*
2	*carottes moyennes, tranchées mince*	*2*
2 tasses	*navet en petites lamelles*	*500 ml*
2	*poireaux, en lamelles (la partie blanche seulement)*	*2*
1/2 tasse	*céleri finement haché*	*125 ml*
1/2 tasse	*eau*	*125 ml*
1/2 tasse	*petits pois frais ou congelés*	*125 ml*
2 tasses	*chou vert, finement déchiqueté*	*500 ml*
1 1/2 c. à t.	*sel*	*7 ml*
1/4 c. à t.	*poivre*	*1 ml*
1/2 c. à t.	*paprika*	*2 ml*
4 tasses	*lait*	*1 L*
1/2 tasse	*laitue déchiquetée*	*125 ml*
2 c. à t.	*fenouil frais, haché*	*10 ml*

Chauffer le beurre dans une grande casserole. Ajouter 2 c. à s. (30 ml) d'eau et les haricots. Couvrir et cuire à feu vif pendant 3 minutes, en secouant la casserole souvent. Ajouter les carottes, le navet, le poireau, le céleri et 1/2 tasse (125 ml) d'eau. Couvrir et cuire, 7 minutes ou jusqu'à ce que les légumes soient presque tendres. Ajouter les petits pois et faire mijoter pendant 5 minutes.

Ajouter le chou, le sel, le poivre, le paprika et le lait. Faire mijoter 5 minutes. Ajouter la laitue et chauffer.

Mettre dans des bols et décorer de fenouil.

6 PORTIONS

Ci-contre : chaudrée de légumes (dans le bol) et soupe campagnarde (dans la soupière)

Bisque de palourdes

48	*palourdes en coquilles*	*48*
3 tasses	*liquide (le bouillon de cuisson des palourdes et de l'eau)*	*750 ml*
1/4 lb	*lard salé, en dés*	*115 g*
4	*oignons moyens, tranchés mince*	*4*
1 1/2 tasse	*tomates en conserve*	*375 ml*
2	*poireaux, hachés finement*	*2*
2	*branches de céleri (avec les feuilles), hachées*	*2*
2	*carottes hachées*	*2*
1/4 tasse	*persil haché*	*60 ml*
1/4 c. à t.	*thym séché*	*1 ml*
1	*feuille de laurier*	*1*
2 c. à t.	*sel*	*10 ml*
1/2 c. à t.	*poivre*	*2 ml*
1 pincée	*muscade*	*1 pincée*
4	*grosses pommes de terre, en cubes de 1/2 po (1,25 cm)*	*4*
3 c. à s.	*beurre*	*45 ml*
3 c. à s.	*farine*	*45 ml*
1 c. à s.	*sauce Worcestershire*	*15 ml*
3 gouttes	*sauce Tabasco*	*3 gouttes*
2	*gros biscuits de matelots (voir note)*	*2*

Nettoyer les palourdes à l'eau courante, avec une brosse dure, pour enlever tout le sable. Laver à plusieurs reprises. Mettre 1/2 po (1,25 cm) d'eau bouillante dans une très grande marmite. Ajouter les palourdes, couvrir hermétiquement et cuire à la vapeur, 10 minutes ou jusqu'à ce que les coquilles s'entrouvrent.

Retirer les palourdes de la marmite. Passer le bouillon de cuisson, en utilisant plusieurs épaisseurs de coton à fromage, le mesurer et lui ajouter de l'eau pour avoir 3 tasses (750 ml) de liquide. Mettre de côté.

Retirer les palourdes de leurs coquilles, avec précaution (ajouter, aux 3 tasses de liquide, tout liquide qui pourrait se trouver dans les coquilles). Hacher grossièrement la moitié des palourdes; mettre de côté.

Faire brunir légèrement le lard salé, dans une grande marmite épaisse. Ajouter les oignons et cuire à feu doux, en brassant constamment, jusqu'à ce que ce soit doré. Ajouter tout le liquide, les tomates, les poireaux, le céleri, les carottes, le persil, le thym, le laurier, le sel, le poivre et la muscade. Chauffer jusqu'à ébullition.

Ajouter les pommes de terre, chauffer de nouveau jusqu'à ébullition, baisser le feu, couvrir et laisser mijoter, 15 minutes ou jusqu'à ce que les pommes de terre soient tendres. Ajouter les palourdes hachées et les palourdes entières.

Mêler le beurre et la farine, dans une petite poêle épaisse, et chauffer, à feu moyen et en brassant constamment, jusqu'à ce que ce soit d'un beau brun. Ajouter à la préparation, par pincées et en brassant bien après chaque addition. Ajouter les sauces Worcestershire et Tabasco. Laisser mijoter 2 minutes. Émietter les biscuits dans la bisque, si on le désire et servir immédiatement.

Note: les biscuits de matelot, appelés aussi quelquefois biscuits marins, sont faits d'une pâte sans levure. Ils sont très consistants, d'une valeur nutritive supérieure à celle du pain et sont très lents à absorber un liquide.

8 PORTIONS

Bisque de homard

1	*homard de 2 1/4 lb (1 kg), cuit*	1
1 tasse	*eau froide*	*250 ml*
4 tasses	*lait*	*1 L*
1 tasse	*crème*	*250 ml*
1	*petite tranche d'oignon*	*1*
1 pincée	*thym séché*	*1 pincée*
1	*petite feuille de laurier*	*1*
1	*clou de girofle*	*1*
4	*grains de poivre*	*4*
1	*brindille de persil*	*1*
2 c. à s.	*beurre*	*30 ml*
4	*craquelins, écrasés en fines miettes*	*4*
2 c. à t.	*sel*	*10 ml*
1/8 c. à t.	*poivre*	*0,5 ml*
1/2 c. à t.	*paprika*	*2 ml*
1 pincée	*muscade*	*1 pincée*
2	*jaunes d'œufs*	*2*
2 c. à s.	*sherry sec (facultatif)*	*30 ml*

Ci-dessus : bisque de homard

Défaire le homard et en enlever la chair et le foie (la partie verte), en gardant ce dernier à part. Couper la chair en dés.

Mettre la carapace du homard dans une casserole et ajouter l'eau froide. Chauffer jusqu'à ébullition, couvrir et faire bouillir 10 minutes. Passer en conservant le liquide; jeter la carapace.

Mettre le lait, la crème, l'oignon, le thym, le laurier, le clou de girofle, le poivre et le persil dans une casserole et chauffer jusqu'au point d'ébullition. Passer et remettre le liquide dans la casserole.

Travailler ensemble, dans un petit bol, le beurre, les miettes de craquelins et le foie du homard. Ajouter un peu du liquide bien chaud, bien mêler et remettre le tout dans la casserole. Ajouter le liquide de cuisson de la carapace. Porter à ébullition; ajouter le sel, le poivre, le paprika et la muscade.

Battre ensemble les jaunes d'œufs et le sherry. Ajouter un peu du mélange chaud, petit à petit et en brassant constamment. Remettre le tout dans la casserole et faire frissonner. Ajouter la chair du homard et bien chauffer sans laisser bouillir. Servir immédiatement.

4 À 6 PORTIONS

Chaudrée de palourdes vite faite

20 oz	*petites palourdes en conserve*	*568 ml*
1/4 lb	*lard salé, en petits cubes*	*115 g*
1 tasse	*oignon haché*	*250 ml*
3 tasses	*liquide (le jus des palourdes et de l'eau)*	*750 ml*
2 tasses	*pommes de terre en dés*	*500 ml*
1 1/2 c. à t.	*sel*	*7 ml*
1/2 c. à t.	*poivre*	*2 ml*
6 tasses	*lait*	*1,5 L*
1/4 tasse	*beurre*	*60 ml*
1/4 tasse	*persil haché*	*60 ml*

Égoutter les palourdes, en conservant leur jus de conserve.

Mettre le lard salé dans une casserole épaisse et l'y faire frire, en brassant constamment, jusqu'à ce qu'il soit légèrement bruni. Ajouter l'oignon et le cuire jusqu'à ce qu'il soit tendre sans être bruni. Mesurer le jus de conserve des palourdes et y ajouter de l'eau pour avoir 3 tasses (750 ml) de liquide. Ajouter ce liquide à l'oignon, ainsi que les pommes de terre, le sel et le poivre. Couvrir et cuire à feu doux, 15 minutes ou jusqu'à ce que les pommes de terre soient tendres. Ajouter le lait et les palourdes et chauffer jusqu'au point d'ébullition; ne pas laisser bouillir, toutefois. Ajouter le beurre et le persil, brasser et servir immédiatement.

12 PORTIONS

Bisque de pétoncles au cari

1 c. à s.	*beurre*	*15 ml*
1/2 c. à t.	*poudre de cari*	*2 ml*
1 1/2 c. à t.	*oignon râpé*	*7 ml*
10 oz	*soupe aux tomates en conserve*	*284 ml*
2 tasses	*bouillon de poulet*	*500 ml*
1 lb	*pétoncles (décongelés s'il y a lieu)*	*450 g*
1 tasse	*lait*	*250 ml*
1/2 tasse	*crème à 15 %*	*125 ml*
1/2 c. à t.	*sel*	*2 ml*
1/8 c. à t.	*poivre*	*0,5 ml*
2 c. à s.	*persil haché*	*30 ml*
	persil haché	

→

Chauffer le beurre dans une casserole moyenne. Ajouter la poudre de cari et l'oignon et cuire à feu doux en brassant, pendant 3 minutes. Ajouter la soupe aux tomates et le bouillon de poulet et chauffer jusqu'à ébullition. Ajouter les pétoncles lavés (les couper en deux s'ils sont gros), baisser le feu, couvrir et faire mijoter 5 minutes.

Ajouter le lait, la crème, le sel et le poivre, en brassant, et chauffer sans toutefois laisser bouillir. Goûter, saler et poivrer si nécessaire. Ajouter 2 c. à s. (30 ml) de persil, brasser et servir immédiatement. Parsemer de persil.

6 PORTIONS

Chaudrée d'huîtres

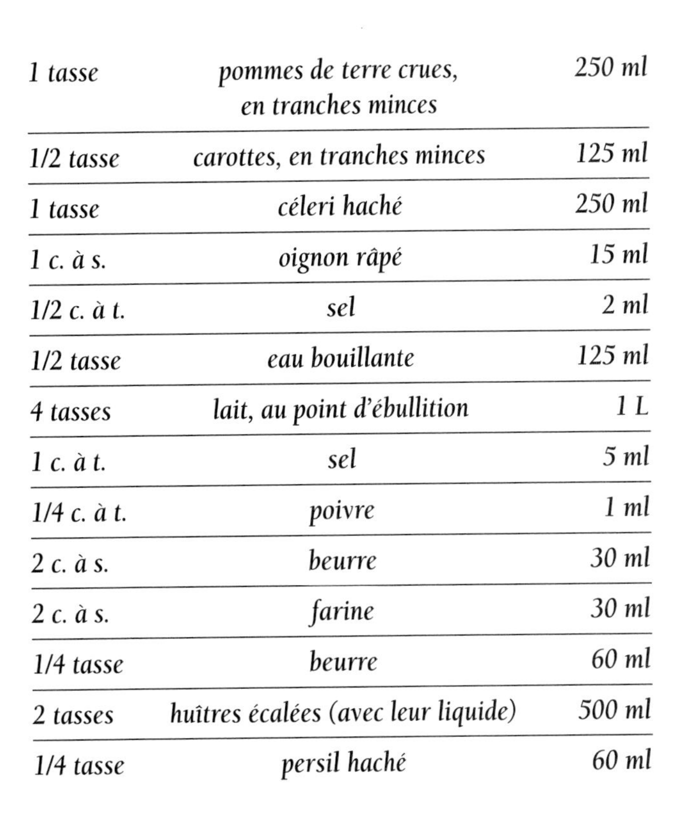

1 tasse	*pommes de terre crues, en tranches minces*	*250 ml*
1/2 tasse	*carottes, en tranches minces*	*125 ml*
1 tasse	*céleri haché*	*250 ml*
1 c. à s.	*oignon râpé*	*15 ml*
1/2 c. à t.	*sel*	*2 ml*
1/2 tasse	*eau bouillante*	*125 ml*
4 tasses	*lait, au point d'ébullition*	*1 L*
1 c. à t.	*sel*	*5 ml*
1/4 c. à t.	*poivre*	*1 ml*
2 c. à s.	*beurre*	*30 ml*
2 c. à s.	*farine*	*30 ml*
1/4 tasse	*beurre*	*60 ml*
2 tasses	*huîtres écalées (avec leur liquide)*	*500 ml*
1/4 tasse	*persil haché*	*60 ml*

Mettre les pommes de terre, les carottes, le céleri, l'oignon, le sel et l'eau bouillante dans une casserole. Couvrir et faire bouillir, 15 minutes ou jusqu'à ce que les légumes soient tendres. Ajouter le lait, saler et poivrer; chauffer jusqu'à ce que le mélange commence à mijoter.

Faire une crème avec 2 c. à s. (30 ml) de beurre et 2 c. à s. (30 ml) de farine et ajouter à la soupe frissonnante, par petites parcelles et en brassant bien après chaque addition. Faire mijoter 2 minutes.

Chauffer 1/4 tasse (60 ml) de beurre, dans une poêle épaisse, et y ajouter les huîtres et leur liquide. Cuire à feu doux jusqu'à ce que le bord des huîtres commence à s'enrouler. Ajouter immédiatement à la chaudrée très chaude. Parsemer du persil et servir immédiatement.

6 PORTIONS

Ci-contre : à gauche, bisque de pétoncles au cari; à droite, chaudrée d'huîtres

Potage de crevettes à la créole

2 c. à s.	*beurre*	30 ml
1/2 tasse	*piment vert haché*	125 ml
1/4 tasse	*oignons verts hachés*	60 ml
6	*tomates moyennes, pelées et hachées*	6
1/2 tasse	*eau*	125 ml
1 1/2 c. à t.	*sel*	7 ml
1/4 c. à t.	*poivre*	1 ml
1/4 c. à t.	*thym séché*	1 ml
1/8 c. à thé	*basilic séché*	0,5 ml
1 tasse	*petits pois, frais ou congelés*	250 ml
2 c. à s.	*fécule de maïs*	30 ml
1/4 tasse	*eau froide*	60 ml
4 oz	*crevettes parées*	115 g

Faire fondre le beurre dans une casserole. Ajouter le piment vert et les oignons et cuire à feu doux en brassant, pendant 3 minutes.

Ajouter les tomates, l'eau, le sel, le poivre, le thym et le basilic. Chauffer jusqu'à ébullition, baisser le feu, couvrir et faire mijoter jusqu'à ce que les tomates soient bien ramollies. Ajouter les petits pois et faire mijoter encore 5 minutes.

Ajouter la fécule de maïs à l'eau froide, dans un petit bocal fermant hermétiquement. Agiter le bocal jusqu'à ce que le mélange soit bien lisse. Ajouter petit à petit au mélange chaud, en brassant. Faire mijoter 2 minutes.

Égoutter les crevettes et bien les rincer à l'eau froide courante. Ajouter au potage et bien chauffer. Servir immédiatement.

4 À 6 PORTIONS

Bisque de saumon

1 lb	*saumon rose*	450 g
1/4 tasse	*beurre*	60 ml
1/4 tasse	*oignon haché*	60 ml
1/4 tasse	*céleri haché*	60 ml
3 c. à s.	*farine*	45 ml
1 1/2 c. à t.	*sel*	7 ml
1 tasse	*liquide (le jus de conserve du saumon et de l'eau)*	250 ml
2 tasses	*lait*	500 ml
1 tasse	*jus de tomate*	250 ml
2 c. à s.	*persil haché*	30 ml

Égoutter et émietter le saumon, en conservant son jus de conserve.

Chauffer le beurre dans une grande casserole. Y cuire l'oignon et le céleri 5 minutes, à feu doux en brassant. Saupoudrer de farine et de sel. Mêler et retirer du feu.

Mesurer le jus de conserve du saumon et y ajouter de l'eau pour obtenir 1 tasse (250 ml) de liquide. Ajouter d'un trait, ainsi que le lait, au premier mélange; bien mélanger.

Continuer la cuisson, à feu moyen en brassant constamment, jusqu'à ce que le mélange épaississe et soit lisse. Ajouter le jus de tomate et le persil et bien chauffer, sans laisser bouillir. Ajouter le saumon et chauffer. Servir immédiatement.

6 PORTIONS

Bisque de poisson

4	*tranches de bacon, en morceaux*	4
1	*gros oignon, tranché mince*	1
2 lb	*aiglefin*	900 g
4 tasses	*pommes de terre crues, tranchées mince*	1 L
	eau bouillante	
2 c. à s.	*beurre*	30 ml
1 c. à s.	*farine*	15 ml
2 tasses	*lait, au point d'ébullition*	500 ml
1 1/2 c. à t.	*sel*	7 ml
1/4 c. à t.	*poivre*	1 ml
1/4 tasse	*persil haché*	60 ml

Mettre les morceaux de bacon dans une grande casserole épaisse. Faire frire jusqu'à ce que la casserole soit bien graissée. Ajouter l'oignon et cuire 3 minutes, en brassant.

Enlever la peau et les arêtes du poisson et le couper en morceaux de 1 po (2,5 cm). Mettre dans la casserole, ainsi que les tranches de pommes de terre, et couvrir d'eau bouillante.

Chauffer jusqu'à ébullition, baisser le feu, couvrir et faire mijoter doucement, 15 minutes ou jusqu'à ce que les pommes de terre soient tendres.

Mêler le beurre et la farine et ajouter à la préparation, par pincées et en brassant bien après chaque addition. Ajouter le lait chaud, le sel et le poivre. Goûter et rectifier l'assaisonnement s'il y a lieu. Couvrir et laisser mijoter 5 minutes.

Garnir de persil et servir immédiatement.

6 À 8 PORTIONS

Ci-dessus : bisque de poisson

Minestrone à la californienne

1 tasse	*petits haricots de Lima secs*	*250 ml*
1/4 lb	*lard salé, en cubes de 1/4 po (0,5 cm)*	*115 g*
1	*oignon moyen, haché*	*1*
1	*gousse d'ail émincée*	*1*
6 tasses	*eau bouillante*	*1,5 L*
2 cubes	*bouillon de bœuf, déshydraté*	*2 cubes*
2 c. à t.	*sel*	*10 ml*
1/4 c. à t.	*poivre*	*1 ml*
1	*grosse carotte, en dés*	*1*
2 tasses	*navet, en dés*	*500 ml*
2	*branches de céleri, tranchées*	*2*
19 oz	*tomates*	*540 ml*
1	*petit morceau de feuille de laurier*	*1*
1/4 c. à t.	*basilic séché*	*1 ml*
2 tasses	*chou déchiqueté fin*	*500 ml*
1 tasse	*épinards déchiquetés, mesurés bien tassés*	*250 ml*

Rincer les haricots à l'eau froide courante.

Mettre le lard salé dans une grande marmite et le cuire à feu doux, pour bien la graisser. Ajouter l'oignon et l'ail et cuire 3 minutes, à feu doux, en brassant. Ajouter l'eau, les cubes de bouillon, le sel, le poivre et les haricots. Chauffer jusqu'à ébullition, baisser le feu, couvrir hermétiquement et faire mijoter, 1 heure ou jusqu'à ce que les haricots commencent à être tendres.

Ajouter la carotte, le navet, le céleri, les tomates, le laurier et le basilic. Faire mijoter, 30 minutes ou jusqu'à ce que les légumes soient tendres. Ajouter le chou et continuer la cuisson 5 minutes. Ajouter les épinards et cuire encore 5 minutes. Goûter et rectifier l'assaisonnement s'il y a lieu. Servir très chaud.

6 À 8 GÉNÉREUSES PORTIONS

Soupe à l'oignon à l'espagnole

2	*gros oignons espagnols*	2
1/2 tasse	*huile d'olive*	*125 ml*
6 tasses	*bouillon de bœuf*	*1,5 L*
1 c. à t.	*sel*	*5 ml*
1/4 c. à t.	*poivre*	*1 ml*
1 pincée	*macis*	*1 pincée*
1 pincée	*clou de girofle en poudre*	*1 pincée*
1 c. à t.	*vinaigre de vin*	*5 ml*
2 c. à s.	*persil haché*	*30 ml*
6	*œufs*	6
6	*tranches de pain croûté, rôties*	6
	fromage râpé (facultatif)	

Couper les oignons en lamelles. Chauffer l'huile, dans une grande casserole, y mettre les oignons, couvrir et cuire, à feu doux, 30 minutes ou jusqu'à ce que les oignons soient bien ramollis. Découvrir et continuer la cuisson jusqu'à ce que les oignons soient légèrement brunis. Ajouter le bouillon, le sel, le poivre, le macis, le clou de girofle, le vinaigre et le persil. Chauffer jusqu'à ébullition, baisser le feu, couvrir et faire mijoter 20 minutes.

Faire pocher les œufs, en les gardant mollets (voir note). Mettre les tranches de pain dans 6 bols et y déposer les œufs. Remplir les bols de soupe très chaude et parsemer le tout d'un peu de fromage râpé.

Note: les Espagnols font pocher les œufs directement dans la soupe. Je trouve difficile de les en retirer ensuite sans les briser; je préfère donc les pocher séparément.

6 PORTIONS

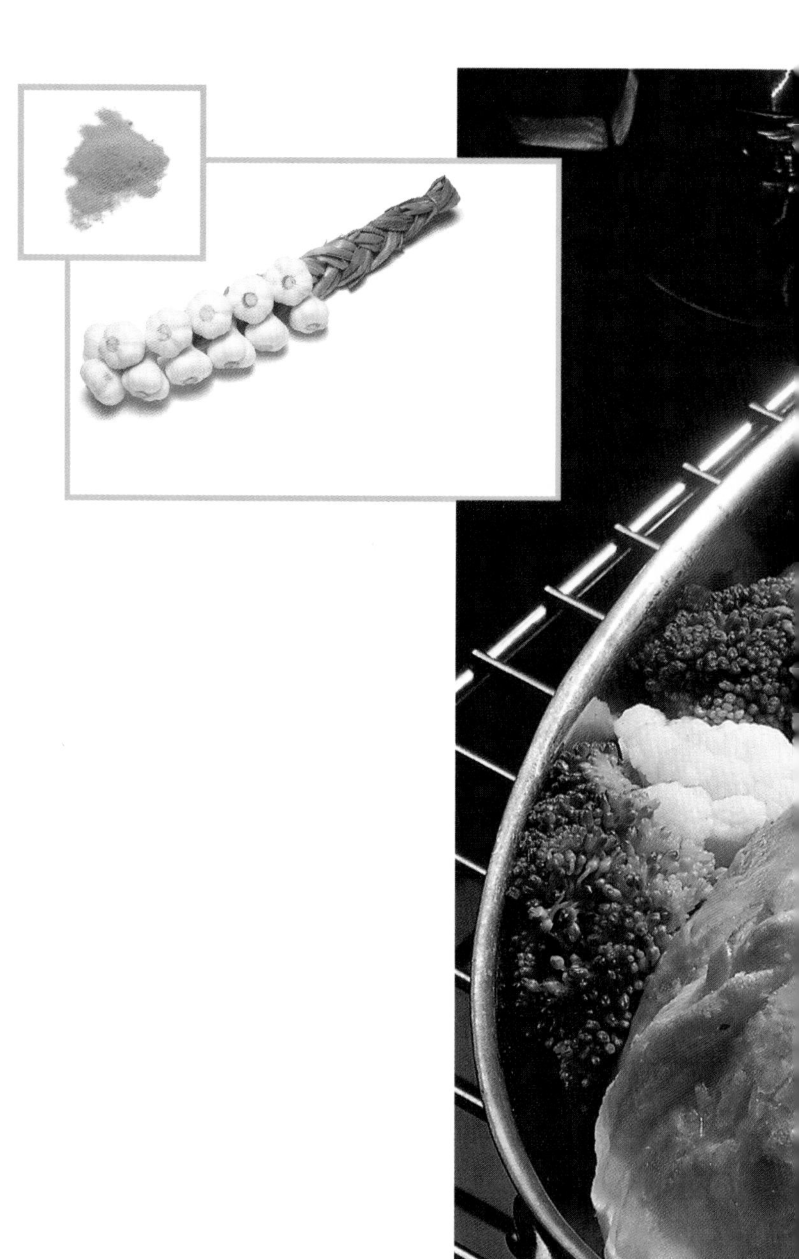

Bœuf

Bœuf

Le bœuf a été longtemps la viande préférée des Nord-Américains et demeure extrêmement populaire, que ce soit en rôti juteux, en biftecks épais et tendres, en ragoûts savoureux ou en simples hamburgers.

Les États-Unis, l'Irlande, l'Argentine et la Russie sont les plus grands producteurs de bœuf. Toutefois, les experts estiment que le bœuf écossais est le meilleur.

Pour réussir un rôti, il faut semble-t-il six conditions : le bœuf doit être de choix et bien mûri, il doit être rôti sur un bon feu, par un bon cuisinier de bonne humeur et le convive doit avoir bon appétit.

Le bœuf contient une grande quantité de protéine et c'est une source précieuse de fer et de vitamines B1 et B2. Plus tendre lorsque persillé, c'est-à-dire, strié de fines bandes de gras, il est toutefois recommandé de choisir des morceaux plutôt maigres qui, bien que moins tendres, sont tout aussi nutritifs et donneront, s'ils sont bien apprêtés, des plats délicieux.

Quand vous achetez du bœuf, veillez à ce que la viande soit d'une couleur bien rouge tirant légèrement sur le brun. Une couleur rouge clair signifie généralement que la viande est trop fraîche. Elle sera alors un peu plus dure et manquera de goût.

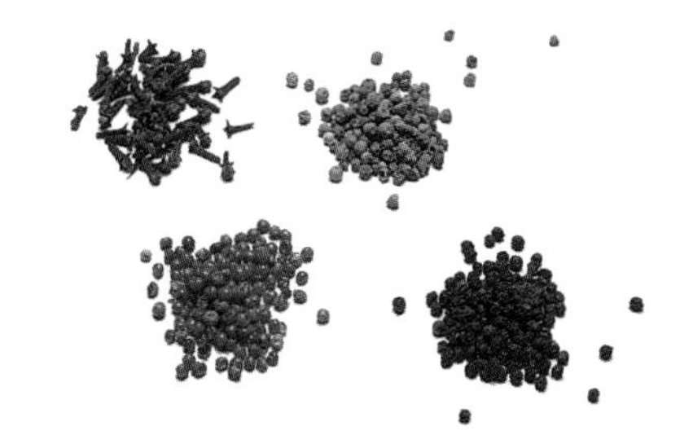

Rôti de côtes roulé relevé

3	*gousses d'ail, broyées*	*3*
2 c. à t.	*sel*	*10 ml*
1 c. à t.	*poivre*	*5 ml*
1/2 c. à t.	*marjolaine séchée*	*2 ml*
1/4 tasse	*farine*	*60 ml*
1	*rôti de côtes de bœuf de 5 à 6 lb (2,2 à 2,6 kl), roulé*	*1*
2	*oignons hachés*	*2*
6	*tranches de bacon*	*6*
1 tasse	*vin rouge sec*	*250 ml*
6	*pommes de terre moyennes, pelées, en moitiés*	*6*
3	*tomates, grossièrement hachées*	*3*
1/4 tasse	*persil haché*	*60 ml*
	sel	
	poivre	

Chauffer le four à 500 °F (260 °C). Préparer une rôtissoire.

Mêler l'ail, le sel, le poivre, la marjolaine et la farine. Faire pénétrer ce mélange dans la viande, en l'en frottant de tous les côtés.

Déposer le rôti dans la rôtissoire et mettre au four, préalablement chauffé. Baisser le feu à 325 °F (160 °C) et cuire jusqu'à ce que le rôti soit bruni de tous les côtés. Retirer du four.

Parsemer d'oignons hachés. Couvrir de tranches de bacon, et arroser de vin. Continuer la cuisson au four de 25 à 30 minutes par livre (450 g), si on veut le rôti moyennement saignant. Utiliser, si l'on veut, un thermomètre à viande: à 140 °F (60 °C), la viande est saignante; à 160 °F (70 °C), elle est moyennement cuite et à 170 °F (76 °C), elle est bien cuite. Arroser souvent du jus de cuisson.

Environ 1 heure avant la fin de la cuisson, ajouter les pommes de terre, les tomates et le persil. Saler et poivrer généreusement.

Disposer la viande et les pommes de terre dans un plat de service chaud. Passer le jus de cuisson à travers un tamis, en pressant pour extraire le plus possible de pulpe de tomates.

Remettre dans la rôtissoire et chauffer, sur la cuisinière, en détachant bien de la rôtissoire toutes les petites particules rôties. Ajouter du vin ou de l'eau bouillante pour avoir environ 3 tasses (750 ml) de liquide. Épaissir d'un peu de farine délayée à l'eau. Goûter, rectifier l'assaisonnement et servir avec la viande et les pommes de terre.

8 À 10 PORTIONS

Ci-contre : rôti de côtes roulé relevé

Bœuf braisé à l'italienne

4	*tranches de bacon, en morceaux*	4
4 lb	*bœuf dans la palette*	1,8 kg
1	*grosse carotte hachée*	1
1	*branche de céleri hachée*	1
1	*oignon haché*	1
1/4 tasse	*persil haché*	60 ml
2	*lanières de zeste de citron, d'environ 2 po (5 cm) de longueur par 1/2 po (1,25 cm) de largeur*	2
1 tasse	*vin rouge sec*	250 ml
1 1/2 c. à t.	*sel*	7 ml
1/4 c. à t.	*poivre*	1 ml
1 cube	*bouillon de bœuf dissous dans 1/2 tasse (125 ml) d'eau bouillante*	1 cube

Mettre le bacon dans une grande casserole épaisse ou dans une rôtissoire. Cuire à feu bas jusqu'à ce que la casserole soit bien graissée. Faire brunir le rôti, de tous les côtés. Ajouter tous les autres ingrédients, couvrir hermétiquement et faire mijoter, 3 heures ou jusqu'à ce que la viande soit très tendre.

Mettre la viande dans un plat de service chaud. Passer à travers le tamis, le liquide de cuisson en écrasant, autant que possible les légumes. Remettre la sauce ainsi obtenue dans la casserole, bien chauffer et servir avec la viande.

Note: pour une sauce plus épaisse, compter 1 1/2 c. à s. (22 ml) de farine par tasse (250 ml) de jus de cuisson. Faire une pâte lisse et claire avec cette farine et de l'eau froide et ajouter au liquide bouillant, petit à petit et en brassant. Cuire jusqu'à ce que la sauce soit épaisse et lisse.

6 À 8 PORTIONS

Ci-contre : bœuf braisé à l'italienne

Mon rôti braisé préféré

2 c. à s.	*huile à cuisson*	30 ml
4 lb	*rôti de croupe de bœuf*	1,8 kl
1	*oignon moyen, en moitiés*	1
1	*petite gousse d'ail, broyée (facultatif)*	1
1/4 tasse	*eau bouillante*	60 ml
	sel et poivre	
3 c. à s.	*graisse de cuisson (voir plus bas)*	45 ml
3 c. à s.	*farine*	45 ml
2 tasses	*liquide de cuisson et eau*	500 ml
	sel et poivre	

À feu moyen, chauffer l'huile dans une grande casserole épaisse ou une rôtissoire. Y brunir le rôti de tous les côtés. (Cette opération peut prendre jusqu'à 20 minutes.)

Ajouter l'oignon, l'ail et l'eau bouillante. Saler et poivrer généreusement. Couvrir et faire mijoter, 3 heures ou jusqu'à ce que la viande soit très tendre.

Retirer de la casserole. Enlever aussi toute la graisse et le liquide de cuisson.

Remettre la viande dans la casserole et la brunir de nouveau pour qu'elle soit bien foncée partout à l'extérieur. Mettre dans un plat de service et réserver au chaud. Écumer le liquide de cuisson pour enlever la graisse. Remettre 3 c. à s. (45 ml) de cette graisse dans la casserole. Saupoudrer de farine et laisser bouillonner un peu.

Mesurer le liquide de cuisson dégraissé et y ajouter de l'eau bouillante, si nécessaire, pour avoir 2 tasses (500 ml) de liquide.

Retirer la casserole du feu et ajouter le liquide à la farine délayée, d'un trait en mêlant bien. Continuer la cuisson, à feu moyen en brassant constamment, jusqu'à ce que la sauce soit épaisse et lisse. Goûter et rectifier l'assaisonnement s'il y a lieu. Servir avec le rôti.

6 À 8 PORTIONS

Bœuf braisé et spaghetti

2 c. à s.	*huile à cuisson*	*30 ml*
4 à 5 lb	*croupe de bœuf (voir note)*	*1,8 à 2,2 kg*
1 c. à t.	*sel*	*5 ml*
1/2 tasse	*carottes hachées*	*125 ml*
1 1/2 tasse	*céleri haché*	*375 ml*
1/2 tasse	*oignon haché*	*125 ml*
1 tasse	*vin rouge sec*	*250 ml*
10 oz	*consommé*	*284 ml*
5 1/2 oz	*pâte de tomate*	*156 ml*
6	*filets d'anchois, hachés finement*	*6*
1	*petit morceau de feuille de laurier*	*1*
2	*gousses d'ail, broyées*	*2*
2 c. à s.	*beurre*	*30 ml*
1/2 lb	*champignons tranchés*	*225 g*
	spaghetti chaud	

Chauffer l'huile dans une grande casserole épaisse ou dans une rôtissoire. Y brunir la viande lentement, de tous les côtés; saupoudrer de sel. Mettre carottes, céleri et oignon dans la graisse de cuisson et faire brunir un peu ces légumes en brassant. Ajouter le vin, le consommé, la pâte de tomate, les anchois, le laurier et l'ail. Couvrir et faire mijoter environ 3 heures ou jusqu'à ce que ce soit tendre.

Chauffer le beurre dans une poêle épaisse. Y cuire les champignons 3 minutes, à feu doux et en brassant. Ajouter au bœuf et continuer la cuisson, à feu doux et à couvert, 30 minutes ou jusqu'à ce que la viande soit très tendre. Mettre la viande dans un plat chaud et réserver au chaud.

Chauffer la sauce, à feu moyen et à découvert, jusqu'à ce qu'elle soit épaisse comme une sauce à spaghetti. Trancher la viande et la mettre dans les assiettes. Mettre du spaghetti dans chaque assiette et napper de sauce.

Note: la croupe de bœuf est facile à trancher mais on peut, si on le préfère, utiliser une autre coupe convenant pour la cuisson au pot.

8 À 10 PORTIONS

Bœuf braisé à l'espagnole

1	*poivron vert*	*1*
1	*petit oignon*	*1*
1	*gousse d'ail, broyée*	*1*
1	*feuille de laurier, émiettée*	*1*
1/4 c. à t.	*marjolaine séchée*	*1 ml*
1/2 c. à t.	*sel*	*2 ml*
2 c. à s.	*huile d'olive*	*30 ml*
4 lb	*palette de bœuf*	*1,8 kg*
2 c. à s.	*huile d'olive*	*30 ml*
19 oz	*tomates*	*540 ml*
1/4 c. à t.	*cannelle*	*1 ml*
1/8 c. à t.	*clou de girofle en poudre*	*0,5 ml*
2 c. à t.	*sel*	*10 ml*
1/4 c. à t.	*poivre*	*1 ml*
2 tasses	*vin rouge sec*	*250 ml*
1 c. à s.	*fécule de maïs*	*15 ml*
1/4 tasse	*eau froide*	*60 ml*

Hacher le poivron et l'oignon. Ajouter l'ail, le laurier, la marjolaine, le sel et l'huile d'olive et bien mêler. Frotter les deux côtés du morceau de viande de ce mélange, de façon à bien faire pénétrer. Laisser reposer 1 heure.

Détacher de la viande les petites particules du mélange au poivron qui n'y seraient pas solidement attachées; réserver ces particules. Chauffer 2 c. à s. (30 ml) d'huile dans une grande casserole épaisse ou une rôtissoire; faire brunir la viande des deux côtés. Ajouter les tomates, les petites particules de poivron, la cannelle, le clou de girofle, le sel, le poivre et le vin. Chauffer jusqu'à ébullition, baisser le feu, couvrir et faire mijoter en retournant la viande quelquefois, 3 à 4 heures ou jusqu'à ce que ce soit très tendre. Mettre le rôti dans un plat de service chaud.

Mélanger la fécule de maïs et l'eau froide. Porter à ébullition le jus de cuisson du bœuf; ajouter la fécule de maïs délayée, petit à petit et en brassant. Cuire jusqu'à ce que la sauce soit légèrement épaissie. Goûter, saler et poivrer, si nécessaire. Trancher la viande et la servir avec la sauce.

6 À 8 PORTIONS

Ci-contre : bœuf braisé à l'espagnole

Bœuf braisé à la sauce douce et piquante

2 c. à s.	*huile à cuisson*	*30 ml*
4 lb	*bœuf dans la palette*	*1,8 kg*
1 tasse	*oignon haché*	*250 ml*
1 c. à t.	*sel*	*5 ml*
1/4 c. à t.	*poivre*	*1 ml*
1/2 c. à t.	*thym séché*	*2 ml*
1/2 tasse	*bouillon de bœuf*	*125 ml*
1/3 tasse	*vinaigre de cidre*	*80 ml*
1/3 tasse	*miel liquide*	*80 ml*
1 c. à s.	*fécule de maïs*	*15 ml*
1/4 tasse	*eau*	*60 ml*

Chauffer l'huile dans une grande casserole épaisse ou une rôtissoire. Ajouter la viande et bien la brunir de tous les côtés.

Retirer la viande de la casserole et mettre l'oignon dans le jus de cuisson. Le cuire 3 minutes, en brassant. Remettre la viande dans la casserole et saupoudrer de sel, de poivre et de thym. Ajouter le bouillon et le vinaigre, couvrir et faire mijoter 2 heures ou jusqu'à ce que la viande commence à être tendre. Ajouter le miel et continuer la cuisson, à petit feu, en retournant le rôti de temps à autre, 1 heure ou jusqu'à ce que ce soit vraiment tendre.

Mettre le rôti dans un plat de service et réserver au chaud. Chauffer le liquide de cuisson jusqu'à pleine ébullition. Ajouter la fécule de maïs à l'eau froide et faire un mélange lisse. Verser dans le liquide de cuisson bouillant, petit à petit et en brassant. Cuire en brassant, jusqu'à ce que la sauce soit épaisse et bien lisse. Réduire le feu au plus bas et faire mijoter 3 minutes. Napper les tranches de rôti de cette sauce.

6 À 8 PORTIONS

Rouleaux au bœuf

	pâte à brioche (voir page 53)	
50 oz	*épinards frais*	*1,4 kg*
2 lb	*bœuf haché (de palette)*	*900 g*
1/2 tasse	*oignon haché*	*125 ml*
3	*gousses d'ail, broyées*	*3*
2	*œufs, légèrement battus*	*2*
3 c. à t.	*sel*	*3*
1/2 c. à t.	*poivre*	*5 ml*
1/8 c. à t.	*muscade*	*0,5 ml*
1 tasse	*miettes de pain frais*	*250 ml*
1 tasse	*fromage bleu émietté*	*250 ml*
2 c. à s.	*crème à 15 %*	*30 ml*
2 c. à s.	*ciboulette hachée*	*30 ml*
1	*jaune d'œuf*	*1*
1 c. à s.	*crème à 15 %*	*15 ml*

Préparer la pâte à brioche la veille du jour où vous voulez faire les rouleaux; il faut la réfrigérer toute une nuit.

Cuire les épinards, dans une grande marmite, juste assez pour les ramollir. Les égoutter parfaitement et les hacher plutôt fin avec des ciseaux de cuisine. Mettre dans une grande passoire et presser, avec le dos d'une cuillère, pour extraire autant d'eau que possible.

Chauffer le four à 450 °F (230 °C). Graisser une grande plaque à biscuits, avec des rebords, si possible, pour le cas où la pâte se briserait et laisserait couler du jus de viande.

Mêler parfaitement à la fourchette, la viande, les épinards cuits, l'oignon, l'ail, les œufs, le sel, le poivre, la muscade et les miettes de pain. Façonner, sur du papier ciré, en 2 rouleaux de 12 po (30,5 cm) de longueur.

Diviser la pâte à brioche en deux. Avec la première part, faire une abaisse de 14 x 12 po (36 x 30,5 cm). Battre ensemble le fromage, la crème et la ciboulette; utiliser la quantité de crème nécessaire pour que le mélange soit lisse et s'étende bien. Étendre sur une abaisse la moitié du mélange jusqu'à 1/2 po (1,25 cm) des bords. Mettre un des rouleaux de viande au centre de l'abaisse et l'envelopper de la pâte en soudant bien tout le long du joint. Replier les bouts du rouleau vers l'intérieur et bien les souder. Soulever délicatement le rouleau et le déposer dans la plaque, le côté joint en-dessous. Le piquer, à plusieurs endroits, avec les dents d'une fourchette. Faire un deuxième rouleau avec ce qui reste de viande et de pâte.

Battre ensemble à la fourchette, le jaune d'œuf et 1 c. à s. (15 ml) de crème et en badigeonner tout l'extérieur des rouleaux.

Cuire au four 10 minutes, à 450 °F (230 °C). Réduire la température à 350 °F (175 °C) et continuer la cuisson, 50 minutes ou jusqu'à ce que la croûte des rouleaux soit dorée (la viande sera encore un peu rose). Laisser refroidir, envelopper de papier d'aluminium et réfrigérer jusqu'au moment de servir. Couper chaque rouleau en 12 tranches et servir froid.

Note: ne pas vous inquiéter si la pâte se fend pendant la cuisson, les rouleaux seront tout aussi bons. S'ils sont fendus, serrer un peu l'enveloppe de papier d'aluminium avant de les mettre à réfrigérer; la pâte se soudera à la viande. On peut faire ces rouleaux à l'avance et les réfrigérer 2 ou 3 jours. On peut aussi les congeler pour une période plus longue.

24 PORTIONS

Œil de ronde à la sauce à l'oignon

1 tasse	*oignons hachés*	*250 ml*
2 c. à t.	*sel*	*10 ml*
1/4 c. à t.	*poivre*	*1 ml*
1/2 c. à t.	*thym séché*	*2 ml*
1/2 c. à t.	*paprika*	*2 ml*
1/8 c. à t.	*muscade*	*0,5 ml*
1	*rôti d'œil de ronde de 3 lb (1,4 kg)*	*1*
6	*tranches de bacon*	*6*
	sauce à l'oignon (recette ci-après)	

Chauffer le four à 325 °F (160 °C).

Étaler les oignons sur une plaque à griller. Mêler le sel, le poivre, le thym, le paprika et la muscade et frotter tout l'extérieur du rôti du mélange. Mettre le rôti sur les oignons, sans utiliser de clayette. Disposer les tranches de bacon, serrées les unes contre les autres, sur le dessus du rôti.

Faire rôtir au four 1 1/2 à 2 heures ou jusqu'à ce qu'un thermomètre à viande indique entre 140° à 160 °F (60° à 70 °C). Servir en tranches minces, avec la sauce à l'oignon.

Note: ce rôti est meilleur saignant ou moyennement cuit; il durcira un peu si on le cuit trop.

6 PORTIONS

Ci-dessus : œil de ronde à la sauce à l'oignon

Sauce à l'oignon

	jus de cuisson du rôti	
1	*gros oignon, haché*	*1*
3 c. à s.	*farine*	*45 ml*
1 tasse	*eau*	*250 ml*
1 tasse	*lait*	*250 ml*
	sel et poivre	

Verser le jus de cuisson du rôti dans une casserole moyenne (la plus grande partie de ce jus proviendra du bacon et donnera à la sauce un goût excellent). Ajouter l'oignon et cuire à feu doux et en brassant, pendant 3 minutes. Saupoudrer de farine et laisser bouillonner un peu. Retirer du feu et ajouter l'eau et le lait, d'un trait et en brassant. Continuer la cuisson, à feu moyen et en brassant constamment, jusqu'à ce que la sauce bouille et soit épaisse et lisse. Goûter, saler et poivrer si nécessaire.

Bœuf au brocoli

1 lb	*bifteck dans la ronde en morceaux de 1 po (2,5 cm) d'épaisseur*	*450 g*
1	*brocoli d'environ 1 1/2 lb (675 g)*	*1*
1/4 tasse	*eau*	*60 ml*
1 c. à s.	*fécule de maïs*	*15 ml*
2 c. à s.	*sauce soya*	*30 ml*
1/4 c. à t.	*gingembre en poudre*	*1 ml*
1/4 tasse	*huile d'arachide*	*60 ml*
1/2 lb	*champignons frais, tranchés*	*225 g*
2 c. à s.	*huile d'arachide*	*30 ml*
1 c. à t.	*sel*	*5 ml*
1/4 tasse	*eau*	*60 ml*

Détailler le bifteck en tranches très minces, en coupant perpendiculairement aux fibres de la viande; couper les petites tranches en morceaux de 2 po (5 cm) de longueur.

Parer le brocoli et enlever les fleurs. Trancher les tiges, en diagonale. Couper les fleurs en bouchées. Bien mêler l'eau, la fécule de maïs, la sauce soya et le gingembre.

Chauffer 1/4 tasse (60 ml) d'huile, dans un wok ou une grande poêle épaisse, jusqu'à ce qu'elle commence à fumer. Ajouter la viande et la cuire à feu vif, en brassant, 1 minute ou jusqu'à ce qu'elle soit légèrement brunie. Ajouter les champignons et continuer la cuisson 30 secondes, en brassant. Retirer du wok viande et champignons, avec une cuillère perforée, et mettre de côté.

Mettre 2 c. à s. (30 ml) d'huile, les tiges de brocoli, et le sel dans le wok et cuire 30 secondes, à feu vif et en brassant. Ajouter les fleurs de brocoli et cuire 1 minute, en brassant. Ajouter 1/4 tasse (60 ml) d'eau, régler le feu au degré moyen, couvrir et cuire 3 minutes.

Remettre le feu au plus haut. Remettre la viande et les champignons dans le wok et cuire 1 minute, en brassant. Pousser la viande et les légumes sur les bords du plat et verser le mélange à la fécule de maïs dans le liquide au centre, petit à petit et en brassant. Cuire, en brassant, jusqu'à ce que la sauce soit épaisse et translucide. Bien mêler la viande, les légumes et la sauce et servir immédiatement.

6 PORTIONS

Bifteck farci

2 1/2 lb	*bifteck dans le haut de ronde, en une tranche de 1 1/2 po (3,75 cm) d'épaisseur*	*1,1 kg*
1 c. à t.	*sel*	*5 ml*
	poivre	
3 c. à s.	*beurre ou huile à cuisson*	*45 ml*
2	*gros oignons, hachés*	*2*
1	*gousse d'ail, émincée*	*1*
1/2 lb	*champignons frais, hachés*	*225 g*
1/2 c. à t.	*estragon séché*	*2 ml*
4	*jaunes d'œufs*	*4*
1 tasse	*miettes de pain frais*	*250 ml*
1/2 tasse	*parmesan râpé*	*125 ml*
1/2 lb	*desserte de jambon ou jambon cuit, dit prêt-à-servir*	*225 g*

Demander au boucher de fendre le bifteck en deux, horizontalement, presque entièrement c'est-à-dire de façon à obtenir une tranche deux fois plus grande que la tranche originale; cela s'appelle un bifteck papillon. (Faire cette opération vous-même, si vous le préférez, avec un long couteau bien aiguisé.) Avec le bord d'une assiette lourde, marteler la viande, au centre, tout au long de la bande non fendue et par conséquent plus épaisse; l'amincir ainsi, comme le reste de la tranche. Ouvrir le bifteck sur la table et le saupoudrer de sel et de poivre.

Chauffer le beurre ou l'huile dans une grande poêle épaisse. Y cuire l'oignon et l'ail, à feu doux et en brassant, jusqu'à ce que l'oignon soit ramolli. Ajouter les champignons et cuire environ 2 minutes, à feu vif. Retirer du feu et parsemer d'estragon.

→

Ci-contre : bœuf au brocoli

Battre les jaunes d'œufs 2 minutes, à la grande vitesse d'un malaxeur électrique. Ajouter les miettes de pain et le fromage, en brassant. Ajouter le mélange oignon et champignons et mêler délicatement.

Couper le jambon en minces lanières d'environ 2 po (5 cm).

Recouvrir le bifteck papillon du mélange à l'oignon et aux champignons et disposer dessus les lanières de jambon, très près les unes des autres et parallèles aux côtés les plus courts de la tranche de viande. Rouler la viande autour de sa garniture, en partant de l'un des côtés courts. Ficeler solidement le rouleau, à plusieurs endroits.

Chauffer le four à 425 °F (220 °C).

Mettre le rouleau dans un plat à cuire peu profond. Cuire au four 15 minutes, à 425 °F (220 °C). Régler la température du four à 375 °F (190 °C) et continuer la cuisson 30 minutes (le bifteck ne sera pas saignant sans être tout à fait à point). Laisser tiédir et bien réfrigérer. Servir en tranches plutôt minces.

8 À 10 PORTIONS

Bifteck à la suisse

3/4 tasse	*farine*	*180 ml*
1 1/2 c. à s.	*moutarde sèche*	*22 ml*
1 1/2 c. à t.	*sel*	*7 ml*
1/4 c. à t.	*poivre*	*1 ml*
2 1/2 lb	*bifteck de ronde, en tranches de 1 po (2,5 cm) d'épaisseur*	*1,1 kg*
3 c. à s.	*huile à cuisson*	*45 ml*
1 1/2 tasse	*oignon tranché*	*375 ml*
1	*gousse d'ail, hachée finement*	*1*
2	*grosses carottes, en dés*	*2*
4 tasses	*tomates, pelées et hachées grossièrement*	*1 L*
2 c. à s.	*sauce Worcestershire*	*30 ml*
2 c. à t.	*cassonade*	*10 ml*

pommes de terre, en purée ou bouillies

Mêler farine, moutarde, sel et poivre. Enfariner la viande, des deux côtés, en y faisant pénétrer la farine, autant que possible, et marteler avec un marteau à viande ou le bord d'une assiette lourde. Couper la viande en portions.

Chauffer l'huile dans une grande poêle épaisse ou dans une rôtissoire. Y bien brunir la viande des deux côtés. Parsemer de l'oignon, de l'ail et des carottes. Ajouter les tomates, la sauce Worcestershire et la cassonade. Couvrir et cuire à feu doux jusqu'à ce que les tomates commencent à se défaire. Brasser la sauce, pour bien en mêler tous les éléments, tourner les morceaux de viande, couvrir hermétiquement et faire mijoter, 2 heures ou jusqu'à ce que la viande soit très tendre. Brasser souvent et ajouter un peu d'eau, si nécessaire. Servir avec des pommes de terre.

6 PORTIONS

Ragoût de bœuf

4 lb	*bœuf à ragoût, en cubes*	*1,8 kg*
1/2 tasse	*farine*	*125 ml*
6 c. à s.	*huile à cuisson*	*90 ml*
1	*gros oignon, tranché*	*1*
2 c. à t.	*sel*	*10 ml*
1/4 c. à t.	*poivre*	*1 ml*
1 c. à t.	*poudre de cari*	*5 ml*
1	*gousse d'ail, émincée*	*1*
2 tasses	*eau*	*500 ml*
2 c. à s.	*sauce au chili*	*30 ml*
1	*feuille de laurier*	*1*

nouilles bien chaudes

→

Passer les cubes de viande dans la farine pour bien les enrober de tous côtés. Chauffer l'huile dans une grande rôtissoire ou une casserole épaisse. Y bien brunir les cubes de viande, de tous les côtés. À mi-cuisson, ajouter l'oignon, le sel, le poivre et la poudre de cari et continuer à faire brunir la viande, en brassant constamment.

Ajouter l'ail, l'eau, la sauce au chili et le laurier. Chauffer jusqu'à ébullition, baisser le feu, couvrir hermétiquement et faire mijoter, 2 heures ou jusqu'à ce que la viande soit tendre. Servir avec des nouilles.

8 PORTIONS

Bifteck grillé au vin rouge

1 tranche	*bifteck de flanc d'environ 1 3/4 lb (800 g)*	*1 tranche*
1	*gousse d'ail, finement hachée*	*1*
1/2 tasse	*vin rouge sec*	*125 ml*
	sel et poivre	

Débarrasser la tranche de bifteck de sa partie grasse et de ses petites membranes. La mettre dans un grand plat émaillé ou de pyrex. Parsemer d'ail. Verser le vin, couvrir et laisser mariner plusieurs heures, en retournant souvent la viande.

Chauffer le grilloir du four. Retirer le bifteck de sa marinade (conserver celle-ci), bien l'égoutter et le débarrasser des petits morceaux d'ail qui pourraient y adhérer. Le mettre sur une clayette, dans une plaque. Faire griller 4 minutes du premier côté. Saler, poivrer et retourner le bifteck; faire griller 4 minutes. Saler et poivrer et mettre sur une planche ou dans un plat de service.

Verser le jus de cuisson du bifteck dans une petite casserole, ajouter la marinade et chauffer jusqu'à ébullition.

Couper le bifteck en tranches très minces, perpendiculairement aux fibres de la viande. Mettre un peu de la sauce au vin sur chaque portion.

4 PORTIONS

Ci-contre : ragoût de bœuf (à gauche) et bifteck à la suisse (à droite)

Filet de bœuf en croûte

	pâte à brioche (recette ci-après)	
1/2 lb	*bacon de dos, en un seul morceau*	*225 g*
	eau bouillante	
1	*bouquet de feuilles de céleri*	*1*
1	*bouquet de persil*	*1*
1	*petite tranche d'oignon*	*1*
4	*grains de poivre*	*4*
1/4 tasse	*beurre*	*60 ml*
1 lb	*champignons, finement hachés*	*450 g*
1	*gros oignon espagnol, finement haché*	*1*
1/2 tasse	*persil haché*	*125 ml*
1/2 c. à t.	*sel*	*2 ml*
1 pincée	*poivre*	*1 pincée*
1/2 tasse	*brandy*	*125 ml*
4 lb	*filet de bœuf*	*1,8 kg*
	brandy	
2 c. à s.	*beurre ramolli*	*30 ml*
2 c. à s.	*beurre ramolli*	*30 ml*
	sel et poivre	
1	*jaune d'œuf*	*1*
1 c. à s.	*crème à 15 %*	*15 ml*
	sauce au raifort (recette ci-après)	
	sauce béarnaise (recette ci-après)	

Préparer la pâte à brioche la veille. Réserver au réfrigérateur.

Mettre le bacon dans une casserole. Couvrir d'eau bouillante. Ajouter le céleri, le persil, l'oignon et le poivre. Couvrir et faire mijoter 1 1/2 heure ou jusqu'à ce que ce soit tendre. Retirer le bacon de l'eau de cuisson et le laisser refroidir.

Chauffer 1/4 tasse (60 ml) de beurre dans une grande poêle épaisse. Y mettre les champignons, l'oignon espagnol, le persil, le sel, le poivre et le brandy; cuire jusqu'à ce que le liquide soit évaporé. Retirer du feu.

Parer le filet de bœuf. Couper en tranches de 1 po (2,5 cm) d'épaisseur, presque de part en part c'est-à-dire en laissant les tranches unies par la base. Couper le bacon en tranches minces et disposer celles-ci entre les tranches de bœuf.

Ajouter 1 c. à s. (15 ml) du mélange aux champignons entre les tranches, en l'étendant uniformément. Bien attacher le filet, en passant la ficelle tout autour de façon à lui redonner sa forme première.

Chauffer le four à 425 °F (220 °C). Mouiller le filet d'un peu de brandy et l'enduire de 2 c. à s. (30 ml) de beurre. Le mettre sur une clayette, dans une rôtissoire, et le faire rôtir au four pendant 20 minutes. Retirer du four et laisser refroidir. Enlever la ficelle.

Enduire le filet de 2 c. à s. (30 ml) de beurre ramolli et le saupoudrer généreusement de sel et de poivre.

Avec la pâte brioche, faire une abaisse rectangulaire de 18 x 16 po (46 x 41 cm) et de moins de 1/4 po (0,5 cm) d'épaisseur. La tailler pour que le rectangle soit parfait; garder les retailles de pâte pour la décoration.

Chauffer le four à 425 °F (220 °C).

Bien assécher le filet, avec du papier absorbant, et le mettre au centre de l'abaisse, en le retournant. Mettre dessus, s'il y a lieu, ce qui reste du mélange aux champignons; ce dernier, toutefois, ne doit plus être humide car il amollirait la pâte qui se briserait ensuite pendant la cuisson. Envelopper tout le filet, avec la pâte, en soudant bien cette dernière où elle se superpose. Bien sceller, de la même façon, les bouts du rouleau.

Mettre, le joint en dessous, sur une plaque graissée munie de bords, autant que possible, car l'enveloppe de pâte pourrait toujours se briser un peu et laisser couler du jus de cuisson.

Avec les restes de pâte, faire une tresse ou des décorations en forme de fleurs ou de feuilles. Battre ensemble à la fourchette, le jaune d'œuf et la crème. Utiliser ce mélange pour bien coller les décorations sur le dessus du rouleau. Cuire au four pendant 15 minutes.

Enduire toute la pâte de jaune d'œuf et continuer la cuisson pendant 30 minutes ou jusqu'à ce que la croûte soit d'un beau brun foncé. (Si elle brunit vraiment trop vite à certains endroits, couvrir ceux-ci de petits morceaux de papier d'aluminium.)

Enlever la croûte aux deux bouts du rouleau et détailler celui-ci en tranches de 1 po (2,5 cm) d'épaisseur, en coupant aux mêmes endroits que précédemment. Donner, à chaque convive, une tranche de bacon et une tranche de bœuf. Servir très chaud, avec sauce au raifort ou béarnaise.

8 PORTIONS

Pâte à brioche

1/2 tasse	*eau tiède*	*125 ml*
2 c. à t.	*sucre*	*10 ml*
2 sachets	*levure sèche*	*2 sachets*
1 tasse	*farine tout usage, tamisée*	*250 ml*
3 tasses	*farine tout usage, tamisée*	*750 ml*
1 c. à t.	*sel*	*5 ml*
2 c. à t.	*sucre*	*10 ml*
6	*œufs*	*6*
1/2 lb	*beurre froid*	*225 g*

Mettre l'eau dans un petit bol. Ajouter 2 c. à t. (10 ml) de sucre et brasser pour bien le dissoudre. Saupoudrer de la levure et laisser reposer 10 minutes. Bien brasser. Ajouter 1 tasse (250 ml) de farine. Battre vigoureusement, avec une cuillère de bois.

Mettre sur une planche enfarinée et pétrir jusqu'à ce que la pâte soit souple et élastique. Façonner en boule et entailler profondément le dessus de la pâte en forme de croix. Déposer la boule de pâte dans un bol d'eau chaude et laisser reposer jusqu'à ce que la boule monte à la surface de l'eau et que les entailles s'ouvrent comme une fleur.

Mêler, dans un grand bol, 3 tasses (750 ml) de farine, le sel et le sucre. Faire un puits et y mettre les œufs. Mêler d'abord à la cuillère, ensuite directement avec les mains. Ramasser la pâte et la rejeter violemment contre la paroi du bol; la pétrir pour qu'elle soit élastique.

Travailler le beurre, directement avec les mains et sous un jet d'eau froide, jusqu'à ce qu'il soit souple. Le tenir dans une main et le battre vigoureusement avec l'autre pour en extraire toute l'eau qui pourrait s'y trouver. L'incorporer à la pâte non levée, avec les mains.

Retirer de l'eau la boule de pâte levée et attendre qu'elle soit bien égouttée. L'ajouter à la pâte non levée et battre vigoureusement, avec la main (la pâte sera molle). Mettre dans un bol graissé, saupoudrer légèrement de farine, couvrir d'une serviette humide et laisser lever dans un endroit chaud, 1 heure ou jusqu'au double du volume. Couvrir de papier transparent et réfrigérer jusqu'au lendemain. Rompre la pâte avec le poing et en faire une abaisse pour envelopper le filet de bœuf.

Parer le filet de bœuf.

Couper en tranches de 1 po (2,5 cm) d'épaisseur, presque de part en part c'est-à-dire en laissant les tranches unies par la base.

Ajouter le mélange aux champignons entre les tranches, en l'étendant uniformément.

Bien assécher le filet, avec du papier absorbant, et le mettre au centre de l'abaisse, en le retournant. Envelopper tout le filet, avec la pâte, en soudant bien cette dernière où elle se superpose. Bien sceller, de la même façon, les bouts du rouleau.

Sauce béarnaise

3	*oignons verts, coupés*	*3*
1	*grosse branche de persil, hachée*	*1*
1/2 c. à t.	*estragon séché*	*2 ml*
1/2 c. à t.	*cerfeuil séché*	*2 ml*
1/4 tasse	*vinaigre de vin*	*60 ml*
2 c. à s.	*eau*	*30 ml*
4	*jaunes d'œufs*	*4*
1/4 tasse	*beurre ramolli*	*60 ml*
1/4 c. à t.	*sel*	*1 ml*
1 pincée	*poivre de Cayenne*	*1 pincée*

Mêler l'oignon, le persil, l'estragon, le cerfeuil, le vinaigre et l'eau, dans une petite casserole. Faire mijoter, à feu bas, pendant 5 minutes. Égoutter en ne conservant que le liquide.

Mettre les jaunes d'œufs dans la casserole supérieure d'un bain-marie. Ajouter le mélange au vinaigre, petit à petit et en battant constamment avec un fouet. Cuire au bain-marie chaud (l'eau ne doit pas bouillir) en brassant constamment, jusqu'à épaississement.

Ajouter le beurre, un petit peu à la fois, en brassant chaque fois jusqu'à ce qu'il soit fondu. (Le mélange aura alors l'apparence d'une mayonnaise.) Ajouter sel et poivre de Cayenne, au goût; servir tiède.

Remarques: il est important que l'eau du bain-marie ne bouille pas; brasser le mélange après chaque addition de beurre. Si le mélange perd son homogénéité, l'addition de quelques gouttes d'eau froide rétablira les choses.

Traditionnellement, cette sauce se sert tiède. On la fait habituellement avec des herbes fraîches mais comme on n'en a pas toujours sous la main, je recommande les herbes séchées.

Sauce au raifort

Ajouter à 1/2 tasse (125 ml) de crème fouettée, 3 c. à s. (45 ml) de raifort, bien égoutté et 1/2 c. à t. (2 ml) de sel.

Ci-contre : filet de bœuf en croûte

Ragoût aux grands-pères

1/4 tasse	*farine*	*60 ml*
1/2 c. à t.	*sel*	*2 ml*
1/4 c. à t.	*poivre*	*1 ml*
2 lb	*bœuf à bouillir, en cubes*	*900 g*
2 c. à s.	*huile à cuisson*	*30 ml*
4	*oignons moyens, tranchés*	*4*
1/2 tasse	*jus de tomate*	*125 ml*
3 tasses	*eau bouillante*	*750 ml*
1 c. à t.	*sel*	*5 ml*
3 gouttes	*sauce Tabasco*	*3 gouttes*
6	*carottes moyennes*	*6*
1/2 tasse	*reste de café*	*125 ml*
12 oz	*haricots de Lima congelés*	*350 g*
1 c. à t.	*sucre*	*5 ml*
	grands-pères relevés (recette ci-après)	
2 c. à s.	*farine*	*30 ml*
1/4 tasse	*eau froide*	*60 ml*

Mêler, dans un plat peu profond, la farine, le sel et le poivre. Passer les cubes de bœuf dans le mélange pour les enrober de tous côtés.

Chauffer l'huile dans une grande casserole épaisse ou une rôtissoire. Y brunir les cubes de bœuf de tous les côtés. Ajouter l'oignon, le jus de tomate, l'eau, le sel et la sauce Tabasco. Couvrir hermétiquement et faire mijoter 1 heure.

Couper les carottes, en morceaux de 1 po (2,5 cm). Ajouter à la viande et faire mijoter environ 45 minutes.

Ajouter le café, les haricots de Lima et le sucre et faire mijoter environ 30 minutes.

Déposer les grands-pères sur le dessus du ragoût et cuire comme nous l'indiquons dans la recette. Disposer les grands-pères, en couronne, dans un grand plat de service et mettre les légumes et la viande au centre. Mélanger la farine et l'eau froide et ajouter au liquide du ragoût, très chaud, petit à petit et en brassant. Cuire, en brassant, jusqu'à épaississement. Verser sur la viande et les légumes.

6 PORTIONS

Grands-pères relevés

1 1/3 tasse	*farine tout usage tamisée*	*330 ml*
2 1/2 c. a t.	*poudre à pâte*	*12 ml*
3/4 c. à t.	*sel*	*3 ml*
1/4 c. à t.	*marjolaine séchée*	*1 ml*
1/4 c. à t.	*sarriette séchée*	*1 ml*
1 1/2 c. à s.	*graisse végétale*	*22 ml*
2/3 tasse	*lait*	*160 ml*

Tamiser, dans un bol, la farine, la poudre à pâte et le sel. Ajouter la marjolaine et la sarriette et mélanger. Ajouter la graisse végétale et la couper finement. Ajouter le lait et mêler, délicatement et rapidement, à la fourchette. Déposer, par grosses cuillerées à thé, sur les légumes et la viande (ne pas mettre dans le liquide de cuisson). Couvrir hermétiquement et faire mijoter 15 minutes. Ne pas soulever le couvercle pendant la cuisson des grands-pères.

Pâté de bœuf

2 lb	*bœuf à bouillir, en cubes de 1 1/2 po (3,75 cm)*	900 g
16	*petits oignons ou 8 oignons moyens coupés en deux*	16
2	*clous de girofle*	2
2 c. à s.	*sucre*	30 ml
1 tasse	*eau bouillante*	250 ml
1 1/2 c. à t.	*sel*	7 ml
1/4 c. à t.	*poivre*	1 ml
1 c. à t.	*sauce à bifteck*	5 ml
1 c. à s.	*vinaigre de vin rouge*	15 ml
1	*petite feuille de laurier*	1
1/8 c. à t.	*thym séché*	0,5 ml
2 c. à s.	*beurre*	30 ml
2 c. à s.	*farine*	30 ml
1 tasse	*eau*	250 ml
2	*croûtes de pâte à tarte de 9 po (23 cm)*	2
1	*jaune d'œuf*	1
1 c. à s.	*eau*	15 ml

Chauffer le four à 325 °F (160 °C). Graisser un plat à cuire de 2 pintes (2,5 L).

Mettre la viande dans le plat. Ajouter les oignons en piquant les clous de girofle dans deux d'entre eux.

Chauffer le sucre dans une grande poêle épaisse jusqu'à ce qu'il fonde et que le sirop soit d'un beau brun foncé. Retirer du feu et ajouter l'eau bouillante en brassant. Remettre sur le feu et ajouter en brassant, le sel, le poivre, la sauce à bifteck, le vinaigre, le laurier, le thym et le beurre.

Mêler parfaitement la farine et l'eau et ajouter à la préparation bouillante, petit à petit et en brassant. Verser sur la viande et les oignons.

Faire, avec la pâte, une abaisse plutôt épaisse, plus grande de 1 po (2,5 cm) tout autour, que le plat employé. Déposer l'abaisse sur le plat et replier la pâte par en-dessous, tout autour. Denteler le bord du pâté en soudant bien la pâte au plat et pratiquer une large fente, dans l'abaisse, pour laisser échapper la valeur pendant la cuisson.

Battre ensemble à la fourchette, le jaune d'œuf et l'eau et en badigeonner la pâte; ne pas toucher au bord dentelé, toutefois.

Cuire au four 2 à 3 heures ou jusqu'à ce que la viande soit tendre. Servir très chaud.

6 PORTIONS

Ci-contre : pâté de bœuf

Ragoût chasseur à l'italienne

3 c. à s.	*huile d'olive*	*45 ml*
2 lb	*bœuf à ragoût, en cubes*	*900 g*
6	*petits oignons, épluchés et coupés en deux*	*6*
2	*gousses d'ail, broyées*	*2*
5 1/2 oz	*pâte de tomate*	*156 ml*
1 c. à s.	*farine*	*15 ml*
1 c. à t.	*assaisonnement au chili*	*5 ml*
1 c. à t.	*origan séché*	*5 ml*
1 c. à t.	*romarin séché*	*5 ml*
1 1/2 c. à t.	*sel épicé*	*7 ml*
1 c. à t.	*sel*	*5 ml*
28 oz	*tomates en conserve*	*796 ml*
1/2 tasse	*persil finement haché*	*125 ml*
1 tasse	*eau*	*250 ml*
3	*grosses carottes, en bouts de 1 po (2,5 cm)*	*3*
8 oz	*macaroni en coudes*	*225 g*
1/3 tasse	*parmesan râpé*	*80 ml*

Chauffer l'huile d'olive dans une grande casserole épaisse ou dans une rôtissoire. Ajouter le bœuf et cuire, en brassant, jusqu'à ce que les cubes soient légèrement brunis de tous les côtés. Ajouter les oignons et l'ail et continuer la cuisson 5 minutes, en brassant.

Mêler la pâte de tomate, la farine, l'assaisonnement au chili, l'origan, le romarin, le sel épicé et le sel ordinaire. Ajouter à la préparation chaude, ainsi que les tomates, le persil et l'eau, en mêlant bien. Chauffer jusqu'à ébullition, baisser le feu, couvrir et faire mijoter 1 heure et 15 minutes. Ajouter les carottes et faire mijoter encore 45 minutes ou jusqu'à ce que la viande soit tendre.

Cuire le macaroni à l'eau bouillante salée, pendant la cuisson de la viande. Rincer à l'eau froide courante, ajouter au ragoût et bien réchauffer le tout. Ajouter le parmesan, brasser et servir immédiatement, avec beaucoup de pain croûté.

6 PORTIONS

Petites côtes braisées

2 lb	*petites côtes de bœuf*	*900 g*
1	*grosse gousse d'ail, en moitiés*	*1*
1/4 tasse	*farine*	*60 ml*
1 c.à t.	*sel*	*5 ml*
1/4 c. à t.	*poivre*	*1 ml*
1 c. à t.	*paprika*	*5 ml*
1/4 tasse	*huile*	*60 ml*
19 oz	*tomates en conserve*	*540 ml*
1 tasse	*eau bouillante*	*250 ml*
1	*grosse carotte, pelée et coupée en dés*	*1*
1	*oignon moyen, tranché*	*1*
1 c. à t.	*sel*	*5 ml*
1/4 c. à t.	*poivre*	*1 ml*
1	*petite feuille de laurier*	*1*

Chauffer le four à 325 °F(160 °C).

Couper les petites côtes en morceaux et enlever l'excès de gras. Les frotter partout avec le côté coupé de la gousse d'ail. Mêler la farine, le sel, le poivre et le paprika, dans un plat peu profond, et rouler les morceaux de viande dans ce mélange pour bien enrober.

Chauffer l'huile dans une casserole épaisse, allant au four. Brunir les petites côtes de tous les côtés, en les retirant de la casserole à mesure qu'elles sont à point.

Ne laisser dans la casserole, que 2 c. à s. (30 ml) de graisse de cuisson. Saupoudrer de ce qui reste de la farine dans laquelle on a passé les petites côtes, et laisser bouillonner un peu, en brassant constamment. Retirer du feu et ajouter les tomates et l'eau bouillante, d'un trait et en mêlant bien. Continuer la cuisson jusqu'à ébullition, en brassant constamment. Ajouter les dés de carotte, l'oignon, le sel, le poivre, le laurier et les petites côtes. Couvrir et cuire au four, de 2 à 2 1/2 heures ou jusqu'à ce que ce soit très tendre.

4 PORTIONS

Ci-contre : petites côtes braisées

Pain de viande vite fait

1 tasse	*oignon en lamelles*	*250 ml*
1 c. à s.	*huile à cuisson*	*15 ml*
2 lb	*bœuf haché*	*900 g*
1 tasse	*crème sure*	*250 ml*
2	*œufs*	*2*
1 sachet	*mélange pour soupe à l'oignon déshydraté*	*1 sachet*
1 pincée	*muscade*	*1 pincée*
1 tasse	*miettes de pain frais*	*250 ml*
	macédoine de légumes, cuite	

Chauffer le four à 500 °F (260 °C). Graisser un moule en couronne, de 9 po (23 cm) de diamètre. Défaire les lamelles d'oignon en rondelles, les étendre uniformément dans le moule, couvrir de papier d'aluminium et chauffer au four 10 minutes.

Entre-temps, chauffer l'huile dans une grande poêle épaisse. Y cuire le bœuf haché, en brassant, jusqu'à ce qu'il perde complètement sa couleur rosée. Retirer du feu.

Battre ensemble à la fourchette, la crème sure et les œufs. Ajouter le mélange pour soupe à l'oignon, la muscade et les miettes de pain. Ajouter le bœuf et bien mêler.

Retirer le moule du four et enlever le papier d'aluminium. Tasser le mélange dans le moule, sur les rondelles d'oignon. Cuire au four 15 minutes à 500 °F (260 °C),

Allumer le grilloir du four et continuer la cuisson 5 minutes ou jusqu'à ce que le dessus soit bien bruni. Égoutter, pour enlever le jus de cuisson, et démouler dans un plat de service. Mettre la macédoine bien chaude au centre du pain de viande et servir immédiatement.

6 PORTIONS

Ci-contre : chaussons au bœuf et chou

Chaussons au bœuf et chou

3 c. à s.	*beurre*	*45 ml*
3/4 tasse	*oignon finement haché*	*180 ml*
1 1/2 lb	*bœuf maigre, haché*	*675 g*
4 tasses	*chou râpé (à la râpe moyenne)*	*1 L*
3/4 tasse	*carottes crues râpées*	*180 ml*
2 c. à t.	*sel*	*10 ml*
1/4 c. à t.	*poivre*	*1 ml*
1/4 c. à t.	*macis*	*1 ml*
1/4 c. à t.	*sauce Worcestershire*	*1 ml*
2 c. à s.	*eau*	*30 ml*
	pâte à tarte (double recette) (voir chapitre des desserts)	
1	*jaune d'œuf*	*1*
1 c. à s.	*eau*	*15 ml*

Chauffer le beurre dans une grand casserole. Y cuire l'oignon à feu doux, 5 minutes ou jusqu'à ce qu'il soit tendre. Ajouter la viande et cuire en brassant, jusqu'à ce qu'elle perde sa couleur rosée. Ajouter le chou, les carottes, le sel, le poivre, le macis, la sauce Worcestershire et l'eau, couvrir et faire mijoter 15 minutes. Découvrir et continuer la cuisson pour faire évaporer ce qui reste de liquide. Le mélange doit être bien lié sans être trop humide. Laisser refroidir.

Chauffer le four à 425 °F (220 °C). Rouler la pâte, la moitié de la quantité à la fois, en une abaisse très mince et assez grande pour y tailler 18 carrés de 6 po (15 cm) de côté.

Mettre sur chaque carré 1/4 tasse (60 ml) du mélange au bœuf et au chou. Humecter d'un peu d'eau, le bord de deux côtés adjacents de chaque carré. Replier les carrés de pâte sur leur garniture, en triangles, les deux côtés secs sur les côtés humectés. Presser le bord des chaussons, avec les dents d'une fourchette, pour bien les sceller. Piquer le dessus de chaque chausson, à quelques reprises. Mettre sur des plaques. Battre ensemble le jaune d'œuf et l'eau et badigeonner les chaussons du mélange, sans cependant toucher aux bords.

Cuire au four 25 à 30 minutes ou jusqu'à ce que ce soit bien bruni. Servir très chaud.

18 CHAUSSONS

Fricadelles et asperges

2 lb	*bifteck de ronde haché*	*900 g*
1 1/2 c. à t.	*poivre concassé*	*7 ml*
1/4 tasse	*beurre*	*60 ml*
2 lb	*asperges fraîches*	*900 g*
1/4 tasse	*beurre fondu*	*60 ml*
1/3 tasse	*parmesan râpé*	*80 ml*
	sel et poivre	
2 c. à s.	*beurre ramolli*	*30 ml*
1 c. à s.	*persil haché*	*15ml*
	sel	
1 tasse	*vin rouge sec*	*250 ml*
1/2 tasse	*eau*	*125 ml*
1 c. à s.	*beurre ramolli*	*15 ml*
1 c. à s.	*farine*	*15 ml*

Faire 4 parts de viande et façonner chacune en une galette épaisse ou fricadelle. Saupoudrer chaque côté des fricadelles de poivre concassé en tapotant pour bien le faire pénétrer.

Chauffer 1/4 tasse (60 ml) de beurre dans une grande poêle épaisse. Y cuire les fricadelles à feu vif, pour qu'elles soient à point et brunies des deux côtés (si on les désire saignantes, compter environ 5 minutes de cuisson de chaque côté).

Entre-temps, cuire les asperges. Égoutter et ajouter 1/4 tasse (60 ml) de beurre fondu. Remuer doucement la casserole pour bien répandre le beurre. Parsemer de parmesan et saupoudrer légèrement de sel et de poivre.

Bien mêler 2 c. à s. (30 ml) de beurre ramolli et le persil. Mettre les fricadelles dans un plat de service et saler. Mettre une touche de beurre au persil sur chacune. Réserver au chaud. Verser le vin et l'eau dans la poêle utilisée pour la viande et chauffer jusqu'à ébullition. Bien mêler 1 c. à s. (15 ml) de beurre et la farine et ajouter par parcelles au liquide bouillant, en brassant bien après chaque addition. Cuire cette sauce jusqu'à léger épaississement et verser sur la viande. Ajouter les asperges et servir immédiatement.

4 PORTIONS

Ci-dessus : fricadelles et asperges

Pain de viande froid

1 lb	*bœuf haché*	*450 g*
1/2 lb	*porc maigre, haché*	*225 g*
2 tasses	*miettes de pain frais*	*500 ml*
1 tasse	*lait*	*250 ml*
1	*œuf*	*1*
1/4 tasse	*oignon finement haché*	*60 ml*
1	*gousse d'ail, broyée*	*1*
1 1/4 c. à t.	*sel*	*6 ml*
1/4 c. à t.	*poivre*	*1 ml*
1/4 c. à t.	*moutarde en poudre*	*1 ml*
1/4 c. à t.	*sauge*	*1 ml*
1 c. à s.	*sauce Worcestershire*	*15 ml*
1 c. à s.	*raifort*	*15 ml*
1 c. à s.	*ketchup*	*15 ml*

Chauffer le four à 350 °F (175 °C). Avoir sous la main un moule à pain de pyrex, d'environ 9 x 5 x 3 po (23 x 12,5 x 7,5 cm).

Mêler la viande et les miettes de pain, dans un grand bol. Battre ensemble, à la fourchette, le lait et l'œuf; ajouter à la viande ainsi que tous les ingrédients. Bien mêler à la fourchette et tasser le mélange dans le moule.

Cuire au four 1 1/2 heure. Enlever du moule tout liquide de cuisson et laisser refroidir le pain. Couvrir de papier d'aluminium ou de pellicule plastique et réfrigérer. Excellent avec une salade de pommes de terre ou, en sandwichs, entre des tranches de pain croûté beurrées.

6 PORTIONS

Fricadelles aux oignons verts

1 lb	*bœuf de palette, haché*	*450 g*
1 c. à t.	*sel*	*5 ml*
1/8 c. à t.	*poivre*	*0,5 ml*
1 c. à s.	*beurre doux*	*15 ml*
3 c. à s.	*beurre doux*	*45 ml*
1 1/2 tasse	*oignons verts, en bouts de 1 po (2,5 cm)*	*375 ml*
1/2 tasse	*persil haché*	*125 ml*
3/4 tasse	*champignons tranchés*	*180 ml*
	sel et poivre	
4	*petits pains ronds rôtis*	*4*

Mêler délicatement, à la fourchette, la viande, le sel et le poivre. Façonner 4 galettes, ou fricadelles, d'environ 1/2 po (1,25 cm) d'épaisseur.

Chauffer le four à 200 °F (95 °C). Mettre 1 c. à s. (15 ml) de beurre doux dans un plat à cuire juste assez grand pour contenir les fricadelles côte à côte. Mettre le plat au four pour faire fondre le beurre.

Chauffer fortement une grande poêle de fonte épaisse. Y brunir les fricadelles, très rapidement, des deux côtés (si la viande colle à la poêle, ajouter un peu d'huile). Retirer les fricadelles à mesure qu'elles sont à point, c'est-à-dire brunes à l'extérieur mais encore roses à l'intérieur; les mettre dans le plat à cuire et les réserver au four chaud.

Mettre 3 c. à s. (45 ml) de beurre doux dans la poêle. Ajouter les oignons, le persil et les champignons et cuire 2 minutes, à feu vif. Saler et poivrer généreusement. Répartir les fricadelles et le mélange de légumes dans les pains et servir immédiatement.

4 PORTIONS

Chili con carne à la mexicaine

14 oz	*haricots secs*	*398 ml*
1/4 lb	*lard salé, en dés*	*115 g*
3	*gousses d'ail, émincées*	*3*
2	*gros oignons, hachés*	*2*
1 lb	*bœuf maigre, en dés*	*450 g*
1 lb	*porc maigre, en dés*	*450 g*
14 oz	*sauce tomate*	*398 ml*
3 c. à s.	*assaisonnement au chili*	*45 ml*
2 c. à t.	*sel*	*10 ml*
1/4 c. à t.	*poivre*	*1 ml*
1/2 c. à t.	*origan séché*	*2 ml*
1 pincée	*cumin*	*1 pincée*
	jus de tomate	

Laver les haricots et les trier pour retirer ceux qui ne sont pas parfaits. Faire tremper dans 6 tasses (1,5 L) d'eau froide, jusqu'au lendemain (ou suivre les indications sur le paquet). Égoutter.

Faire cuire le lard salé jusqu'à ce qu'il soit croustillant, dans une grande poêle épaisse ou une rôtissoire. Ajouter l'ail et l'oignon et cuire, en brassant, jusqu'à ce que l'oignon soit ramolli.

Ajouter le bœuf et le porc et cuire, à feu doux en brassant, jusqu'à ce que ces viandes soient légèrement brunies. Ajouter en brassant, tous les autres ingrédients, excepté le jus de tomate. Couvrir hermétiquement et faire mijoter 1 1/2 heure ou jusqu'à ce que la viande et les haricots soient tendres. Ajouter du jus de tomate petit à petit, pendant la cuisson, si le mélange devient trop sec (il doit être bien lié sans être en sauce). Goûter et rectifier l'assaisonnement si nécessaire.

Note: j'aime faire ce plat dans une grande poêle électrique que l'on peut ensuite déposer sur un buffet. J'ajoute, durant la cuisson, une bonne quantité de jus de tomate, le plus souvent, toute une boîte de 19 oz (540 ml).

6 À 8 PORTIONS

Petits rouleaux de viande au four

1 c. à s.	*huile d'olive*	*15 ml*
1	*gros oignon, haché*	*1*
2	*gousses d'ail, émincées*	*2*
28 oz	*tomates, en conserve*	*796 ml*
5 1/2 oz	*pâte de tomate*	*156 ml*
1 sachet	*mélange pour sauce à spaghetti déshydraté*	*1 sachet*
1/2 tasse	*eau*	*125 ml*
8	*coquilles manicotti*	*8*
2 tasses	*feuilles d'épinards, bien tassées*	*500 ml*
1 c. à s.	*huile d'olive*	*15 ml*
3/4 lb	*bœuf haché*	*350 g*
1/4 tasse	*poivron vert finement haché*	*60 ml*
4 oz	*fromage mozzarella, en très petits cubes*	*115 g*
1	*œuf, légèrement battu*	*1*
1/4 tasse	*parmesan râpé*	*60 ml*

Chauffer l'huile dans une casserole moyenne. Cuire l'oignon et l'ail 5 minutes, en brassant. Ajouter les tomates, la pâte de tomate, le mélange pour sauce à spaghetti et l'eau. Défaire tout morceau de tomate trop gros. Porter à ébullition, baisser le feu, couvrir et faire mijoter 20 minutes.

Cuire les coquilles manicotti 7 minutes, à l'eau bouillante salée. Les égoutter.

→

Ci-contre : petits rouleaux de viande au four

Faire cuire les feuilles d'épinards, égoutter et hacher finement.

Chauffer 1 c. à s. (15 ml) d'huile d'olive dans une poêle épaisse ou une rôtissoire. Y mettre le bœuf et le poivron et cuire en brassant constamment, jusqu'à ce que la viande soit légèrement brunie.

Retirer du feu, enlever, s'il y a lieu, l'excès de graisse de cuisson et laisser refroidir. Mêler délicatement, à la fourchette, la viande, les épinards hachés, les petits cubes de formage et l'œuf. Farcir les coquilles de ce mélange.

Chauffer le four à 375 °F (190 °C). Avoir sous la main un plat de pyrex, de 12 x 8 x 2 po (30,5 x 20,5 x 5 cm).

Mettre environ les trois quarts de la sauce tomate dans le plat. Y disposer les 8 coquilles farcies. Ajouter le reste de la sauce tomate et parsemer de parmesan.

Cuire au four, 30 minutes ou jusqu'à ce que ce soit très chaud.

4 PORTIONS

Pâté maison

1/2 lb	*bacon*	*225 g*
1 lb	*bœuf haché*	*450 g*
1 lb	*porc haché*	*450 g*
2	*gousses d'ail, broyées*	*2*
1/2 tasse	*persil finement haché*	*125 ml*
1/2 c. à t.	*estragon séché*	*2 ml*
1/2 c. à t.	*thym séché*	*2 ml*
1/2 c. à t.	*paprika*	*2 ml*
1 1/2 c. à t.	*sel*	*7 ml*
1/4 c. à t.	*poivre*	*1 ml*
2	*œufs, légèrement battus*	*2*
1/2 tasse	*cognac*	*125 ml*
1 lb	*jambon cuit haché*	*450 g*
1 1/2 c. à t.	*moutarde en poudre*	*7 ml*
1/2 c. à t.	*muscade*	*5 ml*
1/4 tasse	*sherry sec*	*60 ml*
1 tasse	*oignons verts finement hachés*	*250 ml*
1 tasse	*persil finement haché*	*250 ml*
1/2 tasse	*sherry sec*	*125 ml*

Chauffer le four à 325 °F (160 °C). Disposer 3 tranches de bacon dans le fond de chacun de 2 plats de pyrex de 8 x 4 x 2 po (20,5 x 10 x 5 cm).

Mêler parfaitement le bœuf, le porc, l'ail, le persil, l'estragon, le thym, le paprika, le sel, le poivre, les œufs et le cognac.

Mêler parfaitement le jambon, la moutarde, la muscade et le sherry.

Mettre le quart du mélange au bœuf dans chacun des deux plats, en l'étendant et en le tassant bien. Parsemer chaque pâté de 1/4 tasse (60 ml) d'oignons verts et de 1/4 tasse (60 ml) de persil.

Recouvrir du mélange au jambon également réparti dans les deux plats, en le tassant bien. Parsemer de nouveau chaque pâté de 1/4 tasse (60 ml) d'oignons verts et de 1/4 tasse (60 ml) de persil. Recouvrir de ce qui reste du mélange au bœuf, en pressant bien. Recouvrir de ce qui reste des tranches de bacon et arroser de 1/2 tasse (125 ml) de sherry.

Couvrir les plats hermétiquement avec du papier d'aluminium et cuire au four 3 heures.

Retirer du four, disposer sur des clayettes, enlever le couvercle de papier d'aluminium et mettre une pesée sur chaque pâté jusqu'à ce qu'ils soient refroidis. (Pour ce faire, je couvre de papier d'aluminium et d'un morceau de carton fort, de la grandeur exacte du pâté, et j'y dépose les boîtes de conserve les plus lourdes que j'aie.)

Une fois les pâtés refroidis, enlever les pesées et réfrigérer.

Servir froid comme hors-d'œuvre, avec des craquelins ou des toasts melba, ou comme entrée, coupé en tranches.

4 À 6 PORTIONS

Macaroni au bœuf à la poêle

1/3 tasse	*huile à cuisson*	*80 ml*
1 lb	*bœuf haché*	*450 g*
1/2 tasse	*oignon haché*	*125 ml*
1	*gousse d'ail, émincée*	*1*
2 tasses	*macaroni en coudes, non cuit*	*500 ml*
1 tasse	*oignons verts, en allumettes*	*250 ml*
1/2 tasse	*céleri tranché*	*125 ml*
1 tasse	*haricots verts congelés un peu décongelés*	*250 ml*
28 oz	*tomates, en conserve*	*796 ml*
2 c. à t.	*sel*	*10 ml*
1/4 c. à t.	*poivre*	*1 ml*
2 c. à s.	*sauce Worcestershire*	*30 ml*
1/2 tasse	*olives noires, en allumettes*	*125 ml*

Chauffer l'huile dans une grande poêle épaisse. Y cuire le bœuf, en le brassant, jusqu'à ce qu'il soit légèrement bruni. Ajouter l'oignon, l'ail et le macaroni et cuire, en brassant, pour brunir légèrement le macaroni.

Ajouter les oignons verts, le céleri, les haricots, les tomates, le sel, le poivre et la sauce Worcestershire. Porter à ébullition, baisser le feu, couvrir et faire mijoter, 20 minutes ou jusqu'à ce que le macaroni soit tendre. Brasser à plusieurs reprises, pendant la cuisson, et ajouter un peu d'eau si nécessaire.

Ajouter les olives, bien mêler et servir.

6 PORTIONS

Ci-dessus : macaroni au bœuf à la poêle

Sauce à spaghetti aux boulettes de viande

1 lb	*bœuf haché*	*450 g*
1/2 lb	*porc maigre haché*	*225 g*
1/2 lb	*veau haché*	*225 g*
1/2 tasse	*persil finement haché*	*125 ml*
1/2 tasse	*parmesan râpé*	*125 ml*
2	*gousses d'ail, broyées*	*2*
1 tasse	*chapelure fine*	*250 ml*
2 c. à t.	*sel*	*10 ml*
1/4 c. à t.	*poivre*	*1 ml*
1	*œuf*	*1*
1/4 tasse	*lait*	*60 ml*
2 c. à s.	*huile à cuisson*	*30 ml*
2 c. à s.	*huile à cuisson*	*30 ml*
2	*oignons moyens, hachés*	*2*
10 tasses	*tomates à l'italienne, en conserve*	*2,5 L*
14 oz	*sauce tomate*	*398 ml*
11 oz	*pâte de tomate*	*312 ml*
1	*gousse d'ail, broyée*	*1*
	spaghetti cuit, bien chaud	
	parmesan râpé	

Mêler, dans un grand bol, le bœuf, le porc, le veau, le persil, le parmesan, 2 gousses d'ail, la chapelure, le sel et le poivre. Battre ensemble légèrement à la fourchette, l'œuf et le lait et ajouter au mélange. Mêler et façonner en boulettes de 1 1/2 po (3,75 cm) de diamètre.

Chauffer 2 c. à s. (30 ml) d'huile dans une casserole épaisse. Brunir les boulettes, en ajoutant de l'huile, si nécessaire. Les retirer à mesure qu'elles sont à point.

Ajouter 2 c. à s. (30 ml) d'huile dans la casserole, une fois les boulettes retirées; ajouter les oignons, cuire à feu doux 3 minutes en brassant. Ajouter les tomates, la sauce tomate, la pâte de tomate et 1 gousse d'ail. Chauffer jusqu'à ébullition, baisser le feu, couvrir et faire mijoter 2 heures.

Ajouter les boulettes et continuer la cuisson, à feu doux et à découvert, 2 heures ou jusqu'à ce que la sauce soit épaisse. Goûter, saler et poivrer, si nécessaire.

Servir sur du spaghetti bien chaud, avec du parmesan râpé.

8 À 10 PORTIONS

Ci-contre : sauce à spaghetti aux boulettes de viande

Petits pâtés de bœuf à congeler

3 lb	*bifteck de ronde de 1 po (2,5 cm) d'épaisseur*	*1,4 kg*
1/2 tasse	*farine*	*125 ml*
3/4 c. à t.	*sel*	*3 ml*
1/4 c. à t.	*poivre*	*1 ml*
3 c. à s.	*beurre*	*45 ml*
3 c. à s.	*huile à cuisson*	*45 ml*
2 c. à s.	*huile à cuisson*	*30 ml*
1/2 tasse	*oignon haché*	*125 ml*
1 lb	*champignons frais, tranchés*	*450 g*
2 tasses	*bouillon de bœuf (voir note)*	*500 ml*
1/2 tasse	*persil haché*	*125 ml*
1 c. à t.	*sauce Worcestershire*	*5 ml*
1 c. à t.	*sel*	*5 ml*
1/2 c. à t.	*poivre*	*2 ml*
1/4 c. à t.	*muscade*	*1 ml*
1	*feuille de laurier*	*1*
	pâte à tarte (voir note)	
1	*jaune d'œuf*	*1*
1 c. à s.	*eau*	*15 ml*

Débarrasser le bœuf de sa bordure de gras et le couper en cubes de 1 po (2,5 cm) de côté. Mêler la farine, le sel et le poivre, dans un plat peu profond. Passer les cubes de bœuf dans le mélange pour les enfariner de tous côtés.

Chauffer le beurre et 3 c. à s. (45 ml) d'huile dans un grande casserole épaisse ou une rôtissoire. Dorer les cubes de bœuf, de tous les côtés. Les retirer de la casserole, avec une cuillère perforée, à mesure qu'ils sont d'une belle couleur.

Ajouter, au jus de cuisson, 2 c. à s. (30 ml) d'huile; cuire l'oignon et les champignons, à feu doux et en brassant, 5 minutes ou jusqu'à ce que l'oignon soit ramolli sans être bruni. Ajouter tous les autres ingrédients, excepté la pâte à tarte, le jaune d'œuf et l'eau. Ajouter aussi les cubes de viande brunis, couvrir et faire mijoter, 1 heure ou jusqu'à ce que la viande soit tendre. Refroidir rapidement en plaçant la casserole dans de l'eau glacée.

Répartir le mélange dans 8 petites assiettes en papier d'aluminium.

Rouler la pâte en une abaisse mince et y tailler 8 ronds légèrement plus grands que le dessus des assiettes. (Si l'on n'a pas l'emporte-pièce approprié, renverser un petit bol sur la pâte et couper tout autour.) Déposer les ronds de pâte sur la préparation en les scellant bien aux assiettes, tout autour. Battre ensemble, à la fourchette, le jaune d'œuf et l'eau et en badigeonner la pâte. Ne pas pratiquer de fentes dans les couvercles de pâte avant la congélation.

Envelopper séparément les petits pâtés de papier d'aluminium très épais et les congeler immédiatement.

Quand vous voudrez servir les pâtés, chauffer le four à 350 °F (175 °C). Pratiquer une fente dans les « couvercles » de pâte. Les mettre sur une plaque à biscuits. Cuire au four 1 heure ou jusqu'à ce que la croûte soit bien brunie et l'intérieur des pâtés, très chaud.

Note: on peut utiliser soit du bouillon maison, soit du bouillon en conserve, soit 2 cubes de bouillon de bœuf déshydraté, dissous dans 2 tasses (500 ml) d'eau bouillante.

Si on utilise les plus petites assiettes, préparer de la pâte comme pour une tarte à 2 croûtes de 9 po (23 cm) de diamètre. Si on utilise les plus grandes assiettes, préparer de la pâte avec 3 tasses (750 ml) de farine, ou, si on utilise les mélanges du commerce, 1 1/2 sachet ou 1 1/2 bâton.

8 PETITS PATÉS

*V*eau

Veau

Le veau est un jeune animal de 3 à 10 mois, dont la chair d'un blanc rosé devient de plus en plus foncée à mesure qu'il vieillit. C'est pourquoi, nous avons intérêt à rechercher les pièces les plus pâles, signe de jeunesse et de tendreté.

Il existe différentes qualités de veau et l'on distingue en général le veau de lait (c'est-à-dire nourri exclusivement au lait), du veau de grain ou d'herbe, d'après la nature de l'élevage.

Il s'agit d'une viande maigre qu'on prendra soin de larder au besoin pour éviter qu'elle ne dessèche à la cuisson. Les meilleurs morceaux du veau sont le filet, la longe, le cuisseau et l'épaule. Parmi les morceaux moins dispendieux, on trouve la poitrine et le jarret que l'on peut rôtir, braiser, bouillir ou préparer en ragoût.

Les os de veau contiennent une grande quantité de gélatine, et tout bon cuisinier connaît les vertus du bouillon de veau si précieux pour préparer les plats en gelée et les pâtés.

Bien apprêté, le veau donne une viande juteuse et tendre comme nulle autre. Il mérite donc toute notre attention, aussi bien pour les repas de réception que ceux qu'on partage agréablement avec ses proches.

Veau barbecue

2 c. à s.	*huile à cuisson*	*30 ml*
4 lb	*veau à rôtir*	*1,8 kg*
2 c. à s.	*cassonade*	*30 ml*
1 c. à s.	*paprika*	*15 ml*
1 c. à t.	*sel*	*5 ml*
1 c. à t.	*moutarde en poudre*	*5 ml*
1/4 c. à t.	*assaisonnement au chili*	*1 ml*
1/8 c. à t.	*poivre de Cayenne*	*0,5 ml*
2 c. à s.	*sauce Worcestershire*	*30 ml*
1/4 tasse	*vinaigre blanc*	*60 ml*
1 tasse	*jus de tomate*	*250 ml*
1/4 tasse	*ketchup*	*60 ml*
1/2 tasse	*eau*	*125 ml*
1/4 tasse	*céleri finement haché*	*60 ml*
1	*petit oignon, haché*	*1*
	pommes de terre, pelées et coupées en deux	
	carottes, pelées et coupées en gros morceaux	
	petits oignons, épluchés	

Chauffer l'huile dans une grande casserole épaisse ou une rôtissoire. Y bien brunir la viande de tous les côtés.

Mêler, dans une autre casserole, tous les autres ingrédients sauf les pommes de terre, les carottes et les petits oignons entiers. Porter à ébullition et verser sur la viande. Chauffer jusqu'à ce que l'ébullition reprenne, couvrir hermétiquement, baisser le feu et faire mijoter 1 1/2 heure. Tourner la viande de temps en temps.

Ajouter des pommes de terre, des carottes et des petits oignons, couvrir de nouveau et continuer la cuisson à feu doux, 1 heure ou jusqu'à ce que tous les ingrédients soient tendres. Servir la viande et les légumes nappés de sauce.

6 À 8 PORTIONS

Veau au four relevé

3 c. à s.	*jus de cornichons sucrés*	*45 ml*
1 c. à s.	*moutarde en poudre*	*15 ml*
1 c. à s.	*sel*	*15 ml*
1 c. à t.	*sauge*	*5 ml*
1/2 c. à t.	*romarin séché*	*2 ml*
4 lb	*rôti de croupe de veau*	*1,8 kg*
6	*tranches de bacon*	*6*

Chauffer le four à 325 °F (160 °C).

Mêler le jus de cornichons, la moutarde, le sel, la sauge et le romarin et en badigeonner le rôti. Mettre le rôti sur une clayette, dans une rôtissoire, et le recouvrir de tranches de bacon.

Faire rôtir, à découvert, 35 minutes par livre (450 g) ou jusqu'à ce que ce soit très tendre.

6 À 8 PORTIONS

Ci-contre : veau barbecue

Rôti de veau braisé

2 c. à s.	*farine*	*30 ml*
1 c. à s.	*moutarde en poudre*	*15 ml*
1 c. à s.	*sucre*	*15 ml*
2 c. à t.	*sel*	*30 ml*
1/4 c. à t.	*poivre*	*1 ml*
1/2 c. à t.	*thym séché*	*2 ml*
1/2 c. à t.	*sarriette séchée*	*2 ml*
4 à 5 lb	*rôti de croupe de veau*	*1,8 à 2,2 kg*
1/4 tasse	*huile à cuisson*	*60 ml*
1/4 tasse	*vinaigre blanc*	*60 ml*
1/2 tasse	*bouillon de poulet ou eau*	*125 ml*
1 tasse	*oignon haché*	*250 ml*
1/4 tasse	*persil haché*	*60 ml*
1/4 tasse	*feuilles de céleri hachées*	*60 ml*

Mêler la farine, la moutarde, le sucre, le sel, le poivre, le thym et la sarriette et en enduire la viande. Réserver le reste du mélange; il servira à épaissir la sauce.

Chauffer l'huile dans une grande casserole épaisse ou une rôtissoire. Ajouter la viande et bien la brunir, de tous les côtés. Ajouter tous les autres ingrédients, couvrir et faire mijoter, 2 heures ou jusqu'à ce que la viande soit tendre. Retirer la viande de la casserole et mettre dans un plat de service chaud.

Passer le liquide de cuisson et le remettre dans la casserole. Mettre un peu d'eau froide et le reste de la farine assaisonnée dans un petit bocal fermant hermétiquement. Agiter vivement. Ajouter au liquide de cuisson bouillant, petit à petit et en brassant. Faire mijoter 5 minutes, en brassant sans arrêt. Servir avec le rôti.

8 À 10 PORTIONS

Côtelettes de filet de veau à la sauce tomate

1 sachet	soupe à l'oignon déshydratée	1 sachet
1 tasse	chapelure fine	250 ml
2	œufs	2
2 c. à s.	eau	30 ml
6	côtelettes de filet de veau de 3/4 po (2 cm) d'épaisseur	6
2 c. à s.	beurre ou margarine	30 ml
2 c. à s.	huile à cuisson	30 ml
1/2 tasse	bouillon de poulet	125 ml
	sauce tomate (recette ci-après)	

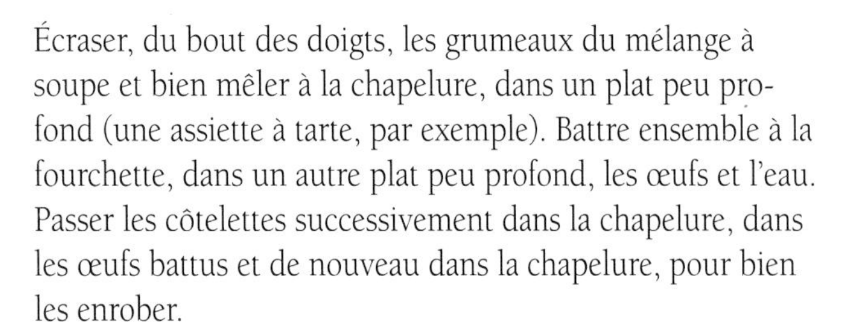

Écraser, du bout des doigts, les grumeaux du mélange à soupe et bien mêler à la chapelure, dans un plat peu profond (une assiette à tarte, par exemple). Battre ensemble à la fourchette, dans un autre plat peu profond, les œufs et l'eau. Passer les côtelettes successivement dans la chapelure, dans les œufs battus et de nouveau dans la chapelure, pour bien les enrober.

Chauffer le four à 350 °F (175 °C). Beurrer un plat à cuire peu profond et juste assez grand pour pouvoir y disposer les côtelettes en une seule couche.

Chauffer le beurre (ou la margarine) et l'huile dans une grande poêle épaisse. Y brunir doucement les côtelettes, des deux côtés. À mesure qu'elles sont prêtes, les mettre dans le plat à cuire. Ajouter le bouillon, couvrir hermétiquement et cuire au four 15 minutes.

Retourner les côtelettes, couvrir de nouveau et continuer la cuisson 15 minutes. Retirer le couvercle et continuer la cuisson 10 minutes ou jusqu'à ce que les côtelettes soient très tendres. Servir avec la sauce tomate.

6 PORTIONS

Sauce tomate

2 c. à s.	huile d'olive	30 ml
1	petite gousse d'ail, épluchée et coupée en deux	1
1/4 tasse	oignon haché	60 ml
1/4 tasse	céleri haché	60 ml
1 tasse	champignons tranchés	250 ml
1/2 tasse	jambon cuit finement haché	125 ml
14 oz	sauce tomate en conserve	398 ml
1/4 tasse	eau	60 ml
1/4 tasse	carotte finement râpée	60 ml
1/2 c. à t.	sel	2 ml
1/4 c. à t.	poivre	1 ml

Chauffer l'huile dans une casserole moyenne. Y cuire l'ail 3 minutes, à feu doux. Retirer et jeter l'ail. Ajouter à l'huile, l'oignon, le céleri, les champignons et le jambon et cuire 3 minutes, à feu doux et en brassant. Ajouter tous les autres ingrédients et porter à ébullition. Réduire le feu, couvrir et faire mijoter 20 minutes. Garder bien chaud et servir avec le veau.

Côtelettes d'épaule de veau aux oignons

2 lb	*côtelettes d'épaule de veau*	*900 g*
	farine	
2 c. à s.	*beurre ou margarine*	*30 ml*
2 c. à s.	*huile à cuisson*	*30 ml*
	sel et poivre	
4	*gros oignons, hachés finement*	*4*
1/2 tasse	*eau*	*125 ml*
3 c. à s.	*beurre ou margarine*	*45 ml*
2 c. à s.	*farine*	*30 ml*
1 1/2 tasse	*lait*	*375 ml*
1/2 c. à t.	*sel*	*2 ml*
1/8 c. à t.	*poivre noir*	*0,5 ml*
1/3 tasse	*parmesan râpé*	*80 ml*
1/4 tasse	*parmesan râpé*	*60 ml*

Débarrasser les côtelettes de leurs petites membranes et couper la viande en portions. Passer les morceaux de viande dans la farine pour les enrober des deux côtés. Chauffer le beurre et l'huile, dans une très grande poêle, et y brunir légèrement la viande, des deux côtés.

Chauffer le four à 350 °F (175 °C). Avoir sous la main un plat à cuire juste assez grand pour pouvoir y disposer les côtelettes en une seule couche. Saler et poivrer généreusement les côtelettes et déposer dans le plat.

Mettre l'oignon dans le jus de cuisson dans la poêle. Ajouter l'eau, couvrir et faire mijoter jusqu'à ce que l'oignon ait pris une apparence un peu translucide (ne pas laisser brunir). Retirer alors le couvercle de la poêle et continuer la cuisson à feu doux, suffisamment longtemps (5 minutes environ) pour faire évaporer tout le liquide. Ajouter 3 c. à s. (45 ml) de beurre et bien mêler. Saupoudrer 2 c. à s. (30 ml) de farine et brasser, pour bien mêler tous les ingrédients. Cuire 3 minutes, à feu doux et en brassant.

Retirer du feu et ajouter le lait, en brassant. Continuer la cuisson, à feu moyen et en brassant, jusqu'à ce que la sauce bouille et soit épaisse et lisse. Retirer du feu, saler, poivrer et ajouter 1/3 tasse (80 ml) de parmesan. Verser la sauce sur le veau. Couvrir et cuire au four, 1 heure ou jusqu'à ce que la viande soit tendre. Retirer alors le couvercle et parsemer la préparation de 1/4 tasse (60 ml) de parmesan. Glisser sous le grilloir, assez loin du feu c'est-à-dire en plaçant le plat sur le grillage inférieur du four, et bien faire brunir. Servir immédiatement.

4 PORTIONS

Ci-contre : côtelettes de filet de veau à la sauce tomate

Petits rouleaux garnis

12	*escalopes de veau, très minces*	12
6 à 12	*tranches de prosciutto ou de jambon cuit ordinaire*	6 à 12
1 c. à s.	*beurre ou margarine*	15 ml
1 c. à s.	*huile d'olive*	15 ml
1	*gousse d'ail*	1
1/2 tasse	*bouillon de poulet ou eau*	125 ml
1/4 tasse	*vin blanc sec*	60 ml
24 oz	*épinards, lavés et équeutés*	675 g
1/2 c. à t.	*sel*	2 ml

Placer les escalopes entre deux feuilles de papier ciré et les marteler, avec un rouleau à pâte ou un maillet, pour les amincir autant que possible. Mettre, sur chaque escalope, une tranche de prosciutto ou de jambon cuit taillée pour être légèrement plus petite que l'escalope elle-même. Rouler les escalopes, avec le jambon, en fixant solidement chaque petit rouleau avec une brochette ou un cure-dents.

Chauffer ensemble, dans une grande poêle épaisse, le beurre (ou la margarine), l'huile et l'ail. Faire dorer les rouleaux de veau, de tous côtés, dans ce mélange. Ajouter le bouillon (ou l'eau) et le vin. Couvrir hermétiquement et faire mijoter 15 minutes. Retirer les rouleaux de la poêle et les garder bien chauds; jeter l'ail.

Chauffer le four à 350 °F (175 °C). Beurrer un plat à cuire de 10 x 6 x 2 po (25 x 15 x 5 cm).

Faire blanchir les épinards et bien les égoutter.

Faire bouillir vivement le jus de cuisson dans la poêle pour qu'il n'en reste plus que la partie grasse. Ajouter les épinards et le sel et cuire en brassant, 1 minute ou jusqu'à ce que les épinards soient bien chauds. Mettre les épinards dans le plat à cuire, y déposer les rouleaux de veau et arroser du jus de cuisson qui reste. Couvrir et cuire au four, 15 minutes ou jusqu'à ce que le veau soit très tendre.

4 À 6 PORTIONS

Ci-contre : petits rouleaux garnis (en bas) et escalope de veau panée (en haut)

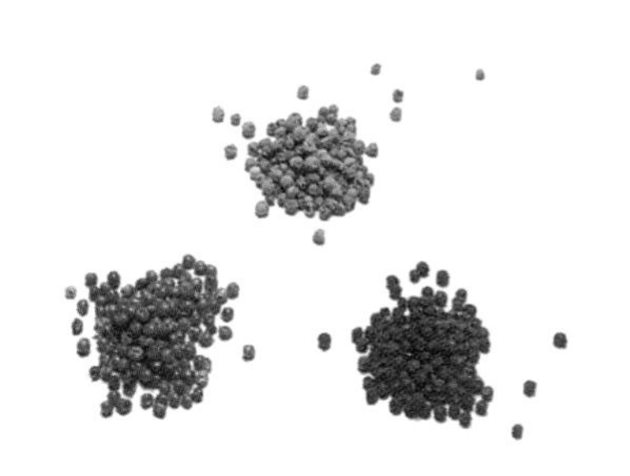

Escalopes de veau panées

1 1/2 lb	*escalopes de veau bien minces*	675 g
1/2 tasse	*lait*	125 ml
2	*œufs*	2
1/3 tasse	*farine*	80 ml
1 tasse	*chapelure fine*	250 ml
3 c. à s.	*beurre ou margarine*	45 ml
3 c. à s.	*huile à cuisson*	45 ml
	sel et poivre	

Mettre les escalopes dans un plat à cuire peu profond; couvrir de lait. Laisser reposer 1 heure, à la température de la pièce, en retournant souvent les escalopes.

Mettre les œufs dans un plat peu profond (une assiette à tarte par exemple). Ajouter le lait dans lequel on a fait tremper les escalopes et battre, à la fourchette. Mettre la farine et la chapelure dans deux autres plats peu profonds.

Passer les escalopes, successivement dans la farine, dans les œufs battus puis dans la chapelure, pour bien les enrober.

Chauffer le beurre (ou la margarine) et l'huile dans une grande poêle épaisse. Cuire les escalopes jusqu'à ce qu'elles soient tendres et bien dorées, plutôt rapidement, c'est-à-dire en comptant 3 minutes de cuisson de chaque côté. Saler et poivrer, si désiré. Servir immédiatement.

4 PORTIONS

Veau au Marsala

1 c. à s.	*farine*	*15 ml*
1/4 c. à t.	*sel*	*1 ml*
1 pincée	*poivre*	*1 pincée*
1/4 c. à t.	*paprika*	*1 ml*
3/4 lb	*bifteck de veau en tranches de 1/4 po (0,5 cm) d'épaisseur*	*350 g*
2 c. à s.	*beurre*	*30 ml*
1 c. à s.	*huile d'olive*	*15 ml*
1 tasse	*champignons frais, en tranches épaisses*	*250 ml*
1/3 tasse	*vin de Marsala*	*80 ml*
	sel et poivre	
1 c. à s.	*persil haché*	*15 ml*
4	*lamelles de citron*	*4*

Mêler, dans un plat peu profond, la farine, le sel, le poivre et le paprika. Détailler le veau en deux portions. Passer les tranches de veau dans la farine pour bien les enrober des deux côtés.

Chauffer 1 c. à s. (15 ml) de beurre et l'huile, à feu vif, dans une grande poêle épaisse. Y cuire les champignons 2 minutes en brassant. Retirer de la poêle, avec une cuillère perforée, et mettre de côté. Ajouter 1 c. à s. (15 ml) de beurre au jus de cuisson et bien chauffer. Mettre le veau dans la poêle et le brunir rapidement, des deux côtés. Retirer la poêle du feu, la laisser refroidir une minute et y mettre le Marsala. Saler et poivrer légèrement. Couvrir et faire mijoter, à feu doux, 10 minutes ou jusqu'à ce que le veau soit tendre.

Mettre le veau dans un plat de service chaud. Ajouter le persil et les champignons au jus de cuisson. Ajouter aussi un peu d'eau bouillante, si le vin a trop diminué. Bien chauffer et verser sur le veau. Garnir de lamelles de citron et servir immédiatement.

2 PORTIONS

Veau marengo

1/3 tasse	*huile d'olive*	*80 ml*
3 lb	*veau à bouillir, en cubes*	*1,4 kg*
1/2 tasse	*oignon haché*	*125 ml*
19 oz	*tomates, en conserve*	*540 ml*
2 c. à t.	*sel*	*10 ml*
1/2 c. à t.	*sucre*	*2 ml*
1/4 c. à t.	*poivre*	*1 ml*
1/2 c. à t.	*basilic séché*	*2 ml*
1/2 c. à t.	*paprika*	*2 ml*
2 c. à s.	*farine*	*30 ml*
3 tasses	*bouillon de poulet*	*750 ml*
1 tasse	*vin blanc sec*	*250 ml*
16	*petits oignons*	*16*
8	*carottes moyennes*	*8*
1/2 lb	*champignons frais, entiers*	*225 g*
12 oz	*petits pois congelés*	*350 g*

Chauffer l'huile dans une grande casserole épaisse ou dans une rôtissoire. Ajouter le veau et le cuire à feu vif jusqu'à ce qu'il soit légèrement bruni. Ajouter l'oignon haché, les tomates, le sel, le sucre, le poivre, le basilic et le paprika.

Ajouter la farine à 1/2 tasse (125 ml) de bouillon froid et brasser jusqu'à ce que le mélange soit lisse. Ajouter ce qui reste de bouillon et le vin à la préparation dans la rôtissoire et chauffer jusqu'à ébullition. Ajouter alors la farine délayée, petit à petit et en brassant. Réduire le feu, couvrir et faire mijoter, 45 minutes ou jusqu'à ce que la viande commence à être tendre. Ajouter les oignons et faire mijoter encore 15 minutes. Couper les carottes en diagonale, en morceaux de 1 po (2,5 cm). Ajouter au ragoût et continuer la cuisson, à petit feu, pendant 15 minutes. Ajouter les champignons et faire mijoter, 10 minutes ou jusqu'à ce que la viande se défasse à la fourchette. Ajouter les petits pois et faire mijoter 5 minutes. Servir immédiatement.

6 À 8 PORTIONS

Ci-contre : veau marengo

Crème Schnitzel

2 c. à s.	*farine*	*30 ml*
1/4 c. à t.	*sel*	*1 ml*
1 pincée	*poivre*	*1 pincée*
1 lb	*bifteck de veau en tranches de 1/4 po (0,5 cm) d'épaisseur*	*450 g*
4	*tranches de bacon*	*4*
1 c. à s.	*beurre*	*15 ml*
1 c. à s.	*oignon finement haché*	*15 ml*
1 c. à s.	*paprika*	*15 ml*
1 tasse	*sauce tomate*	*250 ml*
1/2 tasse	*eau*	*125 ml*
10 oz	*haricots verts, taillés à la française*	*280 g*
19 oz	*pommes de terre entières, en conserve égouttées et tranchées*	*540 ml*
1/2 tasse	*crème sure*	*125 ml*

Mêler la farine, le sel et le poivre. Couper la viande en morceaux et les passer dans la farine assaisonnée pour bien les enrober des deux côtés.

Faire frire le bacon, dans une poêle épaisse, jusqu'à ce qu'il soit bien croustillant. Le retirer de la poêle, l'égoutter et l'émietter. Réserver.

Ajouter le beurre à la graisse de cuisson dans la poêle et régler le feu au plus haut. Frire le veau rapidement, pour qu'il soit doré des deux côtés. Baisser le feu. Ajouter oignon, paprika, sauce tomate, eau, haricots et pommes de terre. Couvrir hermétiquement et faire mijoter 20 minutes ou jusqu'à ce que tous les ingrédients soient tendres. Découvrir à plusieurs reprises, pendant la cuisson, séparer les haricots et ajouter de l'eau si nécessaire. Ajouter la crème sure et bien mêler au liquide de cuisson. Chauffer sans toutefois laisser bouillir et parsemer de miettes de bacon.

2 À 3 PORTIONS

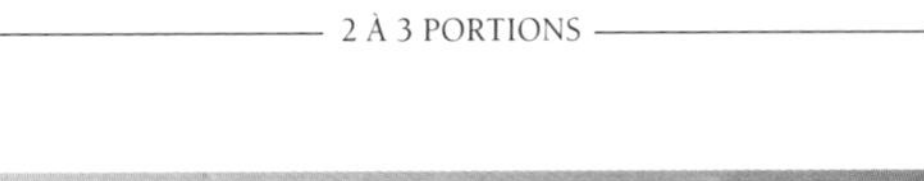

Pâté de veau et de jambon

1 1/2 lb	*épaule de veau désossée*	*675 g*
1 1/2 lb	*jambon non cuit*	*675 g*
2 c. à t.	*sel*	*10 ml*
1/2 c. à t.	*poivre*	*2 ml*
1/2 c. à t.	*sarriette séchée*	*2 ml*
1/4 c. à t.	*piment de la Jamaïque, en poudre*	*1 ml*
1/8 c. à t.	*muscade*	*0,5 ml*
1 c. à t.	*zeste de citron râpé*	*5 ml*
2	*œufs, battus*	*2*
	pâte à l'eau bouillante (recette ci-après)	
4	*œufs durs*	*4*
1	*jaune d'œuf*	*1*
1 c. à s.	*eau froide*	*15 ml*
1 sachet	*gélatine*	*1 sachet*
2 tasses	*bouillon de poulet*	*500 ml*

Passer au hachoir, en utilisant le couteau le plus fin, 1/2 lb (225 g) de veau et 1/2 lb (225 g) de jambon. Couper ce qui reste de la viande en cubes de 1/2 po (1,25 cm). Mêler la viande hachée, les cubes de viande, le sel, le poivre, la sarriette, le piment de la Jamaïque, la muscade, le zeste de citron et les œufs battus.

Avoir sous la main 2 moules en papier d'aluminium d'environ 8 x 4 x 2 po (20,5 x 10 x 5 cm).

Séparer en trois, la pâte à l'eau bouillante. Avec la première part, abaisser un rectangle de 13 x 9 po (33 x 23 cm). Foncer l'un des moules, en ajustant bien la pâte dans les coins, avec précaution toutefois, pour ne pas l'étirer. Laisser dépasser 1/2 po (1,25 cm) de pâte tout autour du moule. Foncer pareillement l'autre moule, avec une autre part de la pâte.

Mettre, dans chaque moule, environ 1 tasse (250 ml) du mélange à la viande (c'est-à-dire remplir les moules au tiers environ). Mettre 2 œufs durs, bout à bout, sur la viande dans chacun des moules. Mettre le reste du mélange à la viande dans les moules — environ 2 tasses (500 ml) par moule — en le tassant autour des œufs et sur eux de façon à les enclore complètement.

Faire 2 parts de ce qui reste de pâte et rouler chacune en une abaisse juste un peu plus grande que le dessus des moules. Humecter les bords des abaisses du dessous et couvrir les pâtés des petites abaisses. Bien sceller la pâte, tout autour en pressant les deux abaisses ensemble. Tailler les contours et rouler un peu la pâte par en-dessous, tout autour des pâtés. Denteler les bords.

Chauffer le four à 425 °F (220 °C). Battre ensemble à la fourchette, le jaune d'œuf et l'eau et en badigeonner le dessus des pâtés. Si on le désire, tailler des feuilles et des fleurs dans les retailles de pâte et en décorer les pâtés. Faire une petit trou rond, au centre de chaque pâté, pour laisser échapper la vapeur pendant la cuisson.

Cuire au four 40 minutes. Réduire la température du four à 350 °F (175 °C) et continuer la cuisson 1 1/2 heure. Laisser refroidir dans les moules.

Faire tremper la gélatine 5 minutes dans 1/4 tasse (60 ml) de bouillon de poulet. Amener au point d'ébullition le reste du bouillon. Ajouter la gélatine détrempée et brasser jusqu'à ce qu'elle soit dissoute. Laisser refroidir, sans toutefois réfrigérer. Verser ce mélange dans les pâtés tiédis, par le trou au centre (un petit entonnoir facilite l'opération).

Verser le bouillon gélatineux par petites quantités, en laissant le pâté l'absorber avant d'en ajouter d'autre. Mettre autant de bouillon que le pâté peut en contenir. (S'il en reste, le réfrigérer, pour en faire un aspic ou y ajouter une desserte de légumes, pour en faire une salade.) Laisser refroidir complètement les pâtés avant de les réfrigérer.

Bien dégager du moule, au moment de servir, et démouler sur de la laitue. Enlever et jeter la pâte, aux deux bouts des pâtés et couper en tranches épaisses.

Foncer l'un des moules, en ajustant bien la pâte dans les coins, avec précaution toutefois, pour ne pas l'étirer. Laisser dépasser 1/2 po (1,25 cm) de pâte tout autour du moule.

10 À 12 PORTIONS

Pâte à l'eau bouillante

1/2 lb	*saindoux*	*225 g*
1/2 tasse	*eau bouillante*	*125 ml*
2 3/4 tasses	*farine tout usage, tamisée*	*685 ml*
1 c. à t.	*poudre à pâte*	*5 ml*
1 c. à t.	*sel*	*5 ml*
1 c. à t.	*paprika*	*5 ml*

Couper le saindoux en petits morceaux, dans un bol. Ajouter l'eau bouillante et battre jusqu'à ce que le mélange soit refroidi et crémeux. (Peu importe s'il reste un peu d'eau non incorporée au mélange.)

Tamiser ensemble tous les ingrédients secs. Ajouter au premier mélange. Battre, avec une cuillère de bois, jusqu'à ce que la pâte soit lisse et se détache bien de la paroi du bol. Envelopper de papier ciré et réfrigérer.

Mettre, dans chaque moule, environ 1 tasse (250 ml) du mélange à la viande (c'est-à-dire remplir les moules au tiers environ). Mettre 2 œufs durs, bout à bout, sur la viande dans chacun des moules.

Humecter les bords des abaisses du dessous et couvrir les pâtés des petites abaisses. Bien sceller la pâte, tout autour en pressant les deux abaisses ensemble.

Tailler les contours et rouler un peu la pâte par en-dessous, tout autour des pâtés. Denteler les bords.

Verser le bouillon gélatineux dans les pâtés tiédis, par le trou au centre (un petit entonnoir facilite l'opération). Verser par petites quantités, en laissant le pâté l'absorber avant d'en ajouter d'autre. Mettre autant de bouillon que le pâté peut en contenir.

Foie de veau et bacon grillés au four

1 1/2 livre	*foie de veau ou de jeune bœuf, en tranches de 1/2 po (1,25 cm) d'épaisseur*	*675 g*
	sel et poivre	
	sel d'ail	
8	*tranches de bacon*	*8*
2	*gros oignons, en lamelles*	*2*
	huile à cuisson	
12	*têtes de champignons*	*12*
1/4 tasse	*eau bouillante*	*60 ml*
1/4 c. à t.	*sauce Worcestershire*	*1 ml*

Chauffer le grilloir du four.

Parer le foie, c'est-à-dire le débarrasser de la peau fine qui l'enveloppe et des vaisseaux, s'il y a lieu; bien assécher sur du papier absorbant. Saupoudrer légèrement des deux côtés, de sel, de poivre et de sel d'ail.

Mettre les tranches de bacon dans une plaque à griller peu profonde (sans utiliser de clayette). Mettre sous le grilloir, assez loin du feu c'est-à-dire un peu plus bas que le milieu du four. Faire griller comme on le désire, en retournant les tranches une fois. Retirer du four, enlever le bacon de la plaque et le mettre de côté (laisser la graisse de cuisson dans la plaque).

→

Mettre les oignons dans la plaque et remettre celle-ci au four. Faire griller les oignons, loin du feu comme précédemment, 3 minutes, en les brassant à quelques reprises. Retirer du four.

Pousser les oignons à un bout de la plaque. Mettre les tranches de foie à l'autre bout. Arroser chaque morceau de quelques gouttes d'huile. Remettre au four, beaucoup plus près du feu cependant. Faire griller les tranches de foie 3 minutes de chaque côté ou comme vous les aimez. À deux reprises, pendant la cuisson, arroser le foie du jus de cuisson et remuer un peu les oignons.

Mettre une goutte d'huile à cuisson dans chaque tête de champignon. Une minute avant que le foie ne soit suffisamment cuit, ajouter, dans la plaque, le bacon et les têtes de champignons. Continuer la cuisson, en surveillant, jusqu'à ce que le bacon soit très chaud et le foie comme vous l'aimez.

Mettre le foie dans un plat de service chaud et le couvrir d'oignons; décorer de tranches de bacon. Arroser les champignons d'un peu de jus de cuisson et les faire dorer au four une minute. Les ajouter au plat.

Ajouter l'eau bouillante et la sauce Worcestershire au jus de cuisson dans la plaque et bien brasser le tout. Verser sur le foie et les oignons et servir immédiatement.

6 PORTIONS

Ci-contre : foie de veau et bacon grillés au four

Terrine de veau

1/2 lb	*bacon de côte*	*225 g*
2 lb	*bifteck de veau, en tranches de 1/4 po (0,5 cm) d'épaisseur*	*900 g*
3/4 tasse	*oignons verts finement hachés*	*180 ml*
3/4 tasse	*persil finement haché*	*180 ml*
	poivre frais moulu	
	sarriette	
	basilic	
1	*feuille de laurier*	*1*
1 lb	*bacon de dos, tranché très mince*	*450 g*
1/2 tasse	*vermouth sec*	*125 ml*

Chauffer le four à 300 °F (150 °C). Avoir sous la main un moule de pyrex de 9 x 5 x 3 po (23 x 12,5 x 7,5 cm). Couvrir le fond et les côtés du moule avec une partie du bacon.

Couper le veau en morceaux, selon ses divisions naturelles, en le débarrassant des os et des petites membranes. Déposer une partie du veau en une seule couche, sur le bacon. Parsemer du quart environ des oignons et du persil. Saupoudrer de poivre frais, de sarriette et de basilic. Casser un petit morceau de la feuille de laurier et l'émietter sur la préparation. Recouvrir d'une couche de bacon de dos. Répéter toutes ces opérations, dans l'ordre, de façon à utiliser tous les ingrédients. Terminer la terrine avec une couche de bacon de côte. Arroser de vermouth.

Couvrir d'une double feuille de papier d'aluminium et cuire au four 3 heures.

Retirer du four. Replier plusieurs fois une feuille de papier d'aluminium en un rectangle ayant les mêmes dimensions que le moule. Déposer ce « couvercle » sur la terrine. Tailler un carton fort aux mêmes dimensions. L'envelopper de papier d'aluminium, le mettre sur la terrine et y déposer un poids, comme des boîtes de conserve lourdes, un fer à repasser ou une brique. Laisser refroidir ainsi la terrine à la température de la pièce. Réfrigérer en laissant le poids sur la terrine si vous le pouvez. Démouler et servir en tranches minces.

8 À 10 PORTIONS

Blanquette de veau

2 lb	*épaule de veau, en cubes*	*1,8 kg*
3 tasses	*eau bouillante*	*750 ml*
4	*carottes, en bâtonnets*	*4*
12	*petits oignons ou 6 oignons moyens, en moitiés*	*12*
1	*poireau, haché (la partie blanche seulement)*	*1*
1 tasse	*céleri haché*	*250 ml*
2 c. à t.	*sel*	*10 ml*
1/4 c. à t.	*thym séché*	*1 ml*
1	*grande feuille de laurier*	*1*
1	*gousse d'ail*	*1*
3	*brindilles de persil*	*3*
3 c. à s.	*beurre*	*45 ml*
3/4 lb	*champignons frais, tranchés*	*350 g*
1/4 tasse	*jus de citron*	*60 ml*
2 c. à s.	*farine*	*30 ml*
1/2 tasse	*eau froide*	*125 ml*
2	*jaunes d'œufs*	*2*
1 tasse	*crème à 35 %*	*250 ml*
1/4 tasse	*persil haché*	*60 ml*

Mettre le veau dans une casserole ou dans une rôtissoire épaisse. Ajouter 3 tasses (750 ml) d'eau bouillante et porter à ébullition. Baisser le feu, couvrir et faire mijoter 30 minutes.

Ajouter les carottes, les oignons, le poireau, le céleri, le sel et le thym. Préparer un bouquet garni avec le laurier, l'ail et le persil et l'ajouter à la préparation. Porter de nouveau à ébullition, baisser le feu, couvrir et faire mijoter 1 heure ou jusqu'à ce que le veau et les légumes soient tendres. Retirer le bouquet garni et le jeter.

Chauffer le beurre dans une grande poêle épaisse et ajouter les champignons. Cuire 3 minutes à feu vif, en brassant. Ajouter au veau ainsi que le jus de citron. Porter à ébullition, baisser le feu et faire mijoter 5 minutes.

Ajouter la farine à l'eau froide et mêler pour que ce soit bien lisse. Ajouter au mélange bouillant en brassant, et laisser mijoter 5 minutes. Battre ensemble à la fourchette, les jaunes d'œufs et la crème. Y ajouter un peu du liquide chaud, en brassant; remettre le tout dans la casserole, bien mêler et faire chauffer, sans toutefois laisser bouillir.

Servir immédiatement, parsemé de persil et, si on le désire, de croûtons.

6 PORTIONS

Porc

Porc

Nous servons fréquemment du porc et avec raison. Les méthodes d'élevage et d'usinage se sont améliorées au point de nous donner du porc qui est plus protéique tout en étant moins gras, et donc moins engraissant qu'autrefois.

La viande de porc peut être rôtie rapidement à haute température, ou plus longuement à chaleur douce et ces deux modes de cuisson lui conviennent parfaitement. On doit toujours prendre soin de bien cuire le porc, mais bien cuire ne signifie pas cuire à outrance et jusqu'à dessèchement de la viande. Si vous utilisez un thermomètre à viande, la température interne du porc doit atteindre 82 °C (180 °F) pour qu'il soit cuit à point.

Le porc convient à toutes les occasions et ce chapitre contient des recettes qui vous mettront l'eau à la bouche.

Rôti de porc farci

1/4 tasse	*beurre*	*60 ml*
1 lb	*champignons frais, hachés finement*	*450 g*
1 tasse	*céleri en tranches minces*	*250 ml*
2 c. à s.	*persil haché*	*30 ml*
1/2 c. à t.	*sarriette séchée*	*2 ml*
1/2 c. à t.	*marjolaine séchée*	*2 ml*
1/4 c. à t.	*thym séché*	*1 ml*
1 c. à t.	*sel*	*5 ml*
1/8 c. à t.	*poivre*	*0,5 ml*
1	*œuf, légèrement battu*	*1*
2 tasses	*craquelins non salés, grossièrement écrasés*	*500 ml*
6 lb	*longe de porc*	*2,6 kg*

Chauffer le beurre dans une grande poêle épaisse. Y cuire les champignons et le céleri 5 minutes, à feu doux et en brassant constamment. Retirer du feu. Ajouter le persil, les fines herbes, le sel et le poivre. Laisser refroidir quelques minutes. Ajouter l'œuf et les miettes de craquelins, en mêlant bien.

Chauffer le four à 325 °F (160 °C). Avoir sous la main une rôtissoire juste assez grande pour contenir le rôti.

Couper la longe de porc, en travers, jusqu'à l'os du dos, de façon à obtenir environ 8 grosses côtelettes épaisses qui se tiendront par la base. Tasser la farce entre ces tranches ou côtelettes (la farce doit être bien liée pour rester en place). Commencer par farcir les tranches du milieu du rôti pour plus de facilité. Enfoncer de petites brochettes, dans le gras, à chaque bout du rôti, pour que les tranches se tiennent bien ensemble en attendant d'être attachées. Bien ficeler le rôti, horizontalement.

Déposer le rôti dans une rôtissoire, l'os du dos en dessous. Couvrir sans serrer, d'une petite tente en papier d'aluminium.

Faire rôtir au four 2 heures. Découvrir, taillader le gras du rôti à plusieurs endroits et continuer la cuisson 1 heure et 15 minutes ou jusqu'à ce que la viande soit très tendre et cuite jusqu'au centre du rôti — 185 °F (85 °C) au thermomètre à viande.

8 À 10 PORTIONS

Longe de porc rôtie

4 lb	*longe de porc*	*1,8 kg*
	huile d'olive	
	sel et poivre	
1/2 c. à t.	*thym séché*	*2 ml*
1/2 c. à t.	*origan séché*	*2 ml*
1/4 c. à t.	*graines d'anis*	*1 ml*
2 c. à s.	*farine*	*30 ml*
1	*oignon, en lamelles*	*1*
1 tasse	*bouillon de poulet*	*250 ml*
1 tasse	*vin blanc sec*	*250 ml*
1	*gousse d'ail, broyée*	*1*
1 pincée	*muscade*	*1 pincée*

Frotter toute la surface du rôti avec l'huile d'olive; saler et poivrer généreusement.

Mêler le thym, l'origan, les graines d'anis et la farine et en frotter le dessus du morceau de viande (non les bouts). Fixer, avec des cure-dents, les tranches d'oignons sur la partie grasse du rôti.

Déposer le rôti dans une rôtissoire, la partie osseuse en dessous (les os remplaceront la clayette). Couvrir de pellicule plastique et laisser reposer au réfrigérateur, au moins 8 heures.

Environ 2 heures avant de mettre au four, retirer le rôti du réfrigérateur et laisser reposer à la température de la pièce.

Chauffer le four à 375 °F (190 °C). Retirer la pellicule plastique et cuire le rôti pendant 30 minutes. Le retirer du four et réduire la température à 325 °F (160 °C).

Entre-temps, mêler, dans une petite casserole, le bouillon, le vin, l'ail et la muscade et faire mijoter 10 minutes. Verser sur la viande, après 30 minutes de cuisson. Remettre au four et continuer la cuisson environ 3 heures ou jusqu'à 185 °F (85 °C) au thermomètre à viande — 45 minutes par livre (450 g). Arroser souvent la viande de son jus durant la cuisson.

6 À 8 PORTIONS

Ci-contre : longe de porc rôtie

Filet de porc à l'orange

1/4 tasse	*farine*	*60 ml*
1 c. à t.	*sel*	*5 ml*
1/4 c. à t.	*poivre*	*1 ml*
1/2 c. à t.	*paprika*	*2 ml*
1/4 c. à t.	*piment de la Jamaïque*	*1 ml*
1 lb	*filet de porc, tranché et martelé au pilon*	*450 g*
2 c. à s.	*huile à cuisson*	*30 ml*
1/4 tasse	*bouillon de poulet*	*60 ml*
1/2 tasse	*crème sure*	*125 ml*
2 c. à s.	*jus d'orange*	*30 ml*
1 c. à s.	*zeste d'orange râpé*	*15 ml*
1/4 c. à t.	*sel*	*1 ml*
1/2 c. à t.	*sauce Worcestershire*	*2 ml*

Mêler la farine, le sel, le poivre, le paprika et le piment de la Jamaïque, dans un plat peu profond. Y passer les tranches de filet pour bien les enrober des deux côtés.

Chauffer 2 c. à s. (30 ml) d'huile dans une poêle épaisse. Y brunir les tranches de filet, des deux côtés. Ajouter le bouillon de poulet, couvrir hermétiquement et faire mijoter, 30 minutes ou jusqu'à ce que la viande soit très tendre.

Mêler la crème sure, le jus d'orange, le zeste, le sel et la sauce Worcestershire dans une petite casserole et chauffer sans toutefois laisser bouillir. Napper les tranches de filet de cette préparation, au moment de servir.

4 PORTIONS

Côtelettes de porc à l'étouffée au barbecue

4	*côtelettes de porc*	4
4	*épaisses tranches de pomme non pelée*	4
4	*épaisses tranches de patate pelée (voir note)*	4
4	*épaisses tranches d'oignon espagnol*	4
	sarriette	
	muscade	
	sel et poivre	
	beurre	

Débarrasser les côtelettes de tout excès de gras. Chauffer un peu de ce gras dans une poêle épaisse, pour bien la graisser. Jeter les morceaux de gras et faire brunir les côtelettes dans la poêle, des deux côtés.

→

Tailler 4 carrés de 12 po (30,5 cm) de côté, de papier d'aluminium du type le plus épais. Mettre une côtelette sur chacun, puis une tranche de pomme, une tranche de patate et une tranche d'oignon sur chaque côtelette. Parsemer chaque portion d'une pincée de sarriette et de muscade; saler et poivrer généreusement et couronner d'une noisette de beurre. Bien envelopper, en faisant des doubles plis aux paquets pour les rendre bien hermétiques. Faire rôtir, sur des charbons moyennement chauds, 1 heure ou jusqu'à ce que les côtelettes soient très tendres ou, si on le préfère, cuire au four, à 400 °F (205 °C), pendant 1 heure.

Note: il s'agit de la tubercule appelée généralement patate sucrée et non de pomme de terre.

4 PORTIONS

Côtelettes de porc aux fruits

1 c. à t.	*sel*	*5 ml*
1/4 c. à t.	*poivre*	*1 ml*
1/4 c. à t.	*paprika*	*1 ml*
1 c. à t.	*sucre*	*5 ml*
1/8 c. à t.	*cannelle*	*0,5 ml*
1/8 c. à t.	*clou de girofle, en poudre*	*0,5 ml*
6	*côtelettes de filet de porc*	*6*
2 c. à s.	*huile à cuisson*	*30 ml*
1/2 tasse	*jus d'orange*	*125 ml*
1/2 tasse	*eau*	*125 ml*
2 c. à s.	*jus de citron*	*30 ml*
6	*tranches d'ananas en conserve*	*6*
6	*minces tranches d'orange*	*6*
	poivre	

Mêler, dans un petit plat, le sel, le poivre, le paprika, le sucre, la cannelle et le clou de girofle. Saupoudrer chaque côté des côtelettes d'un peu de ce mélange et frotter la viande pour faire pénétrer les assaisonnements.

Chauffer l'huile dans une poêle épaisse. Y faire brunir les côtelettes, doucement. Ajouter le jus d'orange, l'eau et le jus de citron. Couvrir hermétiquement et faire mijoter, 40 minutes ou jusqu'à ce que les côtelettes soient bien cuites. Déposer 1 tranche d'ananas et 1 tranche d'orange sur chaque côtelette. Couvrir et faire mijoter encore 10 minutes. Poivrer légèrement.

6 PORTIONS

Ci-contre : côtelettes de porc à l'étouffée au barbecue et côtelettes de porc aux fruits

Côtelettes de porc et légumes au four

6	*côtelettes de porc*	6
	farine	
1	*gousse d'ail, hachée*	1
1 c. à t.	*sel*	5 ml
1/4 c. à t.	*poivre*	1 ml
1 c. à s.	*persil haché*	15 ml
2 c. à s.	*farine*	30 ml
6	*pommes de terre moyennes, en tranches minces*	6
2	*oignons moyens, tranchés*	2
2 tasses	*lait bouillant*	500 ml
1 1/2 c. à t.	*sel*	7 ml
1/2 c. à t.	*moutarde en poudre*	5 ml

Chauffer le four à 350 °F (175 °C).

Débarrasser les côtelettes de tout excès de gras et graisser une poêle épaisse, avec un peu de ce gras. Passer les côtelettes dans la farine et les faire brunir dans la poêle, avec l'ail. Ajouter le sel et le poivre.

Mêler le persil et 2 c. à s. (30 ml) de farine. Beurrer un plat à cuire de 2 pintes (2,5 L) et y mettre 3 des côtelettes, côte à côte. Parsemer de la moitié du mélange de farine et persil et recouvrir de la moitié des tranches de pommes de terre et de la moitié de celles d'oignon. Répéter ces couches d'ingrédients.

Mêler le lait bouillant, le sel et la moutarde. Verser sur les côtelettes. Couvrir hermétiquement et cuire au four pendant 1 1/2 heure. Retirer le couvercle 30 minutes avant la fin du temps de cuisson pour laisser brunir le plat.

6 PORTIONS

Côtelettes de porc barbecue

1/3 tasse	*huile à cuisson*	80 ml
1/4 tasse	*vinaigre ou jus de citron*	60 ml
2 c. à s.	*oignon haché*	30 ml
1	*gousse d'ail, broyée*	1
1/2 c. à t.	*sel*	2 ml
1/8 c. à t.	*poivre*	0,5 ml
1/2 c. à t.	*sauge*	2 ml
1/4 c. à t.	*moutarde en poudre*	1 ml
2 c. à s.	*sauce soya*	30 ml
1 c. à s.	*sauce Worcestershire*	15 ml
4	*côtelettes de porc*	4

Mettre tous les ingrédients, excepté les côtelettes, dans un petit bocal fermant hermétiquement. Fermer le contenant et agiter vivement pour bien mêler.

Débarrasser les côtelettes de tout excès de gras et les déposer en une seule couche, dans un plat de pyrex peu profond. Arroser du précédent mélange. Laisser reposer 1 heure, à la température de la pièce ou plusieurs heures, au réfrigérateur. Retourner les côtelettes de temps à autre dans la vinaigrette.

Chauffer le four à 350 °F (175 °C). Y cuire les côtelettes, dans leur marinade, 1 heure ou jusqu'à ce que ce soit très tendre. Tourner les côtelettes une fois pendant la cuisson.

4 PORTIONS

Choucroute alsacienne

1 lb	*bacon, en tranches de 1/4 po (0,5 cm) d'épaisseur*	*450 g*
8	*minces côtelettes de porc*	8
2 lb	*petites côtes découvertes, en morceaux de 2 ou 3 côtes*	*900 g*
84 oz	*choucroute*	*2,4 L*
2 c. à t.	*sel*	*10 ml*
1/2 c. à t.	*poivre*	*2 ml*
2 c. à s.	*graisse de cuisson des viandes (voir plus bas)*	*30 ml*
2	*gousses d'ail, épluchées*	2
1	*grosse feuille de laurier*	1
12	*baies de genièvre (facultatif)*	12
1	*gros oignon*	1
6	*clous de girofle*	6
1 tasse	*vin blanc sec*	*250 ml*
8	*pommes de terre moyennes, en moitiés*	8
1 lb	*saucisses fumées*	*450 g*

Cuire le bacon légèrement, dans une grande poêle épaisse, juste assez pour bien la graisser. Le retirer de la poêle. Faire frire les côtelettes dans la poêle, jusqu'à ce qu'elles soient légèrement brunies; les retirer. Faire brunir légèrement les morceaux de petites côtes et les retirer de la poêle. Mesurer 2 c. à s. (30 ml) de la graisse de cuisson de ces viandes et jeter le reste.

Mettre la moitié de la choucroute dans une très grande marmite. Ajouter le bacon, les côtelettes et les petites côtes. Ajouter le sel et le poivre et couvrir de ce qui reste de la choucroute. Arroser des 2 c. à s. (30 ml) de graisse de cuisson. Ajouter les gousses d'ail, entières, le laurier, les baies de genièvre et l'oignon, dans lequel on aura piqué les clous de girofle; enfoncer tous ces ingrédients dans la préparation. Arroser de vin.

Couvrir hermétiquement et faire mijoter 1 heure. Ajouter les pommes de terre et les saucisses et continuer la cuisson, 1 heure ou jusqu'à ce que toutes les viandes soient tendres et les pommes de terre, cuites.

Retirer tous les morceaux de viande de la marmite. Disposer la choucroute en monticule au centre d'un grand plat de service et entourer des morceaux de viande et des pommes de terre.

8 PORTIONS

Ci-dessus : choucroute à l'alsacienne

Petites côtes découvertes au four

4 lb	*petites côtes découvertes*	*1,8 kg*
1 c. à t.	*sel*	*5 ml*
1/2 tasse	*oignon haché*	*125 ml*
2	*gousses d'ail, broyées*	*2*
1 tasse	*ketchup*	*250 ml*
1/2 tasse	*sauce au chili*	*125 ml*
2 c. à s.	*vinaigre*	*30 ml*
1 c. à t.	*sel*	*5 ml*
1 c. à s.	*moutarde en pâte*	*15 ml*
1/2 c. à t.	*poivre*	*2 ml*
2 c. à s.	*sauce à bifteck*	*30 ml*
1 tasse	*miel liquide*	*250 ml*

Séparer les côtes en portions. Les mettre dans une grande casserole, ajouter le sel et couvrir d'eau bouillante. Porter à ébullition, baisser le feu, couvrir et faire mijoter 30 minutes.

Mêler tous les autres ingrédients, dans une casserole. Porter à ébullition, baisser le feu et faire mijoter 10 minutes.

Chauffer le four à 400 °F (205 °C).

Retirer les côtes de l'eau et les disposer, en une seule couche, dans une grande plaque à rôtir. Arroser du mélange au miel.

Cuire au four environ 45 minutes ou jusqu'à ce que les côtes soient tendres. Arroser les côtes de leur jus, de temps à autre pendant la cuisson.

4 À 6 PORTIONS

Petites côtes glacées aux pommes au barbecue

2 lb	*petites côtes découvertes*	*900 g*
	eau bouillante	
1	*feuille de laurier*	*1*
4	*grains de poivre*	*4*
1 c. à t.	*sel*	*5 ml*
1	*petit bouquet de persil*	*1*
1	*petite tranche d'oignon*	*1*
1 c. à t.	*sel*	*5 ml*
1/4 c. à t.	*poivre*	*1 ml*
3/4 tasse	*gelée de pomme*	*180 ml*
1 c. à s.	*jus de citron*	*15 ml*
1 c. à t.	*moutarde en poudre*	*5 ml*
1 1/2 c. à t.	*sauce Worcestershire*	*7 ml*
3 gouttes	*sauce Tabasco*	*3 gouttes*

Séparer les bandes de côtes en morceaux de 3 côtes chacun. Mettre dans une grande marmite et couvrir d'eau bouillante. Ajouter le laurier, les grains de poivre, le sel, le persil et la tranche d'oignon. Porter à ébullition, baisser le feu, couvrir et faire mijoter 30 minutes. Retirer les côtes et bien les égoutter.

Au moment de les apprêter, saupoudrer les côtes de sel et de poivre.

Mêler la gelée de pomme, le jus de citron, la moutarde, les sauces Worcestershire et Tabasco dans un petit plat et le mettre sur le barbecue, à l'arrière, là où la chaleur est moins forte. Badigeonner les côtes du mélange à la gelée de pomme réchauffé et les cuire 10 minutes sur un feu de charbon bien chaud. Badigeonner de nouveau du mélange à la gelée de pomme, tourner et continuer la cuisson 10 minutes. Cuire encore 10 minutes, en badigeonnant et en retournant souvent les côtes, jusqu'à ce qu'elles soient bien brunies et croustillantes.

4 PORTIONS

Ci-contre : petites côtes découvertes au four (en haut) et petites côtes glacées aux pommes au barbecue (en bas)

Boulettes de porc et légumes

1 1/2 lb	*porc maigre, haché*	*675 g*
1/2 tasse	*oignons verts finement tranchés*	*125 ml*
1 tasse	*miettes de pain frais*	*250 ml*
1/4 tasse	*châtaignes d'eau, hachées*	*60 ml*
1	*œuf*	*1*
3 c. à s.	*eau*	*45 ml*
1 c. à t.	*sel*	*5 ml*
1/4 c. à t.	*poivre*	*1 ml*
1/4 c. à t.	*gingembre en poudre*	*1 ml*
2 c. à s.	*huile à cuisson*	*30 ml*
2 tasses	*bouillon de poulet*	*500 ml*
1/4 tasse	*cassonade, mesurée bien tassée*	*60 ml*
1/4 tasse	*vinaigre blanc*	*60 ml*
1 c. à s.	*paprika*	*15 ml*
2 tasses	*carottes en fines tranches*	*500 ml*
1 tasse	*céleri en tranches minces taillées en diagonale*	*250 ml*
	sel et poivre	
2	*petites courgettes, tranchées*	*2*
2 c. à s.	*eau froide*	*30 ml*
1 c. à s.	*fécule de maïs*	*15 ml*

→

Mêler parfaitement le porc, les oignons, les miettes de pain, les châtaignes, l'œuf, l'eau, le sel, le poivre et le gingembre. Façonner en boulettes de 1 po (2,5 cm) de diamètre. Faire chauffer l'huile dans une poêle épaisse. Y bien brunir les boulettes de tous les côtés. Couvrir et cuire 10 minutes, à feu doux.

Mêler le bouillon de poulet, la cassonade, le vinaigre et le paprika et verser dans la poêle, en brassant pour incorporer le mélange au jus de cuisson des boulettes.

Ajouter les carottes et le céleri, saupoudrer de sel et de poivre, couvrir et laisser mijoter, de 10 à 15 minutes ou jusqu'à ce que les légumes commencent à être tendres. Ajouter alors les courgettes, couvrir et faire mijoter encore 5 minutes ou juste assez pour que tous les légumes soient tendres mais encore un peu croquants. Pousser la viande et les légumes d'un côté de la poêle. Bien mêler l'eau froide et la fécule de maïs jusqu'à l'obtention d'un mélange bien lisse, et l'ajouter au jus de cuisson bouillant, petit à petit et en brassant. Continuer la cuisson jusqu'à ce que la sauce soit épaisse et comme translucide.

4 PORTIONS

Ci-contre : boulettes de porc et légumes

Tourtière

2 lb	*porc haché*	*900 g*
1/2 lb	*veau haché*	*225 g*
1 1/2 tasse	*eau bouillante*	*375 ml*
1 1/2 c. à t.	*sel*	*7 ml*
1/4 c. à t.	*poivre*	*1 ml*
1	*gros oignon, haché*	*1*
1	*petit bouquet de feuilles de céleri*	*1*
1/2 c. à t.	*piment de la Jamaïque moulu*	*2 ml*
1 pincée	*clou de girofle, en poudre*	*1 pincée*
1	*grosse pomme de terre, pelée*	*1*

pâte à tarte pour 2 abaisses de 9 po (23 cm)
(double recette)
(voir chapitre des desserts)

Mettre, dans une grande casserole épaisse, le porc, le veau, l'eau bouillante, le sel, le poivre, l'oignon, le céleri, le piment de la Jamaïque et le clou de girofle. Chauffer jusqu'à ébullition, baisser le feu, couvrir et cuire 30 minutes, à feu doux et en brassant de temps à autre. Ajouter la pomme de terre entière et continuer la cuisson 1 heure, à feu doux (la pomme de terre absorbera l'excès de graisse). Retirer la pomme de terre et les feuilles de céleri et jeter ces ingrédients. Laisser refroidir la viande. (La préparation devrait être épaisse mais encore liée).

Chauffer le four à 375 °F (190 °C).

Foncer d'une abaisse chacune, 2 assiettes à tarte de 9 po (23 cm) de diamètre. Mettre la garniture de viande dans les assiettes. Couvrir d'une autre abaisse. Bien sceller les bords, tout autour des tourtières, et les denteler. Faire des fentes dans les couvercles de pâte pour laisser échapper la vapeur pendant la cuisson. Cuire au four, 1 heure ou jusqu'à ce que la pâte soit bien brunie. Servir très chaud.

2 TOURTIÈRES OU 12 PORTIONS

Pâté de porc

3 lb	*épaule de porc*	*1,4 kg*
1 1/2 à 2 lb	*pattes de porc*	*675 à 900 g*
1	*oignon moyen, tranché*	*1*
1/4 c. à t.	*thym séché*	*1 ml*
1	*grosse feuille de laurier*	*1*
3	*clous de girofle*	*3*
2 c. à t.	*sel*	*10 ml*
6	*grains de poivre*	*6*
	eau bouillante	
	pâte au saindoux (recette ci-après)	
3/4 tasse	*oignon haché*	*180 ml*
1/2 c. à t.	*sauge*	*2 ml*
1 c. à t.	*sel*	*5 ml*
1/4 c. à t.	*poivre*	*1 ml*
2 c. à s.	*beurre*	*30 ml*
1/2 tasse	*eau*	*125 ml*
1	*jaune d'œuf*	*1*
1 c. à s.	*lait*	*15 ml*

Enlever les os et le gras de l'épaule de porc. Jeter le gras. Couper la viande en cubes et réserver au réfrigérateur.

Mettre les os, les pattes, l'oignon tranché, le thym, le laurier, les clous de girofle, le sel et les grains de poivre dans une grande casserole. Ajouter juste assez d'eau bouillante pour bien couvrir les ingrédients. Porter à ébullition, baisser le feu, couvrir et faire mijoter 3 heures.

Tamiser le bouillon. Enlever la viande maigre des pattes de porc et l'ajouter aux cubes de porc cru. Jeter tous les os. Réfrigérer le bouillon et le dégraisser, une fois refroidi. Le faire bouillir à nouveau, vigoureusement, pour en réduire la quantité à environ 2 tasses (500 ml). Mettre de côté.

Chauffer le four à 325 °F (160 °C). Avoir sous la main un moule démontable de 9 po (23 cm) de diamètre par 3 po (7,5 cm) de hauteur.

Abaisser environ les deux tiers de la pâte au saindoux en une abaisse ronde suffisamment grande pour couvrir le fond et les côtés du moule à charnières. Déposer dans le moule et bien fixer au bord du moule.

Mettre les cubes de viande crue et la viande cuite des pattes, dans la pâte. Parsemer de l'oignon haché, et saupoudrer de sauge, de sel et de poivre. Parsemer de noisettes de beurre.

Abaisser ce qui reste de pâte en une abaisse ronde, juste un peu plus grande que le dessus du moule. La déposer sur la viande, en humecter le bord, par en-dessous, et souder ensemble les deux abaisses, en les pressant bien ensemble. Denteler le bord.

Faire un petit trou rond, à peu près de la grandeur d'une pièce de vingt-cinq cents, au centre de l'abaisse du dessus. Par cette ouverture, verser 1/2 tasse (125 ml) d'eau dans le pâté.

Cuire au four pendant environ 4 heures ou jusqu'à ce que le porc soit bien cuit et la pâte brune. (Battre ensemble à la fourchette, le jaune d'œuf et le lait et en mouiller la pâte, après 3 heures de cuisson.)

Retirer le pâté du four. Chauffer les 2 tasses (500 ml) de bouillon mises de côté et en verser dans le pâté, par la petite ouverture du centre, autant qu'il peut en contenir.

Laisser refroidir et réfrigérer ensuite au moins 12 heures. Servir froid, coupé en pointes ou en grosses tranches.

12 À 16 PORTIONS

Pâte au saindoux

2/3 tasse	*eau bouillante*	*160 ml*
1 1/3 tasse	*saindoux*	*330 ml*
4 tasses	*farine tout usage, tamisée*	*1 L*
1 1/2 c. à t.	*sel*	*7 ml*

Ajouter l'eau bouillante au saindoux et battre avec une cuillère de bois ou au batteur rotatif, jusqu'à ce que le mélange soit en crème. Laisser refroidir. Ajouter la farine et le sel, en mêlant bien à la fourchette. Ramasser en boule, envelopper de papier ciré et réfrigérer.

Ci-contre : pâté au porc

Pain de jambon

2 tasses	*jambon cuit haché*	*500 ml*
1 1/2 lb	*porc haché*	*675 g*
1 tasse	*chapelure fine*	*250 ml*
1 c. à s.	*moutarde en pâte*	*15 ml*
1/2 c. à t.	*sel*	*2 ml*
1/4 c. à t.	*poivre*	*1 ml*
2	*œufs battus*	*2*
1 tasse	*lait*	*250 ml*

sauce aux raisins (recette ci-après)

Chauffer le four à 350 °F (175 °C). Avoir sous la main un moule à pain de 9 x 5 x 5 po (23 x 12,5 x 12,5 cm).

Mêler tous les ingrédients excepté la sauce aux raisins. Tasser le mélange dans le moule et cuire au four 1 1/2 heure. Servir, en tranches épaisses, avec la sauce aux raisins.

6 PORTIONS

Sauce aux raisins

1/2 tasse	*cassonade, mesurée bien tassée*	*125 ml*
1/4 tasse	*eau*	*60 ml*
1/2 tasse	*raisins de Corinthe*	*125 ml*
2 c. à s.	*vinaigre*	*30 ml*
1 c. à s.	*beurre*	*15 ml*
3/4 c. à t.	*sauce Worcestershire*	*3 ml*
1/4 c. à t.	*sel*	*1 ml*
1 pincée	*poivre*	*1 pincée*
1 pincée	*clou de girofle, en poudre*	*1 pincée*
1 pincée	*macis*	*1 pincée*
1/2 tasse	*gelée de canneberges*	*125 ml*

Faire mijoter ensemble, pendant 10 minutes, la cassonade, l'eau et les raisins. Ajouter les autres ingrédients et chauffer doucement jusqu'à ce que la gelée de canneberges soit fondue. Servir tiède.

Jambon glacé et roulé

3 lb	*soc de porc roulé et fumé*	*1,4 kg*
3 tasses	*eau bouillante*	*750 ml*
1	*feuille de laurier*	*1*
6	*clous de girofle*	*6*
1	*gousse d'ail, broyée*	*1*
3	*grosses pommes à cuire*	*3*
1/2 tasse	*gelée de groseilles rouges*	*125 ml*
2 c. à s.	*raifort*	*30 ml*

Mettre le morceau de porc dans une marmite et ajouter l'eau bouillante, le laurier, les clous de girofle et l'ail. Couvrir et faire mijoter doucement, 1 1/2 heure ou jusqu'à ce que la viande soit tendre. Tourner la viande à quelques reprises pendant ce temps.

→

Chauffer le four à 425 °F (220 °C).

Retirer la viande de l'eau et la débarrasser, s'il y a lieu, de son enveloppe. La mettre dans un plat à cuire de 13 x 9 x 2 po (33 x 23 x 5 cm), graissé.

Évider les pommes, sans les peler, et les couper en rondelles épaisses. Les disposer autour de la viande, en une couche simple. Mêler la gelée et le raifort et couvrir la viande et les pommes du mélange.

Cuire au four environ 15 minutes ou jusqu'à ce que les pommes soient tendres. Arroser du jus de cuisson à quelques reprises pendant ce temps.

6 PORTIONS

Jambon glacé aux raisins

1	*demi-jambon de 6 à 8 lb (2,7 à 3,6 kg) dans le jarret, dit « prêt-à-servir »*	*1*
1/2 tasse	*porto*	*125 ml*
1/2 tasse	*gros raisins de Corinthe*	*125 ml*
1	*orange moyenne*	*1*
1	*citron*	*1*
6	*oignons verts, émincés*	*6*
10 oz	*gelée de groseilles rouges*	*284 ml*
2 c. à s.	*porto*	*30 ml*
1 c. à t.	*moutarde en pâte*	*5 ml*
	clous de girofle entiers	

Faire rôtir le jambon selon les indications sur son emballage; ou le cuire au four, à 325 °F (160 °C), 15 minutes par livre (450 g). Le retirer du four 30 minutes avant la fin de sa cuisson.

Entre-temps, mettre 1/2 tasse (125 ml) de porto et les raisins dans une petite casserole et faire bouillir jusqu'à ce que les raisins aient absorbé tout le porto et soient gonflés. Les mettre de côté.

Râper l'orange et le citron pour en prendre tout le zeste. Mettre les oignons verts et le zeste dans une petite casserole; couvrir d'eau bouillante. Porter à ébullition et laisser bouillir 2 minutes. Égoutter et mettre dans un bol. Presser l'orange et la moitié du citron et ajouter ces jus aux oignons.

Chauffer la gelée de groseilles, en y ajoutant 2 c. à s. (30 ml) de porto pour la faire fondre. Ajouter au mélange d'orange et d'oignons, ainsi que la moutarde. Bien mêler.

Retirer le jambon du four, 30 minutes avant qu'il ne soit à point. Enlever la peau et taillader la couche de gras. Piquer le jambon, un peu partout, de clous de girofle.

Enfoncer les raisins dans les sillons faits au couteau dans le gras du jambon. Badigeonner légèrement tout le jambon de la glace aux groseilles rouges. Continuer la cuisson au four pendant 30 minutes. Servir avec ce qui reste de la glace.

8 À 10 PORTIONS

Ci-contre : jambon glacé et roulé

Chou farci de jambon

3 c. à s.	*huile à cuisson*	*45 ml*
1	*oignon moyen, haché*	*1*
1	*poivron vert moyen, haché*	*1*
14 oz	*sauce tomate*	*398 ml*
1 tasse	*eau*	*250 ml*
1/2 c. à t.	*gingembre en poudre*	*2 ml*
2 c. à t.	*cassonade*	*10 ml*
1/4 tasse	*jus de citron*	*60 ml*
1	*petit morceau de feuille de laurier*	*1*
1/2 c. à t.	*sel*	*2 ml*
1/8 c. à t.	*poivre*	*0,5 ml*

8	*grandes feuilles de chou*	*8*
2 tasses	*jambon cuit haché*	*500 ml*
1 tasse	*pommes de terre crues, râpées*	*250 ml*
1	*petit oignon, haché*	*1*
1/2 c. à t.	*moutarde en poudre*	*2 ml*
1 pincée	*clou de girofle en poudre*	*1 pincée*
1	*œuf*	*1*
4	*carottes moyennes, en bâtonnets*	*4*
2	*gros poivrons verts, en lanières*	*2*

Chauffer l'huile dans une poêle épaisse. Ajouter l'oignon et le poivron et cuire 3 minutes à feu doux, en brassant. Ajouter la sauce tomate, l'eau, le gingembre, la cassonade, le jus de citron, le laurier, le sel et le poivre, chauffer jusqu'à ébullition, baisser le feu, couvrir et faire mijoter 15 minutes.

Mettre les feuilles de chou dans une grande casserole et les couvrir d'eau bouillante. Faire bouillir 2 minutes. Retirer de l'eau et bien égoutter les feuilles de chou. Enlever la grosse côte dure, à la base de chaque feuille. Mêler parfaitement le jambon, les pommes de terre, 1 petit oignon haché, la moutarde, le clou de girofle en poudre et l'œuf. Mettre 1/3 tasse (80 ml) (ou un peu moins) du mélange sur chaque feuille de chou. Rouler les feuilles autour de leur garniture au jambon, à partir de leur base. Replier un peu à l'intérieur l'extrémité de la feuille de chou pour bien enfermer la garniture. Mettre les rouleaux dans la sauce ayant déjà mijoté 15 minutes. Couvrir la poêle et faire mijoter 30 minutes. Ajouter les carottes et faire mijoter 15 minutes. Ajouter les poivrons et faire mijoter encore 10 minutes. Pendant la cuisson, ajouter un peu d'eau si la sauce diminue trop rapidement.

4 PORTIONS

Ci-contre : chou farci de jambon

Jambon et œufs durs gratinés

6 c. à s.	*beurre*	*90 ml*
20 oz	*morceaux de champignons, égouttés*	*568 ml*
1/2 tasse	*farine*	*125 ml*
1 c. à t.	*sel*	*5 ml*
1/4 c. à t.	*poivre*	*1 ml*
1/4 c. à t.	*cerfeuil séché*	*1 ml*
4 tasses	*lait*	*1 L*
12	*œufs durs, tranchés*	*12*
2 tasses	*jambon cuit, en cubes de 1 po (2,5 cm)*	*500 ml*
1 tasse	*chapelure*	*250 ml*
1/4 tasse	*beurre fondu*	*60 ml*

Chauffer le four à 350 °F (175 °C). Beurrer un plat à cuire de 3 pintes (4 L).

Faire fondre 6 c. à s. (90 ml) de beurre, dans une casserole. Cuire les champignons à feu doux, en brassant, jusqu'à ce qu'ils soient légèrement brunis. Saupoudrer de farine, de sel, de poivre et de cerfeuil; bien mêler. Retirer du feu. Ajouter le lait, d'un seul coup en mêlant. Continuer la cuisson en brassant constamment, jusqu'à ce que la sauce bouille et soit épaisse et lisse.

Disposer, dans le plat à cuire, un tiers des tranches d'œufs. Recouvrir d'un tiers des cubes de jambon et d'un tiers de la sauce. Répéter, à deux reprises.

Mêler la chapelure et 1/4 tasse (60 ml) de beurre fondu. En parsemer le plat. Cuire au four 30 minutes ou jusqu'à ce que la sauce bouillonne.

8 PORTIONS

Saucisses et chou en casserole

1 lb	*saucisses de porc*	*450 g*
1	*gros chou bien ferme, en quartiers*	*1*
	eau bouillante	
3 c. à s.	*beurre*	*45 ml*
3 c. à s.	*farine*	*45 ml*
1 c. à t.	*sel*	*5 ml*
1/8 c. à t.	*poivre*	*0,5 ml*
2 tasses	*lait*	*500 ml*
1 1/2 tasse	*miettes de pain frais*	*375 ml*
3 c. à s.	*beurre fondu*	*45 ml*

Chauffer le four à 350 °F (175 °C). Graisser un plat de pyrex de 13 x 9 x 2 po (33 x 23 x 5 cm).

Dans une poêle épaisse, faire mijoter les saucisses dans un peu d'eau bouillante jusqu'à ce que l'eau s'évapore. Frire alors les saucisses pour qu'elles soient bien cuites et brunies de tous les côtés. Couper chaque saucisse en trois morceaux.

Entre-temps, mettre les morceaux de chou dans une grande casserole. Couvrir à moitié d'eau bouillante. Couvrir la casserole et cuire à feu doux, 20 minutes ou jusqu'à ce que le chou soit tendre. Retirer le chou et le hacher grossièrement. Mettre la moitié du chou dans le plat à cuire, couvrir des morceaux de saucisses puis de ce qui reste de chou.

Faire fondre 3 c. à s. (45 ml) de beurre, dans une casserole. Saupoudrer de farine, de sel et de poivre; laisser bouillonner un peu. Retirer du feu; ajouter le lait, d'un trait et en mêlant bien. Continuer la cuisson à feu moyen, en brassant sans arrêt, jusqu'à ce que la sauce bouille et soit épaisse et lisse.

Verser sur le chou et les saucisses dans le plat à cuire de telle façon que la sauce pénètre bien les couches d'ingrédients. Mêler les miettes de pain et 3 c. à s. (45 ml) de beurre fondu et en parsemer le plat. Cuire au four, 30 minutes ou jusqu'à ce que le dessus soit bruni et que la sauce bouillonne. Servir immédiatement.

4 PORTIONS

Ma pizza préférée

pâte à pizza (recette ci-après)

2 c. à s.	*huile d'olive*	*30 ml*
1 lb	*bacon de dos, tranché mince*	*450 g*
1/2 tasse	*parmesan râpé*	*125 ml*
14 oz	*sauce tomate*	*398 ml*
2 c. à t.	*origan séché*	*10 ml*
1 c. à t.	*graines d'anis*	*5 ml*
4	*gousses d'ail, broyées*	*4*
12 oz	*mozzarella, tranché*	*341 ml*
1/2 tasse	*parmesan râpé*	*125 ml*
2 c. à s.	*huile d'olive*	*30 ml*

Chauffer le four à 450 °F (230 °C).

Habiller de pâte, 2 assiettes à pizza de 14 po (36 cm), comme nous l'indiquons dans la recette de pâte.

Arroser chaque abaisse de 1 c. à s. (30 ml) d'huile d'olive. Étendre le bacon, uniformément, dans les deux abaisses. Parsemer chaque pizza de 1/4 tasse (60 ml) de parmesan râpé.

Mêler la sauce tomate, l'origan, les graines d'anis et l'ail. Verser la moitié du mélange sur chaque pizza, en l'étendant uniformément. Couper les tranches de mozzarella en bandes de 1 po (2,5 cm) de largeur; disposer la moitié de ces bandes sur chaque pizza. Saupoudrer chaque pizza de 1/4 tasse (60 ml) de parmesan râpé et l'arroser de 1 c. à s. (15 ml) d'huile d'olive.

Cuire au four 25 minutes ou jusqu'à ce que la croûte soit bien brunie et que la garniture bouillonne. Servir très chaud.

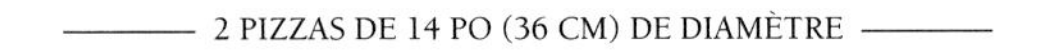

2 PIZZAS DE 14 PO (36 CM) DE DIAMÈTRE

Pâte à pizza

1 1/3 tasse	*eau tiède*	*330 ml*
1/2 c. à t.	*sucre*	*2 ml*
1 sachet	*levure sèche*	*1 sachet*
2 c. à s.	*huile d'olive*	*30 ml*
2 c. à t.	*sel*	*10 ml*
3 1/2 à 4 tasses	*farine tout usage, tamisée*	*875 ml à 1L*

Mettre l'eau dans un bol. Ajouter le sucre et brasser pour le bien dissoudre. Saupoudrer de la levure et laisser reposer 10 minutes. Bien brasser. Ajouter l'huile, le sel et 3 1/2 tasses (875 ml) de farine. Mêler parfaitement, avec une cuillère de bois.

Mettre la pâte sur une planche enfarinée et la pétrir en y ajoutant peu à peu de la farine jusqu'à l'obtention d'une pâte ferme. Pétrir alors la pâte, 10 minutes ou jusqu'à ce qu'elle soit bien lisse. Ramasser la pâte en boule, la mettre dans un bol graissé, la couvrir d'une serviette humide et la laisser lever, dans un endroit chaud, 2 heures ou jusqu'au double de son volume. La rompre avec le poing.

Faire deux parts de la pâte et rouler chacune en une abaisse suffisamment grande pour habiller une assiette à pizza de 14 po (36 cm) de diamètre. Si la pâte rebondit trop, la laisser reposer quelques minutes, elle sera ensuite plus facile à étendre. Si l'abaisse est trop petite quand on la met dans l'assiette, la presser, en l'étirant un peu pour pouvoir la souder fermement au bord de l'assiette, tout autour. En l'absence d'assiettes à pizza, faire des abaisses rondes, de 14 po (36 cm) de diamètre, les mettre sur des plaques à biscuits et rouler un peu la pâte par dessous, tout autour des abaisses, pour former un bord qui puisse retenir la garniture.

Recouvrir la pâte de la garniture désirée et cuire au four immédiatement (inutile de faire encore lever la pâte) comme il est indiqué dans la recette.

Ci-contre : ma pizza préférée

Bacon de dos à la moutarde

2 1/2 lb	*bacon de dos*	*1,1 kg*
12	*clous de girofle*	*12*
2 c. à s.	*moutarde de Dijon*	*30 ml*
2 c. à s.	*mélasse*	*30 ml*
2 c. à t.	*zeste d'orange râpé*	*10 ml*

Chauffer le four à 350 °F (175 °C).

Taillader la partie grasse du bacon et y piquer les clous de girofle. Envelopper de papier d'aluminium très épais, mettre dans un plat à cuire et faire rôtir au four pendant 1 heure.

Mêler la moutarde, la mélasse et le zeste d'orange. Écarter le papier d'aluminium et badigeonner le bacon du mélange. Remettre au four, en laissant le papier bien écarté et continuer la cuisson, de 45 à 60 minutes ou jusqu'à ce que la viande soit très tendre. Arroser souvent la viande, pendant ce temps, de son jus de cuisson. Servir très chaud ou froid.

6 À 8 PORTIONS

Saucisses fumées à la choucroute au barbecue

1 lb	*saucisses fumées*	*450 g*
1 tasse	*choucroute en conserve, égouttée*	*250 ml*
1/4 tasse	*sauce au chili*	*60 ml*
1 c. à t.	*graines de carvi*	*5 ml*
12	*tranches de bacon*	*12*

Fendre les saucisses, sur la longueur, presque complètement c'est-à-dire de façon à ce que les deux moitiés se tiennent par la base. Mêler la choucroute, la sauce au chili et les graines de carvi et farcir chaque saucisse d'une grosse cuillerée du mélange. Envelopper chaque saucisse d'une tranche de bacon en fixant bien celle-ci avec une petite brochette de métal ou un cure-dents.

Cuire sur un feu de charbon de bois bien chaud, en tournant souvent les saucisses, jusqu'à ce que le bacon soit croustillant. Servir bien chaud.

10 À 12 PORTIONS

Agneau

Agneau

En cuisine, le terme « agneau de lait » désigne un jeune non sevré, « agneau » réfère à un animal de moins d'un an et « mouton » à un animal plus âgé.

La viande d'agneau doit déjà être de couleur pâle mais la texture et la couleur du gras constitue aussi d'excellents indicateurs pour juger de la provenance et de l'âge de l'animal.

L'agneau produit localement montre un gras de couleur blanc crème qui sera mou au toucher. L'agneau d'importation aura un gras plus blanc et plus ferme au toucher. Plus la viande aura connu une congélation prolongée plus son gras sera cassant au toucher et un gras de couleur jaunâtre indique que l'animal commence à prendre de l'âge.

Cette viande riche en fer et en vitamine B, constitue aussi un excellent apport protéique. La fine saveur de l'agneau rehaussée d'herbes aromatiques comme la menthe, l'aneth, le romarin, l'origan ou d'épices comme la muscade et la poudre de cari devraient avoir une place de choix sur nos tables.

On peut cuire l'agneau de bien des manières, mais plus récemment, on a délaissé le braisage et le pochage (cher aux Britanniques) au profit du rôtissage et des grillades qui permettent une cuisson moins prolongée, convenant mieux à la délicate saveur de cette viande.

Gigot d'agneau farci

1	*gigot d'agneau de 6 à 7 lb (2,7 à 3,2 kg), désossé (voir note)*	*1*
12 oz	*épinards équeutés et lavés*	*350 g*
1/4 tasse	*beurre*	*60 ml*
1 1/2 tasse	*miettes de pain frais*	*375 ml*
1/2 tasse	*menthe fraîche, hachée*	*125 ml*
1 c. à t.	*sel*	*5 ml*
1/4 c. à t.	*poivre*	*1 ml*
1/8 c. à t.	*muscade*	*0,5 ml*
1 c. à s.	*beurre*	*15 ml*
2	*tomates moyennes, pelées et coupées en dés*	*2*
2	*oignons moyens, grossièrement hachés*	*2*
2	*carottes moyennes, grossièrement hachées*	*2*
2	*branches de céleri, hachées*	*2*
1	*petit morceau de feuille de laurier*	*1*
2 c. à s.	*farine*	*30 ml*
2 tasses	*eau*	*500 ml*
	sel et poivre	

Demander au boucher de désosser le gigot et de l'ouvrir de façon à ce que vous puissiez l'étendre à plat, le recouvrir de la farce et le rouler en lui redonnant sa forme.

Chauffer le four à 325 °F (160 °C). Avoir sous la main une plaque à rôtir, peu profonde.

Cuire les épinards, les égoutter parfaitement et les hacher.

Chauffer 1/4 tasse (60 ml) de beurre, dans un poêle épaisse. Y mettre les miettes de pain et cuire à feu doux et en brassant, jusqu'à ce qu'elles soient légèrement brunies. Retirer du feu. Ajouter les épinards, la menthe, le sel, le poivre et la muscade.

Étendre le gigot sur la table et le recouvrir de cette farce.

Mettre 1 c. à s. (15 ml) de beurre dans la poêle déjà utilisée. Ajouter les tomates et cuire, à feu doux et en brassant, 2 minutes ou jusqu'à ce que ce soit très chaud. Étendre sur la farce. Rouler le gigot, pour lui redonner à peu près sa forme première. L'attacher solidement, à plusieurs endroits.

Étendre les oignons, les carottes, le céleri et le laurier dans la plaque à rôtir. Y déposer le gigot. Faire rôtir au four de 3 à 3 1/2 heures ou jusqu'à ce que la viande soit comme vous l'aimez — 175 °F (79 °C) au thermomètre à viande, pour une cuisson « à point », et 180 °F (82 °C), pour une cuisson « bien cuit ».

Retirer le gigot du four et le mettre dans un plat de service chaud.

Faire refroidir le jus de cuisson du gigot rapidement, en plaçant le plat qui le contient dans de l'eau glacée. Conserver 2 c. à s. (30 ml) de gras et jeter le reste. Chauffer ces 2 c. à s. (30 ml) de gras et les saupoudrer de 2 c. à s. (30 ml) de farine, en mêlant bien. Retirer du feu et ajouter tout le jus de cuisson dégraissé, qui reste dans la plaque, et 2 tasses (500 ml) d'eau. Continuer la cuisson jusqu'à ébullition, en brassant constamment. Baisser le feu et cuire 5 minutes, à feu doux et en brassant souvent. Goûter, saler et poivrer si nécessaire. Servir avec le gigot.

Note: pour cette recette, on peut aussi utiliser un rôti d'épaule d'agneau de 5 lb (2,2 kg), désossé.

8 À 10 PORTIONS

Ci-dessus : gigot d'agneau à l'espagnole

Gigot d'agneau à l'espagnole

1	*gigot d'agneau de 6 à 7 lb (2,7 à 3,2 kg), désossé*	*1*
2 c. à s.	*huile d'olive*	*30 ml*
2	*gousses d'ail, broyées*	*2*
1 c. à t.	*sel*	*5 ml*
1/2 c. à t.	*poivre noir grossièrement moulu*	*2 ml*
1 c. à s.	*persil finement haché*	*15 ml*
2	*minces tranches de jambon cuit*	*2*

Chauffer le four à 325 °F (160 °C).

Déposer le gigot sur une clayette, dans une rôtissoire. Mêler l'huile d'olive, l'ail, le sel, le poivre et le persil. Enduire les tranches de jambon d'une partie de ce mélange et les couper en fines languettes.

Faire des entailles profondes, partout dans le gigot d'agneau, avec le bout d'un couteau bien aiguisé, et y introduire les languettes de jambon en les poussant bien à l'intérieur, avec le doigt. Frotter tout le gigot de ce qui reste d'huile relevée.

Faire rôtir au four, 25 minutes par livre (450 g) ou jusqu'à 170 °F (76 °C) au thermomètre à viande, si on désire le rôti encore rosé; 30 minutes par livre (450 g) ou jusqu'à 180 °F (82 °C) au thermomètre si on le préfère bien cuit.

8 PORTIONS

Petites côtes d'agneau à la sauce barbecue

4 lb	*petites côtes d'agneau, dites côtes levées*	*1,8 kg*
2 c. à s.	*huile à cuisson*	*30 ml*
14 oz	*ananas en morceaux*	*398 ml*
1	*citron, tranché mince*	*1*
3/4 tasse	*sauce au chili*	*180 ml*
1/3 tasse	*oignon finement haché*	*80 ml*
2 c. à s.	*cassonade*	*30 ml*
2 c. à s.	*vinaigre*	*30 ml*
2 c. à t.	*sauce Worcestershire*	*10 ml*
1 c. à t.	*sel*	*5 ml*
1/4 c. à t.	*gingembre en poudre*	*1 ml*
1/8 c. à t.	*piment broyé séché*	*0,5 ml*

Dégraisser les côtes, autant que possible. Chauffer l'huile dans une grande poêle épaisse ou dans une rôtissoire. Bien brunir les côtes.

Égoutter l'ananas, en conservant tout le jus. Ajouter les morceaux d'ananas et le citron aux côtes levées. Ajouter tous les autres ingrédients au jus d'ananas et verser sur les côtes. Couvrir et faire mijoter 1 1/2 heure ou jusqu'à ce que la viande soit très tendre. Tourner souvent les côtes pendant la cuisson.

6 PORTIONS

Agneau farci de fruits

1/2 tasse	*abricots secs (non cuits), hachés*	*125 ml*
1/2 tasse	*pruneaux (non cuits), hachés*	*125 ml*
3/4 tasse	*riz à longs grains, non prétraité*	*180 ml*
1/2 tasse	*céleri finement haché*	*125 ml*
1/2 tasse	*oignon finement haché*	*125 ml*
1/4 tasse	*amandes mondées, en allumettes*	*60 ml*
1/2 c. à t.	*sarriette séchée*	*5 ml*
1/2 c. à t.	*sel*	*5 ml*
1 1/2 tasse	*eau bouillante*	*375 ml*
4 lb	*épaule d'agneau désossée et roulée*	*1,8 kg*
1/2 c. à t.	*sel*	*2 ml*
	sauce à la menthe, du commerce	

Mêler, dans un casserole moyenne, les abricots, les pruneaux, le riz, le céleri, l'oignon, les amandes, la sarriette et le sel. Ajouter l'eau bouillante. Porter à ébullition, baisser le feu, couvrir et faire mijoter, 20 minutes ou jusqu'à ce que l'eau soit absorbée par les autres ingrédients.

Chauffer le four à 325 °F (160 °C).

Dérouler le morceau d'agneau et saupoudrer l'intérieur de sel. Étendre le mélange au riz sur l'agneau et enrouler de nouveau; ficeler solidement. (Si un peu de la garniture s'échappe du rôti quand on roule la viande, l'envelopper de papier d'aluminium et la chauffer 30 minutes au four, en même temps que le rôti.)

Mettre le rôti, le côté gras sur le dessus, sur une clayette dans une rôtissoire. Faire rôtir environ 3 heures ou jusqu'à 180 °F (82 °C) au thermomètre à viande.

Servir avec de la sauce à la menthe si on le désire.

6 PORTIONS

Ci-contre : agneau farci de fruits

Côtelettes d'agneau aux poivrons

1/4 tasse	farine	60 ml
1/2 c. à t.	poudre d'ail	2 ml
6	côtelettes d'épaule d'agneau	6
2 c. à s.	huile à cuisson	30 ml
1 tasse	sauce au chili, du commerce	250 ml
1/2 tasse	vinaigre de vin	125 ml
1/4 tasse	cassonade, mesurée bien tassée	60 ml
2 c. à s.	sauce Worcestershire	30 ml
2 c. à t.	sel	10 ml
2 c. à t.	moutarde en pâte	10 ml
6	tranches d'oignon épaisses	6
4	poivrons coupés en carrés de 1/2 po (1,25 cm) de côté	4
	riz bien chaud	

Mêler la farine et la poudre d'ail, dans un plat peu profond. Bien enfariner les côtelettes des deux côtés.

Chauffer l'huile dans une grande poêle épaisse (une poêle électrique fait bien l'affaire). Y bien brunir les côtelettes, des deux côtés. Enlever de la poêle tout excès de graisse de cuisson.

Mêler la sauce au chili, le vinaigre, la cassonade, la sauce Worcestershire, le sel et la moutarde et verser sur les côtelettes. Couvrir et faire mijoter pendant 45 minutes.

Mettre une tranche d'oignon sur chaque côtelette et parsemer de morceaux de poivrons. Couvrir et continuer la cuisson, 15 minutes ou jusqu'à ce que les côtelettes soient très tendres. Servir avec du riz.

6 PORTIONS

Côtelettes d'agneau relevées

	sel et poivre	
4	côtelettes d'épaule d'agneau	4
1/4 tasse	huile à cuisson	60 ml
1	gousse d'ail, en moitiés	1
1/2 tasse	vin blanc sec	125 ml
1 tasse	eau bouillante	250 ml
1 cube	bouillon de poulet	1 cube
2	lanières de zeste de citron	2
8	petits oignons	8
8	carottes, en tranches épaisses, taillées en diagonale	8
4	pommes de terre moyennes, pelées et coupées en quatre	4
	persil haché	

Saler et poivrer généreusement les côtelettes. Chauffer l'huile et les morceaux d'ail dans une poêle épaisse. Retirer l'ail et le jeter. Bien faire brunir les côtelettes dans l'huile, des deux côtés. Ajouter le vin, l'eau, le cube de bouillon et les lanières de citron. Couvrir hermétiquement et faire mijoter, 30 minutes ou jusqu'à ce que les côtelettes commençent à s'attendrir.

Ajouter les oignons, les carottes et les pommes de terre; saler et poivrer généreusement, couvrir de nouveau et continuer la cuisson, 30 minutes ou jusqu'à ce que tous les légumes soient tendres. Parsemer de persil.

4 PORTIONS

Ci-contre : côtelettes d'agneau aux poivrons

Ragoût d'agneau et de poulet

2 lb	*agneau dans l'épaule, en gros cubes*	*900 g*
1/4 tasse	*huile à cuisson*	*60 ml*
1	*poulet de 3 lb (1,4 kg), en 8 morceaux*	*1*
3 tasses	*oignon haché*	*750 ml*
2	*poivrons verts moyens, hachés*	*2*
3	*grosses carottes, tranchées*	*3*
2 tasses	*navet en dés*	*500 ml*
2	*poireaux, tranchés mince (la partie blanche seulement)*	*2*
1/2 tasse	*céleri en dés*	*125 ml*
19 oz	*tomates en conserve*	*540 ml*
	eau bouillante	
4 c. à t.	*sel*	*20 ml*
1/2 c. à t.	*poivre*	*2 ml*
1	*petite feuille de laurier, émiettée*	*1*
4	*clous de girofle*	*4*
1	*petit oignon*	*1*
19 oz	*pois chiches en conserve*	*540 ml*
2 c. à t.	*graines de cumin*	*10 ml*
1/2 c. à t.	*piment broyé séché*	*2 ml*
	riz bien chaud	

Débarrasser l'agneau de tout excès de gras. Chauffer l'huile dans une grande casserole épaisse ou une rôtissoire. Ajouter l'agneau et bien le brunir. Retirer les morceaux de la casserole à mesure qu'ils sont à point. Faire brunir aussi les morceaux de poulet, en les retirant quand ils ont pris couleur. Ajouter un peu d'huile si nécessaire.

Mettre dans la casserole, l'oignon haché, le poivron vert, les carottes, le navet, le poireau et le céleri et cuire, en brassant, jusqu'à ce que l'oignon soit doré. Remettre l'agneau et le poulet dans la casserole.

Ajouter les tomates et assez d'eau bouillante pour couvrir la viande. Ajouter le sel, le poivre et le laurier. Piquer les clous de girofle dans le petit oignon et ajouter à la préparation. Porter à ébullition, baisser le feu, couvrir hermétiquement et faire mijoter, 1 1/2 heure ou jusqu'à ce que la viande soit tendre.

Égoutter les pois chiches et les ajouter au ragoût.

Retirer environ 3/4 tasse (180 ml) du liquide de cuisson et le mettre dans une petite casserole. Ajouter les graines de cumin et le piment broyé. Faire bouillir à feu vif jusqu'à ce que le liquide soit réduit de moitié environ. Verser dans le ragoût, un petit peu à la fois et en goûtant après chaque addition, jusqu'à ce que le ragoût soit comme vous l'aimez.

Servir avec du riz bien chaud. S'il reste du mélange au cumin et au piment, l'offrir aux convives qui préfèrent un plat plus assaisonné.

8 PORTIONS

Ci-dessus : croquettes d'agneau

Croquettes d'agneau

2	*grosses carottes*	2
1	*grosse pomme de terre*	1
1	*oignon moyen*	1
1	*petite gousse d'ail*	1
1 lb	*agneau dans l'épaule, haché*	*450 g*
1 1/2 c. à t.	*sel*	*7 ml*
1/4 c. à t.	*romarin séché*	*1 ml*
1/4 c. à t.	*poivre*	*1 ml*
1	*œuf, battu*	1
	farine	
2 c. à s.	*huile*	*30 ml*
1/4 tasse	*bouillon de poulet*	*60 ml*
3/4 tasse	*bouillon de poulet (facultatif)*	*180 ml*

Chauffer le four à 350 °F (175 °C).

Passer les carottes, la pomme de terre, l'oignon et l'ail au hachoir, en utilisant le couteau le plus fin. Ajouter l'agneau haché, le sel, le romarin, le poivre et l'œuf et bien mêler. Façonner en 8 croquettes épaisses et bien les enfariner.

Chauffer l'huile dans une grand poêle épaisse pouvant aller au four. Y faire brunir les croquettes à feu doux. Quand toutes les croquettes sont dorées, dégraisser la poêle. Verser 1/4 tasse (60 ml) de bouillon de poulet sur les croquettes.

Couvrir hermétiquement et cuire au four 45 minutes, en retournant les croquettes une fois.

Servir immédiatement avec une sauce faite de 3/4 tasse (180 ml) de bouillon de poulet épaissi, si on le désire.

4 OU 8 PORTIONS

Agneau et riz brun

1 à 1 1/2 lb	*agneau maigre, en cubes*	*450 à 675 g*
2 c. à s.	*huile à cuisson*	*30 ml*
1	*petit oignon, tranché mince*	*1*
1	*petite gousse d'ail, broyée*	*1*
1 1/2 tasse	*bouillon de poulet*	*375 ml*
3/4 tasse	*riz brun*	*180 ml*
1 1/2 tasse	*carottes tranchées*	*375 ml*
1 tasse	*eau bouillante*	*250 ml*
1/4 c. à t.	*thym séché*	*1 ml*
1 c. à t.	*sel*	*5 ml*
1/8 c. à t.	*poivre*	*0,5 ml*
1 1/2 tasse	*petits pois frais ou congelés*	*375 ml*
1/4 tasse	*persil haché*	*60 ml*

Débarrasser l'agneau de tout excès de gras. Chauffer l'huile dans une grande poêle épaisse. Ajouter l'oignon et l'ail et cuire à feu doux, en brassant, pendant 3 minutes. Ajouter les cubes d'agneau et continuer la cuisson jusqu'à ce qu'ils soient légèrement brunis. Ajouter le bouillon de poulet et couvrir hermétiquement. Faire mijoter, de 30 à 45 minutes ou jusqu'à ce que l'agneau commence à être tendre.

Ajouter tous les autres ingrédients excepté les petits pois et le persil. Couvrir et continuer la cuisson à feu doux, en brassant de temps à autre, de 45 minutes à 1 heure ou jusqu'à ce que le riz soit cuit et la viande tendre. Ajouter les petits pois et le persil, 10 minutes avant la fin du temps de cuisson.

3 PORTIONS

Ragoût d'agneau tout simple

1/4 tasse	*beurre ou margarine*	*60 ml*
1 tasse	*oignon tranché*	*250 ml*
1 tasse	*céleri tranché*	*250 ml*
3/4 tasse	*poivron vert haché*	*180 ml*
1 c. à s.	*poudre de cari*	*15 ml*
3 tasses	*agneau cuit, en dés*	*750 ml*
1/8 c. à t.	*piment broyé séché*	*0,5 ml*
1 c. à t.	*sel*	*5 ml*
2 c. à t.	*sucre*	*10 ml*
28 oz	*tomates*	*796 ml*
	riz bien chaud	
	chutney (facultatif)	

Chauffer le beurre ou la margarine dans une grande casserole épaisse. Ajouter l'oignon, le céleri, le poivron et la poudre de cari. Cuire, en brassant, jusqu'à ce que l'oignon ait une apparence translucide. Ajouter tous les autres ingrédients, sauf le riz et le chutney, et faire mijoter 45 minutes, à découvert. Servir sur du riz, avec le chutney si désiré.

4 PORTIONS

Ci-contre : pain d'agneau aux fines herbes

Pain d'agneau aux fines herbes

2	*œufs*	2
1 1/2 lb	*agneau haché*	*675 g*
1/4 lb	*porc haché*	*115 g*
1 cube	*bouillon de poulet déshydraté*	*1 cube*
3/4 tasse	*eau bouillante*	*180 ml*
1 tasse	*gruau d'avoine à cuisson rapide*	*250 ml*
1/4 tasse	*oignon finement haché*	*60 ml*
1 1/2 c. à t.	*sel*	*7 ml*
1/4 c. à t.	*poivre*	*1 ml*
1/4 c. à t.	*basilic séché*	*1 ml*
1/2 c. à t.	*marjolaine séchée*	*2 ml*
1/4 c. à t.	*romarin séché*	*1 ml*

Chauffer le four à 350 °F (175 °C). Avoir sous la main un moule à pain de 9 x 5 x 3 po (23 x 12,5 x 7,5 cm).

Dans un bol, battre légèrement les œufs à la fourchette. Ajouter la viande et mêler délicatement. Dissoudre le cube de bouillon dans l'eau bouillante et l'ajouter à la préparation, de même que tous les autres ingrédients. Mêler délicatement.

Mettre dans le moule et cuire au four 1 1/2 heure.

4 PORTIONS

Agneau et aubergine

1	*aubergine moyenne*	1
1/2 c. à t.	*sel*	2 ml
1/4 tasse	*chapelure fine*	60 ml
1/4 tasse	*farine*	60 ml
1/4 tasse	*huile à cuisson*	60 ml
1 1/2 lb	*agneau haché*	675 g
1/2 tasse	*oignon finement haché*	125 ml
1/4 tasse	*vin rouge sec*	60 ml
1/2 tasse	*sauce tomate*	125 ml
1 c. à s.	*persil haché*	15 ml
1/2 c. à t.	*thym séché*	2 ml
1 c. à t.	*sel*	5 ml
1/8 c. à t.	*poivre*	0,5 ml
2	*tomates, pelées et tranchées*	2
1 tasse	*yogourt nature*	250 ml
2	*jaunes d'œufs*	2 ml
1/4 tasse	*farine*	60 ml
1/4 tasse	*parmesan râpé*	60 ml
1/4 tasse	*chapelure fine*	60 ml

Couper l'aubergine en tranches de 1/4 po (0,5 cm) d'épaisseur. Étendre les tranches dans un plat de pyrex, d'environ 13 x 9 1/2 x 2 po (33 x 24 x 5 cm), et saupoudrer de sel. Laisser dégorger 1 heure.

Chauffer le four à 375 °F (190 °C). Retirer les tranches d'aubergine du plat et les déposer sur du papier absorbant. Assécher le plat, le graisser et en saupoudrer le fond de 1/4 tasse (60 ml) de chapelure. Assécher les tranches d'aubergine avec du papier absorbant.

Mettre 1/4 tasse (60 ml) de farine dans un plat peu profond et y passer les tranches d'aubergine pour bien les enfariner des deux côtés. Chauffer l'huile dans une grande poêle épaisse et y brunir légèrement les tranches d'aubergine, des deux côtés. Ajouter de l'huile pendant la cuisson, si nécessaire. Déposer les tranches dans le plat à cuire, à mesure qu'elles sont prêtes.

→

Si le jus de cuisson est trop réduit après la cuisson des aubergines, ajouter un peu d'huile. Ajouter l'agneau et l'oignon et cuire à feu moyen en brassant, jusqu'à ce que l'agneau soit légèrement bruni. Ajouter le vin, la sauce tomate, le persil, le thym; saler et poivrer. Cuire 5 minutes à feu doux, en brassant constamment. Étendre sur les tranches d'aubergine.

Disposer les tranches de tomates sur le dessus du plat. Battre ensemble à la fourchette, le yogourt, les jaunes d'œufs et 1/4 tasse (60 ml) de farine et étendre uniformément sur les tomates. Saupoudrer d'un mélange de parmesan et de chapelure.

Cuire au four 40 minutes.

4 À 6 PORTIONS

Agneau au cari

2 c. à s.	*beurre ou huile à cuisson*	*30 ml*
1 c. à s.	*poudre de cari*	*15 ml*
2	*pommes à cuire, pelées, évidées et hachées*	*2*
1	*oignon moyen, haché*	*1*
1/2	*poivron vert moyen, haché*	*1/2*
1/4 tasse	*céleri haché*	*60 ml*
1/2	*petite gousse d'ail, émincée*	*1/2*
2 c. à s.	*farine*	*30 ml*
2 tasses	*liquide (sauce de cuisson d'agneau et de l'eau)*	*500 ml*
1 c. à s.	*jus de citron*	*15 ml*
	zeste râpé de 1/2 citron	
1/2 tasse	*raisins*	*125 ml*
1 pincée	*clou de girofle en poudre*	*1 pincée*
2 tasses	*agneau cuit, en cubes de 1/2 po (1,25 cm) (voir note)*	*500 ml*
	riz bien chaud	
	chutney	

Chauffer le beurre dans une grande casserole. Ajouter la poudre de cari et cuire à feu doux, en brassant, pendant 3 minutes. Ajouter les pommes, l'oignon, le poivron, le céleri et l'ail et cuire en brassant, pendant 3 minutes. Saupoudrer de farine, bien mêler et retirer du feu.

Ajouter le liquide, le jus et le zeste de citron, les raisins et le clou de girofle et bien mêler. Continuer la cuisson, à feu moyen et en brassant, jusqu'à ce que la sauce bouille et soit épaisse et lisse. Baisser le feu au plus bas, couvrir et faire mijoter pendant 20 minutes, en brassant souvent. Ajouter l'agneau et faire mijoter 15 minutes. Servir sur du riz, avec un chutney.

Note: utiliser un reste de gigot pour faire cette recette.

4 PORTIONS

Ci-contre : à gauche, agneau et aubergine et à droite, agneau au cari

Pâté à l'agneau

2 c. à s.	*huile à cuisson*	30 ml
2 lb	*agneau à bouillir désossé, en cubes de 2 po (5 cm)*	900 g
1/3 tasse	*farine*	80 ml
3 c. à t.	*sel*	45 ml
1/2 c. à t.	*poivre*	2 ml
1 c. à t.	*thym séché*	5 ml
1/4 tasse	*persil haché*	60 ml
3 1/2 tasses	*jus de tomate*	875 ml
6	*petits oignons*	6
6	*carottes moyennes, en gros morceaux*	6
6	*pommes de terre moyennes, en moitiés*	6
1	*petit navet, en gros morceaux*	1
12 oz	*petits pois congelés*	350 g
	pâte aux fines herbes (recette ci-après)	

Chauffer le four à 325 °F (160 °C).

Chauffer l'huile dans une grande casserole épaisse ou une rôtissoire qui puisse ensuite aller au four. Bien brunir la viande dans l'huile, de tous les côtés. Saupoudrer de farine et laisser dorer encore un peu. Ajouter tous les autres ingrédients, excepté les petits pois et la pâte aux fines herbes. Couvrir hermétiquement et cuire au four, 2 heures ou jusqu'à ce que la viande et les légumes soient tendres. Ajouter alors les petits pois, couvrir et continuer la cuisson 10 minutes.

Retirer du four et hausser la température à 450 °F (230 °C). Couvrir la préparation de la pâte aux fines herbes et cuire au four, à découvert, 15 minutes ou jusqu'à ce que la croûte soit bien brunie.

6 PORTIONS

Pâte aux fines herbes

2 tasses	*farine tout usage, tamisée*	500 ml
4 c. à t.	*poudre à pâte*	20 ml
1 c. à t.	*sel*	5 ml
2 c. à t.	*graines de céleri*	10 ml
1 c. à t.	*paprika*	5 ml
1 c. à s.	*persil haché*	15 ml
1/4 c. à t.	*thym séché*	1 ml
1/2 c. à t.	*marjolaine séchée*	2 ml
1/4 tasse	*graisse végétale*	60 ml
3/4 à 1 tasse	*lait*	180 à 250 ml

Tamiser ensemble, dans un bol, la farine, la poudre à pâte, le sel, les graines de céleri et le paprika. Ajouter le persil, le thym et la marjolaine et brasser délicatement à la fourchette. Ajouter la graisse végétale et la couper finement dans les ingrédients secs. Ajouter suffisamment de lait, en brassant délicatement, à la fourchette, pour obtenir une pâte gonflée, facile à manipuler. Mettre sur une planche enfarinée et pétrir délicatement, 12 fois; former une boule. Rouler une abaisse ronde de 1/2 po (1,25 cm) d'épaisseur. Détailler en 6 pointes et déposer sur la préparation à l'agneau comme nous l'indiquons plus haut.

Volailles

Volailles

La volaille est un aliment favori dans le monde entier et probablement celui que l'on sert le plus fréquemment sur nos tables.

Le mot volaille désigne tous les animaux de basse-cour, soit le poulet, la poule, le coquelet, la dinde, le canard, l'oie, le pigeon et la pintade. Au gibier, on retrouve surtout le faisan et la caille. Le poulet est de loin l'aliment le plus populaire de cette catégorie. Vient ensuite la dinde, surtout depuis qu'elle est vendue en morceaux (escalope, gigot, rôti, cuisse) et qui en Amérique fait symbole de repas traditionnel des grandes occasions.

La viande de volaille est riche en protéine et en vitamines B et PP et plus pauvre en graisse que celle des animaux de boucherie. Elle se prête vraiment bien à tous les modes de cuisson et est à l'origine de plats simples et économiques aussi bien que des préparations les plus raffinées.

Vous trouverez donc ici des recettes favorites de poulet et de dinde, mais aussi des façons de préparer d'autres volailles et du gibier pour les grandes occasions. Il faut essayer un canard à l'orange ou un faisan au riz sauvage.

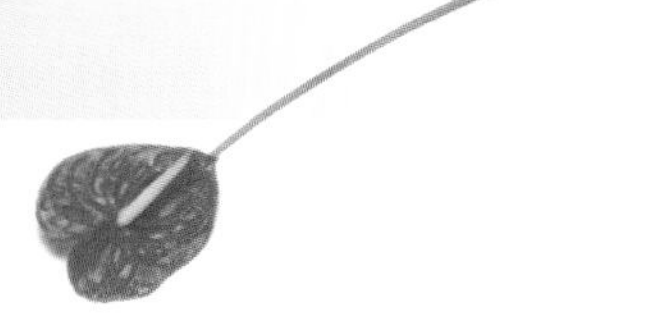

Poulets rôtis aux champignons

2	*poulets à rôtir de 4 1/2 à 5 lb (2 à 2,2 kg) chacun*	2
	sel	
	assaisonnement à volailles	
2	*oignons moyens*	2
4	*grosses brindilles de persil*	4
2	*branchettes de céleri garnies de feuilles*	2
1/4 tassse	*huile d'olive*	60 ml
2	*gousses d'ail, épluchées et coupées en deux*	2
8	*grains de poivre*	8
1	*feuille de laurier*	1
1/4 c. à t.	*thym séché*	1 ml
4	*carottes moyennes, tranchées*	4
2	*poireaux, tranchés minces (la partie blanche seulement)*	2
2	*grosses branches de céleri, tranchées*	2
1	*oignon moyen, haché*	1
1/2 tasse	*vin rouge sec*	125 ml
1/2 tasse	*beurre*	125 ml
1	*grosse gousse d'ail, broyée*	1
1 1/2 lb	*champignons frais, tranchés*	675 g
1/4 c. à t.	*estragon séché*	1 ml
1/4 c. à t.	*cerfeuil séché*	1 ml
1/4 tasse	*persil finement haché*	60 ml
3 c. à s.	*farine*	45 ml
1 tasse	*bouillon de poulet (ou 1 cube de bouillon dissous dans 1 tasse d'eau bouillante)*	250 ml
1/2 tasse	*vin rouge sec*	125 ml

Chauffer le four à 400 °F (205 °C).

Bien assécher les poulets, à l'intérieur et à l'extérieur, avec du papier absorbant. Saupoudrer légèrement l'intérieur de sel et d'assaisonnement à volailles. Mettre ensuite, dans chaque poulet, 1 oignon, 2 brindilles de persil et 1 branchette de céleri. Avec des brochettes, fixer la peau du cou au corps des poulets et replier par en dessous, la pointe des ailes. Brider les oiseaux et enduire chacun de 2 c. à s. (30 ml) d'huile d'olive.

Mettre les poulets dans une rôtissoire, sans utiliser de clayette. Les rôtir au four, à 375 °F (190 °C), 30 minutes ou jusqu'à ce qu'ils soient légèrement brunis.

Nouer, dans une petit morceau de coton à fromage, 2 gousses d'ail, les grains de poivre, le laurier et le thym; mettre le sachet dans la rôtissoire. Déposer autour des poulets, les carottes, le poireau, le céleri et l'oignon haché. Verser 1/2 tasse (125 ml) de vin dans la rôtissoire et continuer la cuisson à découvert, en arrosant souvent du jus de cuisson, 1 1/2 heure ou jusqu'à ce que les poulets soient tendres.

Mettre les poulets dans un grand plat de service réchauffé et les garder chauds. Jeter le sachet de condiments. Mettre tous les légumes et le jus de cuisson dans le bocal d'un mélangeur, en deux fois si nécessaire, et réduire en purée.

Faire fondre le beurre, dans une grande poêle épaisse. Ajouter la gousse d'ail broyée et cuire 2 minutes, en brassant. Ajouter les champignons et parsemer d'estragon, de cerfeuil et de persil haché. Cuire 3 minutes, en brassant. Retirer les champignons de la poêle avec une cuillère perforée et les disposer dans le plat, autour des poulets.

Ajouter la farine au jus de cuisson dans la poêle, en brassant. Ajouter la purée faite avec la cuisson, petit à petit et en brassant bien après chaque addition. Ajouter aussi le bouillon de poulet. Cuire, en brassant, jusqu'à ce que la sauce soit épaisse et bien lisse. Ajouter 1/2 tasse (125 ml) de vin et porter de nouveau à ébullition. Servir cette sauce très chaude, avec les poulets.

8 À 10 PORTIONS

Ci-contre : poulets rôtis aux champignons

Chapons glacés à l'orange

2	*chapons de 6 lb (2,8 kg) (voir note)*	2
6 tasses	*eau*	*1,5 L*
1	*petite carotte, en morceaux*	1
2	*branches de céleri, avec les feuilles, en morceaux*	2
1	*tranche d'oignon*	1
1 1/2 c. à t.	*sel*	*7 ml*
6	*grains de poivre*	6
2	*brindilles de persil*	2
1/2 c. à t.	*marjolaine séchée*	*2 ml*
1/2 c. à t.	*thym séché*	*2 ml*
1/4 tasse	*beurre*	*60 ml*
1 lb	*champignons, tranchés*	*450 g*
1/2 tasse	*oignon, finement haché*	*125 ml*
12 oz	*mélange de riz ordinaire, de riz à longs grains et de riz sauvage*	*350 g*
1/4 tasse	*persil haché*	*60 ml*
	sel et poivre	
	beurre ramolli	
	glace à l'orange (recette ci-après)	
	sauce au Sauternes (recette ci-après)	

Retirer les abats des chapons, les laver et mettre les foies de côté. Mettre le reste des abats et les cous dans une grande casserole; ajouter l'eau, la carotte, le céleri, la tranche d'oignon, le sel, les grains de poivre, les brindilles de persil, la marjolaine et le thym. Porter à ébullition, baisser le feu, couvrir et faire mijoter 2 heures. Ajouter les foies et continuer la cuisson, à feu doux, de 6 à 8 minutes ou jusqu'à ce que les foies soient tendres. Tamiser le bouillon et jeter les légumes qu'il contient; hacher les abats finement.

Chauffer 1/4 tasse (60 ml) de beurre dans une grande casserole. Cuire les champignons à feu vif, en brassant vivement, jusqu'à ce qu'ils soient légèrement brunis. Les retirer avec une cuillère perforée, et les mettre de côté. Ajouter l'oignon haché au jus de cuisson et cuire 3 minutes, à feu doux et en brassant. Ajouter 4 tasses (1 L) du bouillon des abats de chapons. Ajouter le riz et le persil haché. Couvrir et cuire selon les indications sur le paquet de riz.

Retirer du feu quand le riz est cuit. Ajouter les champignons et les abats hachés et bien brasser à la fourchette. Laisser refroidir.

Chauffer le four à 325 °F (160 °C). Saler et poivrer les chapons à l'intérieur; les farcir du riz, sans tasser ce dernier. Brider les oiseaux, les enduire de beurre ramolli, les déposer sur une clayette, dans une rôtissoire peu profonde et les couvrir de papier d'aluminium en disposant ce dernier comme une tente (ne pas envelopper les chapons, les couvrir seulement). Faire rôtir 3 heures ou jusqu'à ce que les chapons soient bien cuits, en arrosant souvent du jus de cuisson. Retirer le papier d'aluminium 1 heure avant la fin du temps de cuisson pour bien brunir la peau.

Entre-temps, préparer la glace à l'orange. Badigeonner les oiseaux de la glace et continuer la cuisson 15 minutes en badigeonnant à plusieurs reprises. Mettre dans un plat de service réchauffé et garder bien chaud pendant la préparation de la sauce.

8 À 10 PORTIONS

Glace à l'orange

1/4 tasse	*zeste d'orange en allumettes minces*	*60 ml*
1/2 tasse	*jus d'orange*	*125 ml*
1 tasse	*sirop de maïs*	*250 ml*
1/4 c. à t.	*gingembre en poudre*	*1 ml*

Débarrasser de toute sa partie blanche, l'intérieur d'un morceau de pelure d'orange; tailler 1/4 tasse (60 ml) de zeste d'orange en allumettes. Mêler tous les ingrédients et badigeonner les chapons du mélange, comme nous l'indiquons dans la recette.

Ci-contre : chapons glacés à l'orange

Sauce au Sauternes

1/4 tasse	*zeste d'orange en allumettes minces*	*60 ml*
	eau bouillante	
3/4 tasse	*raisins secs dorés*	*180 ml*
1/3 tasse	*farine*	*80 ml*
4 tasses	*liquide (ce qui reste du bouillon des abats, et de l'eau)*	*1 L*
1/2 c. à t.	*sel*	*2 ml*
1/4 c. à t.	*poivre*	*1 ml*
1/2 c. à t.	*thym séché*	*2 ml*
1 tasse	*vin blanc sucré (Sauternes)*	*250 ml*

Débarrasser de toute sa partie blanche, un morceau de pelure d'orange; tailler de fines allumettes dans la partie orange.

Couvrir d'eau bouillante les raisins et le zeste d'orange et laisser reposer 15 minutes. Égoutter.

Retirer de la rôtissoire le jus de cuisson des chapons et le refroidir rapidement en plaçant le plat qui le contient dans de l'eau glacée.

Dégraisser; mettre 1/3 tasse (80 ml) du gras recueilli dans une grande casserole. Ajouter la farine et cuire, en brassant, jusqu'à ce que le mélange soit légèrement bruni. Ajouter le liquide, petit à petit et en brassant. Ajouter le jus de cuisson des chapons et les petites particules brunies qui se trouveraient encore dans la rôtissoire. Cuire jusqu'à ce que la sauce bouille et soit épaisse et lisse. Ajouter le sel, le poivre, le thym, le mélange de raisins et de zeste d'orange et le vin. Faire chauffer. Goûter, saler et poivrer si nécessaire.

Pâté au poulet

3/4 tasse	*carottes grossièrement râpées*	*180 ml*
1/2 tasse	*céleri tranché mince*	*125 ml*
1/2 tasse	*eau bouillante*	*125 ml*
1/2 tasse	*petits pois congelés*	*125 ml*
3 tasses	*poulet cuit, en morceaux*	*750 ml*
3 c. à s.	*beurre ou graisse de poulet*	*45 ml*
1	*oignon moyen, tranché*	*1*
3 c. à s.	*farine*	*45 ml*
1 c. à t.	*sel*	*5 ml*
1/4 c. à t.	*poivre*	*1 ml*
1/4 c. à t.	*sarriette séchée*	*1 ml*
1 tasse	*crème à 15 %*	*250 ml*
3/4 tasse	*bouillon de poulet*	*180 ml*
	pâte à tarte pour 2 croûtes de 9 po (23 cm)	
1 c. à t.	*graines de céleri*	*5 ml*
1	*jaune d'œuf*	*1*
1 c. à s.	*eau*	*15 ml*

Cuire les carottes et le céleri 3 minutes, dans 1/2 tasse (125 ml) d'eau bouillante. Ajouter les petits pois 1 minute avant la fin de la cuisson. Égoutter le tout et conserver le liquide de cuisson.

Mêler le poulet, les carottes, le céleri et les petits pois, dans un grand bol.

Faire fondre le beurre ou la graisse de poulet, dans une casserole moyenne. Y cuire l'oignon 5 minutes, à feu doux. Saupoudrer de farine, de sel, de poivre et de sarriette et bien mêler. Retirer du feu et ajouter la crème, le bouillon de poulet et le liquide de cuisson des légumes, d'un trait et en mêlant bien. Continuer la cuisson, en brassant constamment, jusqu'à ce que la sauce bouille et soit épaisse et lisse. Verser sur le mélange de poulet et de légumes et brasser délicatement, à la fourchette. Laisser refroidir. Chauffer le four à 425 °F (220 °C). Avoir sous la main une assiette à tarte, de 9 po (23 cm) de diamètre.

Préparer la pâte (on peut aussi utiliser un mélange), en ajoutant 1 c. à t. (5 ml) de graines de céleri aux ingrédients secs. Foncer l'assiette avec la moitié de la pâte et y mettre le mélange au poulet. Couvrir avec ce qui reste de pâte, en soudant bien les deux abaisses ensemble, tout autour, et en dentelant le bord du pâté. Battre le jaune d'œuf et l'eau et en badigeonner le dessus du pâté, sans cependant toucher au bord. Pratiquer une grande ouverture, au centre de la pâte, pour laisser échapper la vapeur pendant la cuisson.

Cuire au four 10 minutes, à 425 °F (220 °C). Régler la température du four à 350 °F (175 °C) et continuer la cuisson, 50 minutes ou jusqu'à ce que la croûte soit bien brunie et que la garniture bouillonne. Servir très chaud.

4 À 6 PORTIONS

Ci-contre : pâté au poulet

Pâté au poulet des jours de fête

1	*poule à l'étuvée (recette ci-après)*	*1*
1 lb	*ris de veau*	*450 g*
	jus de 1 citron	
1/4 c. à t.	*sel*	*1 ml*
4	*carottes en dés*	*4*
1	*oignon moyen, tranché*	*1*
2 c. à s.	*persil haché*	*30 ml*
1/4 c. à t.	*thym séché*	*1 ml*
1	*petite feuille de laurier, émiettée*	*1*
1/2 c. à t.	*sel*	*2 ml*
1/4 c. à t.	*poivre*	*1 ml*
1 1/2 tasse	*bouillon de poulet*	*375 ml*
1/2 lb	*tranches de bacon, en fines lanières*	*225 g*
2 c. à s.	*graisse de poulet ou beurre*	*30 ml*
1/2 lb	*champignons tranchés*	*225 g*
1/4 tasse	*graisse de poulet ou beurre*	*60 ml*
1/4 tasse	*farine*	*60 ml*
1 c. à t.	*sel*	*5 ml*
1/2 c. à t.	*poivre*	*2 ml*
1/4 c. à t.	*thym séché*	*1 ml*
1/2 c. à t.	*muscade*	*2 ml*
2 tasses	*bouillon de poulet*	*500 ml*
1/4 tasse	*brandy*	*1 ml*
1/4 tasse	*vin de Madère*	*1 ml*
1/4 tasse	*persil haché*	*1 ml*
4 tasses	*poulet cuit, en morceaux (la poule à l'étuvée)*	*1 L*
	pâte à tarte pour 2 croûtes de 9 po (23 cm)	
1	*jaune d'œuf*	*1*
1 c. à s.	*eau*	*15 ml*

Faire tremper le ris de veau dans de l'eau glacée, pendant 1 heure. Les mettre dans une casserole avec le jus de citron et le sel. Couvrir d'eau froide, porter à ébullition, baisser le feu et faire mijoter 5 minutes. Égoutter et mettre immédiatement les ris dans de l'eau glacée. Débarrasser les ris refroidis de leur membrane extérieure et de leurs petits vaisseaux; les trancher, en travers.

Chauffer le four à 375 °F (190 °C).

Mettre dans un petit plat à cuire, les dés de carottes, l'oignon, le persil, le thym et le laurier. Ajouter les tranches de ris, saler et poivrer. Arroser de 1 1/2 tasse (375 ml) de bouillon. Couvrir et cuire au four, 30 minutes ou jusqu'à ce que les ris soient tendres, en arrosant du jus de cuisson de temps à autre.

Faire frire le bacon. L'égoutter et le laisser sécher sur du papier absorbant.

Chauffer 2 c. à s. (30 ml) de graisse de poulet ou de beurre, dans une grande casserole. Y cuire les champignons 3 minutes, à feu vif et en brassant. Les retirer de la casserole avec une cuillère perforée et les mettre de côté. Ajouter 1/4 tasse (60 ml) de graisse de poulet ou de beurre dans la casserole, et chauffer. Ajouter la farine, le sel, le poivre, le thym et la muscade. Bien mêler; retirer du feu. Ajouter 2 tasses (500 ml) de bouillon de poulet, le brandy et le vin de Madère. Bien mêler et porter de nouveau à ébullition, en brassant sans arrêt. Baisser le feu et laisser mijoter 5 minutes. Goûter et ajouter du sel et du poivre s'il y a lieu. Ajouter les ris de veau ainsi que leur jus de cuisson, le bacon et les champignons et faire mijoter 3 minutes. Ajouter le persil et les morceaux de poulet et verser dans un plat à cuire de 3 pintes (4 L).

Rouler la pâte en une abaisse un peu épaisse et un peu plus grande que la surface du plat utilisé. La déposer sur le mélange au poulet; denteler le bord du pâté en scellant bien la pâte au plat tout autour. Faire une grande ouverture au centre de l'abaisse.

Battre ensemble le jaune d'œuf et l'eau et badigeonner le dessus du pâté, sans cependant toucher au bord. Cuire au four, 40 minutes ou jusqu'à ce que la pâte soit d'un beau doré et que la garniture bouillonne.

8 À 10 PORTIONS

Cipaille

4 tasses	*farine tout usage, tamisée*	*1 L*
4 c. à t.	*poudre à pâte*	*20 ml*
1 c. à t.	*sel*	*5 ml*
1 pincée	*poivre*	*1 pincée*
3/4 tasse	*graisse végétale*	*180 ml*
1 1/4 tasse	*eau froide*	*310 ml*
1	*poulet de 3 lb (1,4 kg), coupé en 12 morceaux*	*1*
1/2 tasse	*oignons verts finement tranchés*	*125 ml*
2 c. à s.	*persil haché*	*30 ml*
2 c. à s.	*feuilles de céleri hachées*	*30 ml*
1 c. à t.	*sel*	*5 ml*
1/4 c. à t.	*poivre*	*1 ml*
1/2 c. à t.	*marjolaine séchée*	*2 ml*
1/4 c. à t.	*sarriette séchée*	*1 ml*
1/4 c. à t.	*thym séché*	*1 ml*
	eau bouillante	
1 tasse	*lait bouillant*	*250 ml*

Chauffer le four à 450 °F (230 °C). Graisser un plat à cuire rond, de 8 tasses (2 L), possédant un couvercle.

Tamiser, dans un bol, la farine la poudre à pâte, le sel et le poivre. Ajouter la graisse végétale et la couper finement, avec un mélangeur à pâtisserie ou avec deux couteaux. Ajouter environ 1 tasse plus 3 c. à s. (295 ml) d'eau froide (juste assez pour que la pâte se tienne). Ramasser la pâte en boule et la pétrir délicatement, environ 6 fois, pour bien l'assouplir.

Prendre un peu moins de la moitié de la pâte et en faire une abaisse ronde suffisamment grande pour couvrir tout l'intérieur du plat à cuire. Cette abaisse devrait avoir environ 1/4 po (0,5 cm) d'épaisseur; bien la faire adhérer à la paroi circulaire et la presser un peu pour la fixer au bord du plat.

Disposer dans la pâte la moitié des morceaux de poulet (on peut désosser ceux-ci mais ce n'est pas vraiment nécessaire). Parsemer de la moitié des oignons verts, du persil, des feuilles de céleri et des assaisonnements.

Faire 2 parts de ce qui reste de pâte. Avec la première part, faire une abaisse juste assez grande pour couvrir la garniture du pâté. Faire 3 grandes fentes, dans ce cercle de pâte, et le déposer sur le poulet et les légumes. Disposer dessus le reste des morceaux de poulet, des légumes et des assaisonnements.

Faire, avec ce qui reste de pâte, une abaisse juste un peu plus grande que le dessus du plat. Y faire 3 grandes fentes et la déposer sur le pâté. Replier le bord de cette abaisse, tout autour, sur celui de l'abaisse qui habille toute la casserole et bien souder la pâte. Denteler le contour.

Verser de l'eau bouillante sur et dans le pâté jusqu'à le remplir. (Ce procédé semble étrange mais il donne d'excellents résultats.) Bien fixer le couvercle du plat et cuire au four 25 minutes.

Abaisser la température du four à 325 °F (160 °C) et continuer la cuisson, toujours avec le couvercle, 2 heures ou jusqu'à ce que le poulet soit tendre. La croûte sera alors d'un beau brun foncé et aura levé suffisamment pour se souder au couvercle du plat.

Retirer le couvercle et verser autant de lait bouillant que possible dans le pâté, par les fentes de la pâte; remuer les morceaux de poulet avec une fourchette, s'il le faut, pour faire pénétrer le lait partout. Le lait doit couvrir le pâté. Couvrir de nouveau le plat et cuire au four 15 minutes. Retirer le couvercle et continuer la cuisson 15 minutes. (Les morceaux de poulet baigneront dans une sauce, à l'intérieur du pâté, et la croûte sera brune et croustillante.) Servir immédiatement.

6 PORTIONS

Ailes de poulets polynésiennes

1/3 tasse	*sauce soya*	*80 ml*
1/3 tasse	*jus d'ananas*	*80 ml*
1	*petite gousse d'ail, broyée*	*1*
1/2 c. à t.	*gingembre en poudre*	*2 ml*
8	*ailes de poulets*	*8*
1 tasse	*ananas en conserve, en dés*	*250 ml*
1 tasse	*bouillon de poulet*	*250 ml*
3 c. à s.	*eau froide*	*45 ml*
1 c. à s.	*fécule de maïs*	*15 ml*
	riz bien chaud	

Mêler la sauce soya, le jus d'ananas, l'ail et le gingembre, dans un plat suffisamment grand pour contenir les ailes de poulets. Ajouter les ailes et les laisser mariner plusieurs heures, en les retournant souvent.

Chauffer le four à 350 °F (175 °C). Graisser un plat à cuire peu profond, d'environ 12 x 7 x 2 po (30,5 x 18 x 5 cm).

Retirer le ailes de la marinade et les mettre dans le plat à cuire. Ajouter les dés d'ananas à la marinade et porter à ébullition. Verser sur le poulet. Cuire au four, en arrosant souvent du jus de cuisson, de 30 à 40 minutes ou jusqu'à ce que le poulet soit très tendre. Mettre les ailes dans un plat de service. Réserver au chaud.

Entre-temps, porter le bouillon de poulet à ébullition et verser dans le plat à cuire, en brassant pour détacher de la paroi toutes les petites particules rôties. Mettre le tout dans une casserole et porter à ébullition. Faire un mélange lisse avec l'eau froide et la fécule de maïs. Ajouter au liquide bouillant, petit à petit et en brassant. Faire bouillir 1 minute. Verser sur les ailes de poulets et servir avec du riz.

Note: si on préfère, mettre la sauce dans 2 petits plats; les convives y tremperont les ailes.

2 PORTIONS

Ci-contre : ailes de poulet polynésiennes

Rouleaux de poulet

4	*grosses poitrines de poulet, coupées en deux, sur la longueur*	4
1/2 lb	*veau haché*	225 g
1/4 c. à t.	*estragon séché*	1 ml
1 c. à s.	*oignons verts, hachés*	15 ml
1 c. à s.	*persil, haché*	15 ml
1	*œuf*	1
1 c. à s.	*vin blanc sec*	15 ml
1/4 tasse	*farine*	60 ml
1/2 c. à t.	*sel*	2 ml
1/4 c. à t.	*poivre*	1 ml
1/2 c. à t.	*paprika*	2 ml

1	*œuf*	1
1 c. à s.	*lait*	15 ml
1 tasse	*fines miettes de craquelins*	250 ml
1/4 tasse	*beurre ou margarine*	60 ml
2 c. à s.	*huile à cuisson*	30 ml
1/2 tasse	*oignons verts, hachés*	125 ml
3/4 tasse	*bouillon de poulet*	180 ml
3/4 tasse	*vin blanc sec*	180 ml
	sel et poivre	
1/4 tasse	*beurre ou margarine*	60 ml
1 lb	*champignons, tranchés*	450 g
3 tasses	*raisins verts sans pépins*	750 ml
1/4 tasse	*eau*	60 ml
1 c. à s.	*fécule de maïs*	15 ml

Retirer la peau et désosser les 8 morceaux de poitrines de poulet. Pour ce faire, couper aussi près des os que possible, avec un couteau bien aiguisé, et détacher la viande avec précaution, en un seul morceau. Mettre entre deux feuilles de papier ciré et battre avec un rouleau à pâte, du côté où se trouvait la peau, pour bien amincir et étendre à peu près au double de sa surface initiale. Enlever le papier du dessus et retourner le poulet.

Mêler parfaitement à la fourchette, le veau, l'estragon, l'oignon vert, le persil, l'œuf et le vin. Répartir également ce mélange sur les morceaux de poulet et enrouler, en commençant par le bout le plus étroit; pincer un peu les rouleaux pour les sceller.

Mêler, dans un plat peu profond, la farine, le sel, le poivre et le paprika.

Dans un autre plat peu profond, battre ensemble l'œuf et le lait.

Ci-contre : rouleaux de poulet

Mettre les miettes de craquelins dans un troisième plat peu profond. Passer les rouleaux de poulet d'abord dans la farine, ensuite dans l'œuf battu et finalement dans les miettes. Laisser reposer les rouleaux quelques minutes pour permettre à leur enrobage de sécher un peu.

Chauffer le four à 375 °F (190 °C).

Chauffer 1/4 tasse (60 ml) de beurre ou de margarine et l'huile, dans une grande poêle épaisse. Bien brunir les rouleaux de poulet, de tous les côtés. Les retirer de la poêle, à mesure qu'ils sont prêts, et les disposer dans un plat à cuire d'environ 13 x 9 x 2 po (33 x 23 x 5 cm). Mettre 1/2 tasse (125 ml) d'oignons verts hachés dans le jus de cuisson dans la poêle (ajouter un peu d'huile si nécessaire) et cuire 3 minutes, à feu doux. Ajouter le bouillon de poulet et 3/4 tasse (180 ml) de vin et porter à ébullition. Goûter, saler et poivrer si nécessaire. Verser sur les rouleaux, couvrir cuire au four, 45 minutes ou jusqu'à ce que le poulet soit tendre.

Entre-temps, chauffer 1/4 tasse (60 ml) de beurre ou de margarine, et y cuire les champignons 3 minutes, à feu doux. Retirer le poulet du four, découvrir et ajouter les champignons et les raisins. Continuer la cuisson au four à découvert, 10 minutes ou jusqu'à ce que le tout soit bien chaud.

Retirer, avec une cuillère perforée, le poulet, les champignons et les raisins et disposer le tout dans un plat de service réchauffé; garder bien chaud. Verser le liquide de cuisson dans une casserole et le porter à ébullition. Faire une pâte lisse, avec l'eau et la fécule de maïs et l'ajouter au liquide bouillant, petit à petit et en brassant constamment. Faire mijoter 1 minute, en brassant. Verser sur le poulet et servir immédiatement.

8 PORTIONS

Retirer la peau et désosser les 8 morceaux de poitrines de poulet.

Mettre entre deux feuilles de papier ciré et battre avec un rouleau à pâte, du côté où se trouvait la peau, pour bien amincir et étendre à peu près au double de sa surface initiale.

Répartir également ce mélange sur les morceaux de poulet.

Enrouler, en commençant par le bout le plus étroit; pincer un peu les rouleaux pour les sceller.

Poulet croustillant

1 tasse	*flocons de maïs, grossièrement écrasés*	*250 ml*
1 c. à t.	*sel*	*5 ml*
2 c. à t.	*poudre de cari*	*10 ml*
1/4 c. à t.	*gingembre en poudre*	*1 ml*
1	*grosse poitrine de poulet (en 2 morceaux)*	*1*
1/4 tasse	*lait évaporé*	*60 ml*
	chutney aux pommes (recette ci-après)	

Chauffer le four à 350 °F (175 °C). Doubler de papier d'aluminium, un plat allant au four, peu profond et assez grand pour contenir les deux morceaux de poulet, côte à côte.

Mêler, dans un plat peu profond, les flocons de maïs, le sel, la poudre de cari et le gingembre.

Tremper le poulet dans le lait évaporé et le tourner ensuite dans le mélange sec pour bien l'en enrober de tous les côtés. Déposer le poulet dans le plat, la peau sur le dessus, et cuire au four pendant 75 minutes ou jusqu'à ce que ce soit très tendre. Servir avec du chutney aux pommes.

2 PORTIONS

Chutney aux pommes

1 tasse	*pommes tranchées*	*250 ml*
2 c. à s.	*eau*	*30 ml*
1/4 tasse	*mélasse*	*60 ml*
2 c. à s.	*vinaigre*	*30 ml*
1/4 tasse	*raisins*	*60 ml*
1 c. à t.	*poudre de cari*	*5 ml*
1/4 c. à t.	*gingembre*	*1 ml*

Mêler tous les ingrédients dans une petite casserole. Couvrir et porter à ébullition. Laisser mijoter 5 minutes ou jusqu'à ce que les pommes commencent à être tendres. Découvrir et continuer la cuisson à feu doux, jusqu'à ce que les pommes soient très tendres et le mélange épais. Servir très chaud ou refroidi, avec le poulet.

Poulet marengo vite fait

1 sachet	*mélange pour sauce à spaghetti déshydraté*	*1 sachet*
1/2 c. à t.	*sel épicé*	*2 ml*
1/2 tasse	*chapelure fine*	*125 ml*
1	*poulet à frire, en morceaux*	*1*
1/4 tasse	*huile à cuisson*	*60 ml*
1/2 tasse	*vin blanc sec*	*125 ml*
1/2 tasse	*eau*	*125 ml*
3	*tomates, pelées et hachées grossièrement*	*3*
2 tasses	*champignons frais, tranchés*	*500 ml*
1/2 c. à t.	*sel*	*2 ml*
	nouilles chaudes au beurre	

→

Mêler le mélange pour sauce à spaghetti, le sel épicé et la chapelure. Passer les morceaux de poulet dans le mélange, pour bien les enrober.

Chauffer l'huile dans une grande poêle épaisse et y dorer les morceaux de poulet, de tous les côtés. Ajouter le vin, l'eau, les tomates, les champignons, le sel et, s'il y a lieu, ce qui reste de chapelure assaisonnée.

Couvrir et faire mijoter, de 35 à 40 minutes ou jusqu'à ce que le poulet soit tendre. Servir avec des nouilles.

4 PORTIONS

Poulet frit aux graines de sésame

huile à cuisson

1	*œuf*	*1*
2 c. à s.	*lait*	*30 ml*
1 c. à s.	*farine*	*15 ml*
1/2 tasse	*graines de sésame*	*125 ml*
1/2 tasse	*farine*	*125 ml*
1 1/2 c. à t.	*sel*	*7 ml*
1 pincée	*poivre*	*1 pincée*
1	*poulet d'environ 3 lb (1,4 kg), en morceaux*	*1*

Faire chauffer à 350 °F (175 °C), environ 1/2 po (1,25 cm) d'huile à cuisson dans une poêle électrique.

Battre à la fourchette, dans un plat peu profond, l'œuf, le lait et 1 c. à s. (15 ml) de farine. Mêler les graines de sésame, 1/2 tasse (125 ml) de farine, le sel et le poivre, dans un autre plat peu profond. Passer les morceaux de poulet dans l'œuf battu et rouler ensuite dans le mélange sec pour bien les enrober.

Mettre les morceaux de poulet dans l'huile chaude, couvrir (en laissant ouvert le petit orifice de ventilation) et cuire 15 minutes ou jusqu'à ce que le poulet soit d'un beau brun doré en dessous. Tourner les morceaux, réduire la température à 300 °F (150 °C) et continuer la cuisson à découvert, 15 minutes ou jusqu'à ce que le poulet soit très tendre et bien doré de tous les côtés. Servir immédiatement.

4 PORTIONS

Ci-contre : à gauche, poulet marengo vite fait et à droite, poulet frit aux graines de sésame

Poulet, riz et maïs

	huile à cuisson	
1/4 tasse	*farine*	*60 ml*
1 c. à t.	*sel*	*5 ml*
1/4 c. à t.	*poivre*	*1 ml*
1/2 c. à t.	*paprika*	*2 ml*
1	*poulet de 3 lb (1,4 kg), en morceaux*	*1*
3 c. à s.	*beurre*	*45 ml*
1 c. à s.	*huile à cuisson*	*15 ml*
1 tasse	*riz à longs grains, non prétraité*	*250 ml*
1/2 tasse	*oignons hachés*	*125 ml*
1/4 tasse	*poivron vert haché*	*60 ml*
	eau bouillante	
1 c. à t.	*sel*	*5 ml*
1/8 c. à t.	*poivre*	*0,5 ml*
12 oz	*maïs en grains, égoutté*	*375 ml*

Chauffer 1/4 po (0,5 cm) d'huile à cuisson dans une grande poêle épaisse.

Mettre dans un sac de papier, la farine, le sel, le poivre et le paprika. Secouer les morceaux de poulet dans le sac, quelques-uns à la fois, pour bien les enfariner. Les frire ensuite dans l'huile bouillante, jusqu'à ce qu'ils soient bien brunis. Baisser le feu, couvrir la poêle et continuer la cuisson de 30 à 40 minutes ou jusqu'à ce que le poulet soit tendre. Tourner les morceaux de poulet, à quelques reprises, et découvrir la poêle pendant les 10 dernières minutes de cuisson pour rendre le poulet croustillant.

Entre-temps, chauffer le beurre et 1 c. à s. (15 ml) d'huile, dans une casserole moyenne. Ajouter le riz, l'oignon et le poivron et cuire à feu doux, en brassant sans arrêt, jusqu'à ce que le riz soit bien bruni. Ajouter de l'eau bouillante (la quantité indiquée sur le paquet de riz); saler et poivrer. Cuire le riz tel qu'indiqué sur le paquet.

Ajouter le maïs et brasser doucement. Couvrir et cuire à feu doux, 5 minutes ou juste assez pour que le maïs soit chaud.

Mettre le mélange de riz et de maïs dans un plat de service et y disposer les morceaux de poulet.

4 PORTIONS

Spaghetti au poulet

3 c. à s.	*beurre ou margarine*	*45 ml*
1	*poulet de 3 lb (1,4 kg), en morceaux*	*1*
1 c. à t.	*sel*	*5 ml*
1/4 c. à t.	*poivre*	*1 ml*
1/2 tasse	*feuilles de céleri hachées*	*125 ml*
1	*petit oignon, haché*	*1*
1 tasse	*eau bouillante*	*250 ml*
5 c. à s.	*beurre ou margarine*	*75 ml*
4 tasses	*champignons frais, en tranches épaisses*	*1 L*
3 c. à s.	*farine*	*45 ml*
1 1/2 à 2 tasses	*crème à 15 %*	*375 à 500 ml*
2/3 tasse	*fromage romano râpé*	*180 ml*
1/4 tasse	*sherry sec*	*60 ml*
1 lb	*spaghetti, cuit*	*450 g*

Chauffer le beurre, dans une poêle épaisse. Y dorer légèrement les morceaux de poulet, de tous les côtés. Ajouter le sel, le poivre, les feuilles de céleri, l'oignon et l'eau. Couvrir et faire mijoter 35 minutes ou jusqu'à ce que le poulet soit tendre. Retirer les morceaux de poulet et laisser refroidir suffisamment pour les manipuler. Désosser le poulet et en couper toute la chair en bouchées.

Tamiser le bouillon et jeter les légumes qu'il contient.

Chauffer 5 c. à s. (75 ml) de beurre, dans une casserole épaisse. Cuire les champignons 3 minutes à feu doux, en brassant. Saupoudrer de farine et bien mêler. Retirer du feu.

Mesurer le bouillon de cuisson du poulet et y ajouter assez de crème pour obtenir 3 tasses (750 ml) de liquide. Ajouter au mélange aux champignons, d'un trait en mêlant bien. Continuer la cuisson à feu moyen, en brassant sans arrêt, jusqu'à ce que la sauce bouille et soit épaisse et lisse. Ajouter les morceaux de poulet et le fromage et bien chauffer. Ajouter le sherry. Servir sur le spaghetti bien chaud.

6 PORTIONS

Ci-contre : poulet, riz et maïs

Poulet froid croustillant

12	*pilons de poulet*	12
12	*cuisses de poulet*	12
1 tasse	*beurre ou margarine*	250 ml
1 1/2 tasse	*chapelure fine*	375 ml
1/2 c. à t.	*thym séché*	2 ml
1/2 c. à t.	*marjolaine séchée*	2 ml
1/2 c. à t.	*romarin séché*	2 ml
2 c. à t.	*paprika*	10 ml
2 c. à t.	*sel*	10 ml
1/2 c. à t.	*poivre*	2 ml
3	*œufs*	3
3 c. à s.	*eau froide*	45 ml

sauces-trempettes (recettes ci-après)

Laver et bien assécher les morceaux de poulet.

Chauffer le four à 375 °F (190 °C). Mettre 1/2 tasse (125 ml) de beurre ou de margarine dans chacune de deux plaques à cuire peu profondes et assez grandes pour contenir les morceaux de poulet disposés en une seule couche. Mettre au four pour faire fondre le beurre.

Mêler, dans un grand plat peu profond, la chapelure, le thym, la marjolaine, le romarin, le paprika, le sel et le poivre. Dans un autre plat, battre ensemble à la fourchette, les œufs et l'eau.

Passer les morceaux de poulet dans les œufs battus, puis dans la chapelure assaisonnée, pour bien les enrober de tous les côtés. Mettre les morceaux dans les plaques à cuire et les retourner pour les enduire de beurre. Si possible, placer les morceaux de poulet de façon qu'ils ne se touchent pas.

Cuire au four 1 heure ou jusqu'à ce que le poulet soit bruni et tendre, en retournant les morceaux à la mi-cuisson. Si votre four est trop petit pour recevoir les deux plaques à la fois, vous pouvez cuire le poulet en deux fois. (Réserver alors le poulet préparé à la température de la pièce en attendant de le cuire.)

Laisser refroidir et réfrigérer. Servir avec une ou plusieurs sauces-trempettes.

8 À 12 PORTIONS

Sauce-trempette aux poireaux

1 tasse	*crème à 35 %*	250 ml
12 oz	*yogourt nature*	675 g
1 sachet	*soupe aux poireaux déshydratée*	1 sachet
1/4 lb	*fromage de ferme (Colby) râpé*	

Fouetter la crème jusqu'à ce qu'elle forme des pics au bout des batteurs.

Ajouter le yogourt, le mélange aux poireaux et le fromage, bien mêler et réfrigérer.

Sauce-trempette fromage et cari

8 oz	*fromage à la crème, ramolli*	*225 g*
1/4 tasse	*mayonnaise*	*60 ml*
6 oz	*yogourt nature*	*165 g*
1 c. à s.	*poudre de cari*	*15 ml*
2 c. à t.	*oignon finement râpé*	*10 ml*
1 pincée	*sel*	*1 pincée*

Battre ensemble, jusqu'à ce que le mélange soit bien lisse, le fromage, la mayonnaise et le yogourt. Ajouter la poudre de cari, l'oignon et le sel, en mêlant bien. Réfrigérer.

Laisser réchauffer un peu avant de servir.

Sauce-trempette à l'oignon

1 tasse	*crème à 35 %*	*250 ml*
12 oz	*yogourt nature*	*675 g*
1 sachet	*soupe à l'oignon déshydratée*	*1 sachet*

Fouetter la crème jusqu'à ce qu'elle forme des pics au bout des batteurs.

Ajouter le yogourt et le mélange à l'oignon, en mêlant bien. Réfrigérer.

Sauce-trempette à l'aneth

1 tasse	*crème sure*	*250 ml*
1/2 tasse	*mayonnaise*	*125 ml*
1 c. à t.	*aneth séché*	*10 ml*
	ou	
1 c. à s.	*aneth frais déchiqueté aux ciseaux*	*15 ml*

Mêler tous les ingrédients et réfrigérer.

Sauce-trempette chaude à l'ananas

1 tasse	*confiture d'ananas*	*250 ml*
1/4 tasse	*moutarde*	*60 ml*
1/4 tasse	*raifort préparé*	*60 ml*
1/4 c. à t.	*gingembre en poudre*	*1 ml*

Mêler tous les ingrédients dans une petite casserole et chauffer un peu.

Ci-contre : poulet froid croustillant et, de haut en bas, sauce-trempette à l'aneth, sauce-trempette fromage et cari et sauce-trempette chaude à l'ananas

Ci-dessus : poulet au chili

Poulet au beurre et à la sauce soya

1	poulet de 3 lb (1,4 kg), en morceaux	1
1/3 tasse	eau	80 ml
3 c. à s.	sauce soya	45 ml
1/2 c. à t.	sel	2 ml
1/8 c. à t.	poivre	0,5 ml
1 1/2 c. à s.	jus de citron	22 ml
1 c. à t.	piments broyés	5 ml
1/2 tasse	beurre ou margarine	125 ml
	riz bien chaud	

Chauffer le four à 400 °F (205 °C). Avoir sous la main un plat à cuire de 12 x 7 x 2 po (30,5 x 18 x 5 cm).

Mettre les morceaux de poulet côte à côte dans le plat. Mêler, dans une petite casserole, tous les autres ingrédients excepté le riz, porter à ébullition, baisser le feu et laisser bouillir 10 minutes, à feu doux. Verser sur le poulet.

Cuire au four 45 minutes ou jusqu'à ce que le poulet soit très tendre; retourner les morceaux une fois, pendant la cuisson, et les arroser de temps à autre de leur jus de cuisson. Servir avec du riz.

4 PORTIONS

Poulet au chili

1 1/2 tasse	*croustilles de pommes de terre, grossièrement écrasées*	*375 ml*
1/2 c. à t.	*sel*	*2 ml*
2 c. à t.	*assaisonnement au chili*	*10 ml*
1	*poulet à frire de 3 1/2 lb (1,6 kg), en morceaux*	*1*
1/3 tasse	*lait évaporé*	*80 ml*
	sauce épicée (recette ci-après)	

Chauffer le four à 350 °F (175 °C). Doubler de papier d'aluminium, un plat à cuire de 13 x 9 x 2 po (33 x 23 x 5 cm).

Mêler les croustilles, le sel et l'assaisonnement au chili, dans un plat peu profond.

Tremper les morceaux de poulet dans le lait évaporé et les rouler ensuite dans les croustilles écrasées pour bien les enrober. Les mettre dans le plat à cuire, le côté garni de peau sur le dessus. Cuire au four, 1 1/2 heure ou jusqu'à ce que le poulet soit très tendre. Servir avec la sauce épicée.

4 PORTIONS

Sauce épicée

1 c. à s.	*huile à cuisson*	*15 ml*
1	*oignon moyen, haché*	*1*
1/2	*poivron vert moyen, haché*	*1/2*
19 oz	*tomates en conserve*	*540 ml*
1 c. à t.	*sucre*	*5 ml*
3/4 c. à t.	*assaisonnement au chili*	*3 ml*
3/4 c. à t.	*sel*	*3 ml*
3 gouttes	*sauce Tabasco*	*3 gouttes*
1/3 tasse	*olives farcies, tranchées*	*80 ml*

Chauffer l'huile dans une casserole. Y cuire l'oignon et le poivron, 3 minutes à feu doux, en brassant. Ajouter tous les autres ingrédients et laisser mijoter 30 minutes, à découvert, en brassant de temps à autre.

Poule à l'étuvée

1	*poule de 5 lb (2,2 kg), en morceaux*	*1*
	eau bouillante	
1	*grosse carotte, en morceaux*	*1*
1	*grosse branche de céleri (avec les feuilles), en morceaux*	*1*
1	*épaisse tranche d'oignon*	*1*
4	*grosses brindilles de persil*	*4*
6	*grains de poivre*	*6*
6	*clous de girofle*	*6*
1	*petite feuille de laurier*	*1*
2 c. à t.	*sel*	*10 ml*

Laver les morceaux de poule et les mettre dans une grande marmite. Couvrir d'eau bouillante. Ajouter les autres ingrédients et porter à ébullition. Baisser le feu, couvrir et faire mijoter, 2 à 3 heures ou jusqu'à ce que ce soit tendre. Laisser refroidir.

Retirer la poule du bouillon et la désosser en gardant les morceaux de viande aussi gros que possible; jeter les os. Tamiser le bouillon et le réfrigérer; enlever la couche de graisse sur le dessus. Garder séparément, au réfrigérateur, la viande, le bouillon et la graisse jusqu'à ce que vous en ayez besoin.

ENVIRON 4 TASSES (1 L) DE VIANDE
ET DE 3 À 4 TASSES (750 ML À 1 L) DE BOUILLON

Poulets de Cornouailles avec sauce aux airelles

8	*poulets de Cornouailles, dégelés*	8
	sel et poivre	
	feuilles de laurier	
	gousses d'ail	
	clous de girofle	
8	*minces tranches d'oignon*	8
4	*tranches de citron*	4
8	*petites branches de feuilles de céleri*	8
8	*branches de persil*	8
4	*tranches de bacon*	4
2	*gros oignons, en quartiers*	2
3 tasses	*bouillon de poulet*	750 ml
1/4 tasse	*vermouth sec*	60 ml
3/4 tasse	*eau*	180 ml
1/3 tasse	*vinaigre blanc*	80 ml
6	*clous de girofle*	6
1	*bâton de cannelle, en morceaux*	1
14 oz	*compote d'airelles (voir note)*	398 ml
1/4 tasse	*eau froide*	60 ml
2 c. à s.	*fécule de maïs*	30 ml

Chauffer le four à 450 °F (230 °C). Avoir sous la main une rôtissoire peu profonde, suffisamment grande pour qu'on puisse y disposer les poulets les uns à côté des autres mais en les espaçant un peu.

Laver et bien assécher les poulets, à l'intérieur comme à l'extérieur. Saler et poivrer l'intérieur de chacun. Mettre, dans chaque poulet, 1 petit morceau de feuille de laurier, 1 éclat d'ail, 1 clou de girofle, 1 tranche d'oignon, 1/2 tranche de citron, 1 petite branche de feuilles de céleri et 1 brindille de persil. Brider les poulets, c'est-à-dire bien attacher les pattes et les ailes contre le corps, et les mettre dans la rôtissoire légèrement huilée. Déposer la moitié d'une tranche de bacon sur la poitrine de chaque poulet.

Mettre aussi, dans la rôtissoire les quartiers d'oignon, les abats des oiseaux, le bouillon de poulet et le vermouth.

Faire rôtir au four 15 minutes, à 450 °F (230 °C). Baisser le feu à 350 °F (175 °C) et continuer la cuisson 45 minutes ou jusqu'à ce que les poulets soient tendres. Arroser du jus de cuisson, de temps à autre, et retirer les tranches de bacon 15 minutes avant la fin du temps de cuisson.

Entre-temps, porter à ébullition 3/4 tasse (180 ml) d'eau et le vinaigre, ajouter les clous de girofle et le bâton de cannelle. Réduire le feu et laisser mijoter 10 minutes. Tamiser et remettre le liquide dans la casserole. Ajouter la compote d'airelles et chauffer, en brassant, pour bien mêler ces ingrédients. Mettre de côté pour la sauce.

Déposer les poulets dans un grand plat de service réchauffé et réserver dans le four chauffé au plus bas. Passer le jus de

→

cuisson, dans une tasse à mesurer, et y ajouter de l'eau, si nécessaire, pour obtenir 3 tasses (750 ml) de liquide. Mettre ce liquide dans une casserole et le porter à ébullition. Agiter ensemble, dans un petit bocal fermant hermétiquement, 1/4 tasse (60 ml) d'eau froide et 2 c. à s. (30 ml) de fécule de maïs; ajouter au liquide bouillant, petit à petit, et cuire en brassant, jusqu'à ce que la préparation soit épaisse et translucide. Goûter, saler et poivrer si on le désire. Ajouter le mélange aux airelles et bien chauffer. Servir avec les poulets.

Note: les airelles sont communément appelées canneberges ou atocas. Choisir la compote dans laquelle les fruits sont à peu près entiers.

8 PORTIONS

Foies de poulets et riz au four

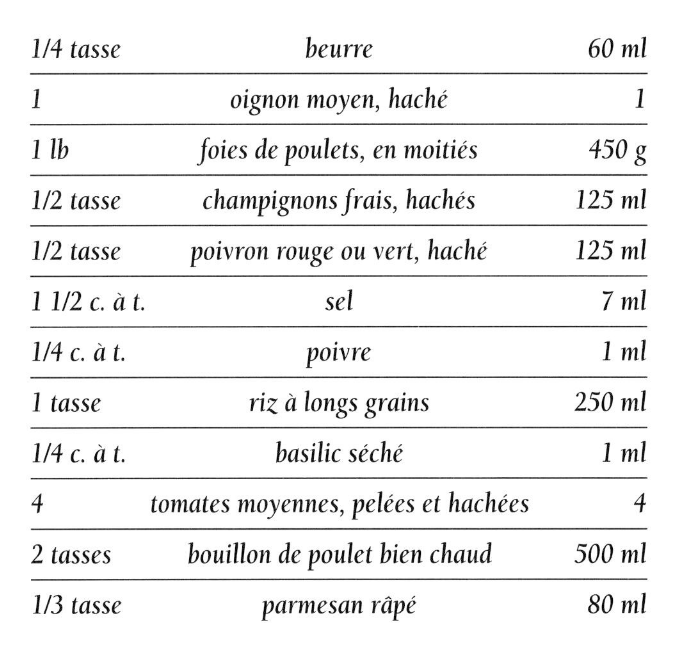

1/4 tasse	*beurre*	*60 ml*
1	*oignon moyen, haché*	*1*
1 lb	*foies de poulets, en moitiés*	*450 g*
1/2 tasse	*champignons frais, hachés*	*125 ml*
1/2 tasse	*poivron rouge ou vert, haché*	*125 ml*
1 1/2 c. à t.	*sel*	*7 ml*
1/4 c. à t.	*poivre*	*1 ml*
1 tasse	*riz à longs grains*	*250 ml*
1/4 c. à t.	*basilic séché*	*1 ml*
4	*tomates moyennes, pelées et hachées*	*4*
2 tasses	*bouillon de poulet bien chaud*	*500 ml*
1/3 tasse	*parmesan râpé*	*80 ml*

Chauffer le four à 350 °F (175 °C). Beurrer un plat à cuire de 12 tasses (3 L).

Chauffer le beurre dans une poêle épaisse. Y cuire l'oignon 3 minutes, à feu doux. Ajouter les foies de poulets et continuer la cuisson 1 minute, en brassant. Ajouter les champignons et le poivron et cuire 1 minute, en brassant. Ajouter le sel, le poivre et le riz et cuire, en brassant constamment, 3 minutes ou jusqu'à ce que le riz soit d'un beau doré.

Retirer du feu. Ajouter le basilic et les tomates et mettre le tout dans le plat à cuire. Arroser de bouillon bien chaud. Couvrir et cuire au four, 45 minutes ou jusqu'à ce que le riz soit tendre et ait absorbé à peu près tout le liquide. (S'il reste trop de liquide sur le riz, après le temps indiqué, continuer la cuisson, à découvert, jusqu'à ce qu'il disparaisse.) Retirer le plat du four et allumer le grilloir.

Parsemer de fromage râpé et remettre au four assez loin du feu. Faire griller toute la surface et servir immédiatement.

6 PORTIONS

Ci-contre : poulet de Cornouailles avec sauce aux airelles et foies de poulets et riz au four

Pâté à la dinde

1	*dinde de 8 lb (3,6 kg), en morceaux*	1
	eau	
2	*grosses carottes, grossièrement coupées*	2
2	*grosses branches de céleri (avec les feuilles), grossièrement coupées*	2
1	*petit oignon*	1
6	*clous de girofle*	6
6	*grosses brindilles de persil*	6
12	*grains de poivre*	12
1	*feuille de laurier*	1
3 c. à s.	*sel*	45 ml
1/4 tasse	*graisse de dinde ou beurre*	60 ml
1 lb	*champignons, tranchés*	450 g
2 tasses	*bouillon de dinde*	500 ml
12	*carottes moyennes, tranchées mince*	12
1	*pied de céleri moyen, tranché mince, en diagonale*	1
3 c. à t.	*sel*	45 ml
1/2 c. à t.	*poivre*	2 ml
2 c. à t.	*thym séché*	10 ml
1 c. à t.	*marjolaine séchée*	5 ml
1 c. à t.	*cerfeuil séché*	5 ml
1 tasse	*persil haché*	250 ml
1 lb	*jambon cuit, en languettes*	450 g
1 tasse	*beurre*	250 ml
1 tasse	*oignon haché*	250 ml
1 tasse	*farine*	250 ml
6 tasses	*liquide (de cuisson des légumes et bouillon de dinde)*	1,5 L
2 c. à t.	*sel*	10 ml
1/4 c. à t.	*poivre*	1 ml
1/4 c. à t.	*muscade*	1 ml
1 c. à s.	*jus de citron*	15 ml
2 tasses	*crème à 15 %*	500 ml
	pâte à tarte à la sauge (recette ci-après)	
1	*jaune d'œuf*	1
1 c. à s.	*eau froide*	15 ml

Mettre les morceaux de dinde dans une grande marmite et les couvrir d'eau froide. Ajouter 2 carottes, 2 branches de céleri, le petit oignon dans lequel on aura piqué les clous de girofle, les brindilles de persil, les grains de poivre, le laurier et le sel. Porter à ébullition, baisser le feu, couvrir et laisser mijoter, de 2 à 3 heures ou jusqu'à ce que la dinde soit tendre. Retirer les morceaux de dinde de la marmite et les laisser refroidir. Tamiser le bouillon, le laisser refroidir et le réfrigérer. Enlever la graisse à la surface du bouillon, et la mettre de côté. Désosser tous les morceaux de dinde et couper la viande en bouchées.

Réfrigérer le bouillon, la graisse et la viande jusqu'au moment de faire les pâtés (tous ces préparatifs peuvent se faire la veille). On devrait avoir environ 10 tasses (2,5 L) de viande et 14 tasses (3,5 L) de bouillon.

Avoir sous la main 2 plats à cuire de 3 pintes (4 L). Chauffer 1/4 tasse (60 ml) de beurre ou de graisse de dinde, dans une grande poêle épaisse. Y cuire les champignons 5 minutes, à feu doux et en brassant. Retirer du feu.

Chauffer 2 tasses (500 ml) de bouillon, dans une grande casserole, jusqu'à ébullition. Ajouter les 12 carottes tranchées minces et le pied de céleri tranché. Porter de nouveau à ébullition, baisser le feu, couvrir et cuire, 10 minutes ou pour que les légumes soient tendres mais un peu croquants. Égoutter, en conservant le liquide de cuisson.

Mêler, dans un petit plat, le sel, le poivre, le thym, la marjolaine, le cerfeuil et le persil haché.

Dans les 2 plats à cuire, étaler successivement des couches de dinde, de champignons, de légumes et de jambon, en saupoudrant les couches de légumes d'un peu du mélange de sel et de fines herbes. Utiliser ainsi tous les ingrédients cités.

Chauffer 1 tasse (250 ml) de beurre (remplacer, si on le désire, une partie du beurre par de la graisse de dinde), dans une grande casserole. Cuire l'oignon haché à feu doux en brassant, 3 minutes ou jusqu'à ce qu'il soit ramolli.

Saupoudrer de farine et laisser bouillonner un peu. Retirer du feu et ajouter 6 tasses (1,5 L) de liquide, d'un trait et en mêlant bien. Ajouter le sel, le poivre et la muscade. Continuer la cuisson, en brassant, jusqu'à ce que la sauce bouille et soit épaisse et lisse. Ajouter le jus de citron et la crème, en brassant.

Verser la moitié de cette sauce dans chaque plat, sur les légumes. Laisser tiédir.

Chauffer le four à 400 °F (205 °C), si l'on veut cuire les pâtés immédiatement (voir note).

Préparer la pâte à la sauge, en faire deux abaisses pour couvrir les pâtés. Souder bien la pâte aux plats, tout autour. Faire une grande fente dans chaque abaisse. Battre ensemble légèrement, à la fourchette, 1 jaune d'œuf et 1 c. à s. (15 ml) d'eau et en badigeonner les abaisses, sans cependant toucher à leurs bords. Cuire au four, 1 heure ou jusqu'à ce que l'intérieur des pâtés bouillonne et que les croûtes soient d'un beau brun doré. Servir très chaud.

Note: on peut préparer ces pâtés la veille du jour où on les sert. Les réfrigérer alors après les avoir recouverts de pâte. Les retirer du réfrigérateur 1 heure avant de les mettre au four pour les laisser se réchauffer un peu. Faire une fente dans les abaisses, les badigeonner du mélange au jaune d'œuf et les cuire comme nous l'indiquons.

Ci-dessus : pâté à la dinde

12 PORTIONS

Pâte à la sauge

2 tasses	*farine tout usage, tamisée*	500 ml
1 c. à t.	*sel*	5 ml
2 c. à t.	*sauge*	10 ml
2/3 tasse	*saindoux*	160 ml
	ou	
3/4 tasse	*graisse végétale*	180 ml
1/4 tasse	*eau glacée*	60 ml

Mettre la farine dans un bol. Ajouter le sel et la sauge et mêler à la fourchette. Ajouter le saindoux ou la graisse et couper grossièrement dans la farine, avec un mélangeur à pâtisserie ou avec deux couteaux. Ajouter l'eau petit à petit, en brassant chaque fois, à la fourchette, juste assez pour humecter toute la farine. Ramasser la pâte en boule et la presser fermement. En faire 2 abaisses et en couvrir les pâtés, comme nous l'indiquons dans la recette.

Dinde et farce aux huîtres

1 chopine	*huîtres fraîches*	*625 ml*
	farine	
1	*œuf, battu*	*1*
1 c. à s.	*lait*	*15 ml*
3/4 tasse	*craquelins, émiettés*	*180 ml*
1 c. à s.	*beurre*	*15 ml*
1 c. à s.	*huile à cuisson*	*15 ml*
1 tasse	*beurre*	*250 ml*
1/2 tasse	*oignon, haché*	*125 ml*
1 1/2 tasse	*céleri (avec les feuilles), haché*	*375 ml*
1 tasse	*poivron vert, haché*	*250 ml*
1 tasse	*champignons, tranchés*	*250 ml*
6 tasses	*pain frais, émietté*	*1,5 L*
1 c. à s.	*sel*	*15 ml*
1/2 c. à t.	*poivre*	*2 ml*
1/4 tasse	*persil, haché*	*60 ml*
1/2 c. à t.	*sauge*	*2 ml*
1/4 c. à t.	*romarin séché*	*1 ml*
1/4 c. à t.	*marjolaine séchée*	*1 ml*
1 c. à s.	*jus de citron*	*15 ml*
2 c. à s.	*jus des huîtres*	*30 ml*
1	*dinde de 12 lb (5,4 kg)*	*1*
	beurre fondu	

Égoutter les huîtres et les assécher sur du papier absorbant. Mesurer et mettre de côté 2 c. à s. (30 ml) du jus des huîtres. Passer les huîtres d'abord dans la farine, ensuite dans l'œuf, qu'on aura battu avec 1 c. à s. (15 ml) de lait, et finalement dans les miettes de craquelins.

Chauffer le beurre et l'huile dans une grande poêle épaisse et faire frire les huîtres 1 minute ou juste assez pour qu'elles soient légèrement brunies en les retournant avec une spatule. Retirer de la poêle et réserver.

Chauffer 1 tasse (250 ml) de beurre, dans la même poêle. Ajouter l'oignon, le céleri et le poivron. Cuire 3 minutes, à feu doux et en brassant. Ajouter les champignons et continuer la cuisson 2 minutes, en brassant. Ajouter la moitié des miettes de pain et continuer la cuisson, en brassant, jusqu'à ce que le pain soit légèrement bruni.

Mettre ce qui reste de miettes dans un grand bol. Ajouter le sel, le poivre, le persil, la sauge, le romarin et la marjolaine. Ajouter le mélange chaud de pain et de légumes, le jus de citron et le jus des huîtres mis de côté. Brasser délicatement.

Mettre un peu de farce dans la cavité du cou de la dinde, sans la tasser. Fermer l'ouverture avec des brochettes. Mettre une poignée de farce dans le corps de la dinde et ajouter quelques huîtres. Remplir la dinde en ajoutant, à tour de rôle, de la farce et des huîtres, sans toutefois tasser ces ingrédients. Bien fermer l'ouverture de la dinde, avec des brochettes; brider l'oiseau.

Chauffer le four à 325 °F (160 °C).

Mettre la dinde sur une clayette, dans une rôtissoire, et la badigeonner de beurre fondu. Couvrir, sans serrer, de papier d'aluminium. Faire rôtir environ 5 heures ou jusqu'à ce qu'un des pilons de la dinde bouge sous une légère pression. Découvrir 1 heure avant la fin du temps de cuisson, pour bien laisser brunir la dinde, et l'arroser du jus de cuisson à quelques reprises.

6 PORTIONS

Ci-dessus : divan de dinde

Divan de dinde

1/3 tasse	*beurre*	*80 ml*
1/3 tasse	*farine tout usage*	*80 ml*
3/4 c. à t.	*sel*	*3 ml*
1/4 c. à t.	*poivre*	*1 ml*
3 tasses	*lait*	*750 ml*
1/4 c. à t.	*moutarde en poudre*	*1 ml*
1/4 c. à t.	*sauce Worcestershire*	*1 ml*
1 tasse	*cheddar fort, râpé*	*250 ml*
20 oz	*brocoli, en morceaux*	*560 g*
1 c. à t.	*sel*	*5 ml*
1/4 c. à t.	*poivre*	*1 ml*
6	*grosses tranches de poitrine de dinde cuite*	*6*
2	*jaunes d'œufs, battus*	*2*
6	*épaisses tranches de tomates*	*6*

Chauffer le four à 375 °F (190 °C). Beurrer un plat de pyrex de 13 x 9 x 2 po (33 x 23 x 5 cm).

Faire fondre le beurre dans une casserole. Saupoudrer de farine. Saler et poivrer et laisser bouillonner un peu. Retirer du feu et ajouter le lait, d'un trait. Ajouter la moutarde et la sauce Worcestershire, bien mêler et continuer la cuisson à feu moyen, en brassant, jusqu'à ce que la sauce soit épaisse et lisse. Retirer du feu et ajouter, en brassant, environ les trois-quarts du fromage.

Faire cuire le brocoli environ 5 minutes; égoutter. Mettre dans le plat à cuire. Saler, poivrer et déposer les morceaux de dinde, en une seule couche, sur le brocoli.

Ajouter les jaunes d'œufs à la sauce au fromage, en battant; verser sur la dinde. Couronner de tranches de tomates et parsemer de fromage. Cuire au four, 10 à 15 minutes ou jusqu'à ce que la sauce bouillonne. Allumer alors le grilloir du four et faire griller.

6 PORTIONS

Oie rôtie garnie de farce à la sauge et à l'oignon

3 lb	*oignons*	*1,4 kg*
1/2 tasse	*beurre*	*125 ml*
1/2 tasse	*céleri (branches et feuilles) haché*	*125 ml*
6 tasses	*miettes de pain frais*	*1,5 L*
1 c. à s.	*sel*	*15 ml*
1/2 c. à t	*poivre*	*2 ml*
1 c. à s.	*sauge*	*15 ml*
1 c. à t.	*sarriette séchée*	*5 ml*
1/2 c. à t.	*marjolaine séchée*	*2 ml*
1/4 c. à t.	*muscade*	*1 ml*
1	*oie de 10 à 12 lb (4,5 à 5,4 kg)*	*1*
1 c. à s.	*jus de citron*	*15 ml*
	sel et poivre	
2 cubes	*bouillon de poulet déshydraté*	*2 cubes*
4 tasses	*eau bouillante*	*1 L*
	sauce aux abats (recette ci-après)	

Éplucher les oignons (couper les gros en quatre) et les mettre dans une grande casserole. Couvrir d'eau bouillante et faire mijoter, à couvert, 15 minutes ou jusqu'à ce que ce soit tendre. Égoutter; hacher grossièrement.

Chauffer le beurre dans une grande poêle épaisse. Y cuire le céleri à feu doux, en brassant, pendant 3 minutes. Ajouter la moitié des miettes de pain et cuire à feu doux, en brassant, jusqu'à ce qu'elles soient légèrement brunies.

Mettre ce qui reste des miettes dans un grand bol. Ajouter le sel, le poivre, la sauge, la sarriette, la marjolaine et la muscade et brasser délicatement. Ajouter les oignons et le mélange au céleri et mêler délicatement. Laisser refroidir. Ceci constitue la farce.

Chauffer le four à 400 °F (205 °C). Bien frotter l'oie de jus de citron, à l'intérieur et à l'extérieur. Saler et poivrer généreusement, à l'intérieur. Remplir de farce la cavité du cou; bien fermer l'ouverture en fixant la peau du cou au corps de l'oiseau avec une brochette. Remplir de farce le corps de l'animal; fermer l'ouverture avec des brochettes et réunir celles-ci avec une corde comme avec un lacet. Attacher les pattes et les ailes au corps et piquer la peau un peu partout, avec une fourchette, pour laisser échapper la graisse fondue pendant la cuisson.

Mettre l'oie, la poitrine en dessous, sur une clayette dans une rôtissoire. Dissoudre les cubes de bouillon dans 2 tasses d'eau bouillante; verser sur l'oie.

Faire rôtir au four, à découvert, pendant 1 heure.

Enlever de la rôtissoire, tout le jus de cuisson et le jeter. Retourner l'oie dans la rôtissoire, c'est-à-dire la placer le dos en dessous, et arroser de 2 tasses (500 ml) d'eau bouillante. Continuer la cuisson pendant 1 heure. Enlever et jeter le jus de cuisson. Piquer l'oie un peu partout et continuer la cuisson environ 1 1/2 heure ou jusqu'à ce que la chair soit tendre. Mettre l'oie dans un plat chaud et garder au chaud pendant la préparation de la sauce.

Note: la proportion de graisse et d'os par rapport à la chair est assez forte dans le cas de l'oie. En conséquence, allouer 1 lb (450 g) d'oie par personne.

10 À 12 PORTIONS

Ci-contre : oie rôtie garnie de farce à la sauge et à l'oignon

Sauce aux abats

	abats de l'oie (excepté le foie)	
	eau bouillante	
1/4 tasse	*feuilles de céleri*	*60 ml*
2	*grosses brindilles de persil*	2
1	*grosse carotte, grossièrement coupée*	1
4	*grains de poivre*	4
1/2 c. à t.	*sel*	*2 ml*
	jus de cuisson de l'oie	
1/4 tasse	*farine tout usage*	*60 ml*
	eau bouillante	

Mettre les abats dans une casserole, pendant la cuisson de l'oie. Couvrir d'eau bouillante et ajouter le céleri, le persil, la carotte, le poivre et le sel. Porter à ébullition, baisser le feu, couvrir et faire mijoter environ 2 heures. Retirer les abats et passer le liquide, en jetant les légumes. Hacher finement les abats.

Ne laisser, dans la rôtissoire, que 1/4 tasse (60 ml) du jus de cuisson. Mettre la rôtissoire directement sur le feu et chauffer le jus. Saupoudrer de farine, brasser et laisser bouillonner et brunir légèrement. Ajouter le liquide de cuisson des abats, petit à petit et en brassant pour que le mélange redevienne lisse après chaque addition. Ajouter suffisamment d'eau bouillante pour donner à la sauce la consistance désirée. Goûter, saler et poivrer si nécessaire. Ajouter les abats hachés et bien chauffer.

Canardeaux à l'orange

2	*canardeaux de 4 à 5 lb (1,8 à 2,2 kg) chacun*	2
1/3 tasse	*beurre*	*80 ml*
1	*grosse carotte, grossièrement hachée*	1
1	*oignon moyen, grossièrement haché*	1
2	*grosses brindilles de persil*	2
1	*bouquet de céleri (2 branchettes)*	1
1	*petite feuille de laurier*	1
1 c. à t.	*sarriette séchée*	*5 ml*
	sel et poivre	
2 tasses	*vin blanc*	*500 ml*
2 tasses	*bouillon brun (recette ci-après)*	*500 ml*
2	*oranges*	2
2 c. à s.	*eau froide*	*30 ml*
1 c. à t.	*fécule de maïs*	*5 ml*
2	*oranges*	2
	gelée d'airelles ou de groseilles rouges	
	brindilles de persil ou cresson	

Bien assécher les canardeaux, à l'intérieur et à l'extérieur.

Chauffer le beurre, dans une petite casserole, jusqu'à ce qu'il mousse. L'écumer et jeter la mousse. Verser l'huile obtenue dans une grande poêle épaisse et la chauffer. Bien dorer les canardeaux, de tous les côtés, dans ce beurre clarifié.

Chauffer le four à 325 °F (160 °C).

Mettre la carotte, l'oignon, le persil, le céleri, le laurier et la sarriette dans une très grande rôtissoire possédant un bon couvercle. Bien saler et poivrer les canardeaux, à l'intérieur et à l'extérieur, et les déposer sur les légumes dans la rôtissoire. Ajouter le vin et le bouillon brun. Couvrir et faire rôtir au four, 2 heures ou jusqu'à ce que les canardeaux soient tendres. Découvrir et continuer la cuisson pour rendre la peau croustillante.

Entre-temps, presser 2 oranges. Tamiser le jus et le mettre de côté pour la sauce. Couper les pelures et retirer toute la partie blanche de l'intérieur. Couper la partie orange des pelures en aiguillettes. Mettre dans une petite casserole, couvrir d'eau bouillante et faire mijoter, à couvert, pendant 10 minutes ou jusqu'à ce que ce soit tendre. Égoutter et mettre de côté pour la sauce.

Enlever les canardeaux de la rôtissoire, les mettre dans un plat de service chaud et réserver au chaud.

Passer le jus de cuisson, jeter les légumes et refroidir le jus rapidement en plaçant le plat qui le contient dans de l'eau glacée. Dégraisser. Mettre le jus dégraissé dans une casserole et le faire bouillir vivement, à découvert, pour le réduire environ au quart de sa quantité initiale.

Bien mêler l'eau et la fécule de maïs et ajouter au jus de cuisson bouillant, petit à petit en brassant. Baisser le feu. Ajouter le jus d'orange et les aiguillettes de pelure d'orange et faire mijoter 5 minutes.

Couper 2 oranges en tranches épaisses et en garnir le plat de service. Mettre une touche de gelée au centre de chaque tranche d'orange et compléter la décoration du plat avec des petites branches de persil ou de cresson. Servir, en nappant chaque portion de canardeau, d'un peu de sauce.

6 À 8 PORTIONS

Bouillon brun

1 1/2 lb	*jarret de bœuf, en morceaux*	*675 g*
1 1/2 lb	*os de veau*	*675 g*
2 c. à s.	*huile à cuisson*	*30 ml*
2	*carottes, grossièrement coupées*	*2*
2	*oignons, tranchés*	*2*
6	*grains de poivre*	*6*
4	*clous de girofle*	*4*
1 c. à s.	*sel*	*30 ml*
16 tasses	*eau bouillante*	*4 L*
1	*bouquet de céleri (2 branchettes)*	*1*
2	*grosses brindilles de persil*	*2*
1	*petite feuille de laurier*	*1*

Chauffer le four à 375 °F (190 °C).

Mettre le jarret de bœuf et les jointures de veau dans un grand plat à cuire peu profond et les arroser d'huile. Cuire au four, 30 minutes ou jusqu'à ce que les morceaux soient bien brunis, en les retournant deux ou trois fois. Parsemer de carottes et d'oignons et continuer la cuisson, 10 minutes ou jusqu'à ce que les légumes soient un peu brunis.

Mettre dans une grande marmite et ajouter tous les autres ingrédients. Porter à ébullition, écumer, baisser le feu au plus bas, couvrir et faire mijoter, 3 heures ou jusqu'à ce que la viande se détache des os.

Laisser refroidir, dégraisser et tamiser le bouillon. Mettre dans des bocaux et ranger au réfrigérateur. On peut aussi congeler ce bouillon en prenant soin de ne remplir les bocaux que jusqu'à 2 po (5 cm) du bord (le bouillon prend de l'expansion en congelant et casserait les bocaux). Utiliser pour les canardeaux ou pour des soupes.

Ci-dessus : canardeaux à l'orange

Faisans et riz sauvage

2	*faisans d'environ 2 1/2 lb (1,1 kg) chacun*	2
4	*oignons verts, finement tranchés*	4
2	*grosses branches de feuilles de céleri*	2
2	*grosses brindilles de persil*	2
6 c. à s.	*beurre clarifié (voir note)*	*90 ml*
	sel et poivre	
2 tasses	*vin rouge sec*	*500 ml*
1/2 lb	*champignons frais*	*225 g*
1 c. à s.	*beurre*	*15 ml*
1 c. à s.	*farine*	*15 ml*
12	*petits oignons blancs*	12
1 tasse	*riz sauvage*	*250 ml*
1 c à t.	*sel*	*5 ml*
1/4 tasse	*beurre fondu*	*60 ml*
1/4 tasse	*persil haché*	*60 ml*

Dégeler les faisans, s'il y a lieu. Les laver et bien les assécher avec du papier absorbant. Mettre les oignons verts, le céleri et le persil à l'intérieur des oiseaux.

Chauffer le beurre clarifié dans une grande poêle épaisse. Y faire dorer les oiseaux, en les tournant souvent pour qu'ils soient d'un couleur uniforme; cette opération prend environ 30 minutes.

Les mettre dans un plat à cuire beurré juste assez grand pour qu'ils puissent y tenir côte à côte. Saler et poivrer.

Chauffer le four à 375 °F (190 °C).

Verser le vin dans la poêle déjà utilisée. Ajouter les pédicules des champignons et cuire à feu vif, en grattant la poêle pour en détacher les petites particules rôties, jusqu'à ce que le liquide soit réduit de moitié. Baisser le feu. Travailler ensemble 1 c. à s. (15 ml) de beurre et la farine et ajouter par parcelles au liquide bouillant. Cuire, en brassant, jusqu'à un léger épaississement. Saler et poivrer au goût. Enduire les faisans de ce mélange.

Éplucher les oignons, les couvrir d'eau bouillante et les faire mijoter, 5 minutes, ou jusqu'à ce qu'ils commencent à être tendres. Les égoutter et les ajouter aux faisans. Couvrir et cuire au four, 1 heure ou jusqu'à ce que les faisans soient très tendres.

Entre-temps, mettre le riz dans une casserole et le couvrir d'eau bouillante. Saler, couvrir et faire mijoter, à feu bas, 40 minutes ou jusqu'à ce que les grains soient tendres. Vérifier après 30 minutes de cuisson, et ajouter un peu d'eau, si nécessaire. Une fois le riz tendre, le gonfler un peu, à la fourchette, et continuer la cuisson 5 minutes, à découvert.

Hacher les têtes des champignons. Chauffer 1/4 tasse (60 ml) de beurre, dans une grande poêle épaisse, et y cuire les champignons 2 minutes, en brassant. Retirer du feu, ajouter le persil, mêler et ajouter au riz. Brasser délicatement à la fourchette. Servir avec les faisans.

Note: pour clarifier du beurre, le chauffer, dans une petite casserole jusqu'à ce qu'il forme une sorte d'écume. Enlever cette écume. Verser l'huile claire qui reste (le beurre clarifié) dans un autre récipient. Jeter les résidus.

4 PORTIONS

Poissons e

fruits de mer

Poissons et fruits de mer

Poissons de mer et d'eau douce, crustacés, coquillages... l'eau des rivières, des lacs, des océans nous prodigue ses bontés à l'infini. Et il faut savoir en profiter. Bien des gens qui disent ne pas aimer le poisson changent d'avis quand ils le mangent bien préparé.

La chair de tous les poissons est tendre au départ. Comme elle est aussi délicate, il faut la cuire lentement et avec beaucoup d'attention. Si la pièce à cuire est mince, la cuisson sera suffisante dès que la chair aura perdu sa transparence. Si la pièce est plus épaisse, il faut veiller à ce que la cuisson ne lui fasse pas perdre son humidité. Un poisson trop cuit s'effeuillera facilement et sera sec au toucher. C'est pourquoi de nombreux chefs préconisent la cuisson du poisson et des fruits de mer en milieu humide (au court bouillon, par pochage, à la vapeur ou bien en papillotes), bien qu'une cuisson attentive à la poêle, au gril ou au four fera tout aussi bien l'affaire.

Le poisson est une excellente source de protéines. Il est riche également en phosphore, magnésium, en cuivre, en fer, en iode, en vitamine B ainsi qu'en vitamines A et D pour les poissons dits « gras », mais qui ne le sont pas plus que les animaux de boucherie.

Aiglefin en casserole

2 lb	*filets d'aiglefin*	*900 g*
1	*bouquet de feuilles de céleri (2 petites branches)*	*1*
2	*brindilles de persil*	*2*
1/4 c. à t.	*thym séché*	*1 ml*
1	*petit morceau de feuille de laurier*	*1*
1 c. à s.	*jus de citron*	*15 ml*
2	*grains de poivre*	*2*
1 c. à t.	*sel*	*5 ml*
	eau bouillante	
3 c. à s.	*beurre*	*45 ml*
1	*oignon moyen, en lamelles*	*1*
2 tasses	*champignons tranchés*	*500 ml*
1/4 tasse	*pimento, en allumettes*	*60 ml*
1/4 tasse	*beurre*	*60 ml*
1/4 tasse	*farine*	*60 ml*
1 tasse	*court-bouillon (dans lequel on a cuit le poisson)*	*250 ml*
1/2 c. à t.	*sel*	*2 ml*
1/4 c. à t.	*poivre*	*1 ml*
1/4 c. à t.	*estragon séché*	*1 ml*
1 pincée	*marjolaine séchée*	*1 pincée*
1 pincée	*cerfeuil séché*	*1 pincée*
1 tasse	*crème à 15 %*	*250 ml*
2	*jaunes d'œufs*	*2*
1 tasse	*cubes de pain, de 1/4 po (0,5 cm)*	*250 ml*
2 c. à s.	*beurre fondu*	*30 ml*

Chauffer le four à 325 °F (160 °C). Beurrer un plat à cuire de 12 x 7 x 2 po (30,5 x 18 x 5 cm).

Couper le poisson en portions et le mettre dans une grande poêle épaisse. Ajouter le céleri, le persil, le thym, le laurier, le jus de citron, les grains de poivre et le sel. Couvrir d'eau bouillante. Porter à ébullition, réduire le feu et faire mijoter 5 minutes ou juste assez pour que le poisson se défasse à la fourchette. Retirer le poisson du court-bouillon, tamiser ce dernier et en conserver 1 tasse (250 ml) pour la sauce.

Faire fondre 3 c. à s. (45 ml) de beurre dans la poêle déjà utilisée et y cuire l'oignon à feu doux, en brassant, pendant 3 minutes. Ajouter les champignons et continuer la cuisson, en brassant, pendant 2 minutes. Retirer du feu et ajouter le pimento, en mêlant.

Faire fondre 1/4 tasse (60 ml) de beurre, dans une casserole. Saupoudrer de farine, en mêlant. Retirer du feu et ajouter 1 tasse (250 ml) de court-bouillon, d'un seul coup et en brassant. Saler, poivrer, ajouter l'estragon, la marjolaine et le cerfeuil. Bien mêler et continuer la cuisson à feu moyen, en brassant constamment, jusqu'à ce que la sauce bouille et soit épaisse et lisse. Battre ensemble à la fourchette, la crème et les jaunes d'œufs et ajouter au mélange chaud, en brassant. Chauffer sans toutefois laisser bouillir.

Mettre un peu de sauce dans le plat à cuire et y déposer les morceaux de poisson. Parsemer du mélange d'oignon et de champignons et recouvrir de ce qui reste de sauce.

Mêler les cubes de pain et le beurre fondu et brasser délicatement pour bien enduire les cubes. Étendre sur le plat.

Cuire au four 30 minutes ou jusqu'à ce que la sauce bouillonne et que la surface soit légèrement brunie.

4 À 6 PORTIONS

Ci-dessus : aiglefin relevé de pamplemousse

Aiglefin relevé de pamplemousse

1 1/2 lb	*filets d'aiglefin*	*675 g*
1 c. à t.	*sel*	*5 ml*
1/8 c. à t.	*poivre*	*0,5 ml*
2 c. à s.	*jus de pamplemousse*	*30 ml*
3/4 tasse	*cubes de pain de 1/2 po (1,25 cm)*	*180 ml*
3 c. à s.	*beurre fondu*	*45 ml*
1/4 c. à t.	*thym séché*	*1 ml*
1	*pamplemousse, en suprêmes*	*1*
	beurre fondu	

Chauffer le four à 400 °F (205 °C). Beurrer un plat à cuire peu profond d'environ 12 x 7 x 2 po (30,5 x 18 x 5 cm).

Couper le poisson en portions. Saler et poivrer les morceaux, de chaque côté, et les déposer dans le plat, en une couche simple. Asperger de jus de pamplemousse.

Mêler les cubes de pain, le beurre et le thym; mettre sur le poisson. Cuire au four 15 minutes. Disposer les suprêmes de pamplemousse sur le poisson, les badigeonner légèrement de beurre fondu et continuer la cuisson, 10 minutes ou jusqu'à ce que le poisson se défasse à la fourchette. Servir immédiatement.

4 PORTIONS

Poisson au four

2 lb	*filets de poisson congelés (sole ou aiglefin)*	*900 g*
1/2 tasse	*babeurre*	*125 ml*
2 c. à t.	*sel*	*10 ml*
1/8 c. à t.	*poivre*	*0,5 ml*
1/2 c. à t.	*thym séché*	*2 ml*
1 tasse	*chapelure fine*	*250 ml*
2 c. à s.	*persil finement haché*	*30 ml*
2 c. à s.	*huile à cuisson*	*30 ml*
	sauce tartare chaude (recette ci-après)	

Dégeler le poisson juste assez pour pouvoir séparer les filets. Chauffer le four à 500 °F (260 °C). Huiler un plat de pyrex, de 13 x 9 x 2 po (33 x 23 x 5 cm).

Passer les filets d'abord dans le babeurre, auquel on aura ajouté le sel, le poivre et le thym, ensuite dans la chapelure et finalement dans le persil haché pour les enrober des deux côtés. Mettre les filets dans le plat à cuire, en une couche simple si possible. Arroser d'huile.

Cuire au four, de 15 à 20 minutes ou jusqu'à ce que le poisson soit doré et s'émiette facilement à la fourchette. Ne pas retourner les filets. Servir immédiatement, avec la sauce tartare.

6 PORTIONS

Sauce tartare chaude

1 c. à s.	*beurre*	*15 ml*
1 c. à s.	*farine*	*15 ml*
1/2 tasse	*lait*	*125 ml*
1/4 c. à t.	*sel*	*1 ml*
1 pincée	*poivre*	*1 pincée*
1/4 tasse	*mayonnaise*	*60 ml*
1/2 c. à t.	*oignon râpé*	*2 ml*
6	*petites olives farcies, finement hachées*	*6*
1 c. à s.	*cornichons sucrés au vinaigre, finement hachés*	*15 ml*
1 c. à s.	*persil finement haché*	*15 ml*

Faire fondre le beurre, dans une petite casserole. Ajouter la farine et bien mêler. Retirer du feu et ajouter le lait, d'un trait. Saler et poivrer. Continuer la cuisson à feu moyen, en brassant, jusqu'à ce que la sauce bouille et soit épaisse et lisse.

Ajouter tous les autres ingrédients et chauffer sans toutefois laisser bouillir. Servir très chaud.

Ci-contre : poisson au four

Poisson à la reine

1 lb	*filets d'aiglefin congelés*	*450 g*
2 c. à s.	*beurre ou margarine*	*30 ml*
2 c. à s.	*farine*	*30 ml*
1/2 c. à t.	*sel*	*2 ml*
1/8 c. à t.	*poivre de Cayenne*	*0,5 ml*
1 tasse	*lait*	*250 ml*
1 c. à s.	*pimento en conserve, haché*	*15 ml*
1 tasse	*petits pois cuits*	*250 ml*
	riz bien chaud, pommes de terre en riz ou pommes de terre au four	

Couper le bloc de poisson en trois morceaux. Mettre 1 1/2 po (3,75 cm) d'eau dans une grande poêle épaisse et porter à ébullition. Ajouter le poisson et le faire mijoter, 10 minutes ou jusqu'à ce qu'il se défasse facilement à la fourchette. Retirer le poisson de l'eau, avec une spatule à œufs, et l'émietter dans un bol.

Chauffer le beurre ou la margarine dans une casserole moyenne. Saupoudrer de farine, de sel et de poivre de Cayenne et bien mêler. Retirer du feu et ajouter le lait, d'un trait et en mêlant bien. Continuer la cuisson à feu moyen, en brassant, jusqu'à ce que la sauce soit épaisse et lisse. Ajouter le pimento, les petits pois et le poisson émietté et chauffer environ 4 minutes à feu doux, en brassant de temps à autre.

Servir avec du riz ou des pommes de terre.

4 PORTIONS

Poisson en pâte à la bière

2 lb	*poisson (aiglefin ou morue), frais ou congelé*	*900 g*
	huile à friture	
	jus de citron	
1 tasse	*farine tout usage, tamisée*	*250 ml*
1 c. à t.	*sel*	*5 ml*
1 c. à s.	*paprika*	*15 ml*
12 oz	*bière*	*350 g*
	farine	

Dégeler le poisson, s'il y a lieu, pour pouvoir bien séparer les filets.

Chauffer l'huile à 400 °F (205 °C), dans une casserole profonde ou une friteuse électrique. (Il faut remplir la casserole au tiers, environ). Couper le poisson en portions et arroser d'un peu de jus de citron.

Tamiser ensemble dans un bol, la farine, le sel et le paprika. Ajouter la bière, petit à petit et en battant jusqu'à ce que la pâte soit lisse.

Mettre un peu de farine dans un plat peu profond et y passer les morceaux de poisson pour bien les enfariner des deux côtés. Les tremper ensuite dans la pâte à la bière et bien les enrober.

Faire frire dans l'huile chaude, environ 4 minutes, en retournant les morceaux une fois. La panure doit être croustillante et d'un beau brun doré et le poisson, complètement cuit. Égoutter sur du papier absorbant et servir très chaud.

4 À 6 PORTIONS

Sole amandine

1/2 tasse	*farine*	*125 ml*
1 c. à t.	*sel*	*5 ml*
1/4 c. à t.	*poivre*	*1 ml*
1 c. à t.	*paprika*	*5 ml*
2 lb	*filets de sole*	*900 g*
3 c. à s.	*beurre*	*45 ml*
3 c. à s.	*amandes, en allumettes*	*45 ml*
3 c. à s.	*ciboulette hachée*	*45 ml*
3 c. à s.	*jus de citron*	*45 ml*
1 c. à t.	*zeste de citron râpé*	*5 ml*
1/3 tasse	*huile à salade*	*80 ml*

Mêler, dans un plat peu profond, la farine, le sel, le poivre et le paprika. Couper le poisson en portions après l'avoir dégelé, s'il y a lieu; passer les morceaux dans la farine assaisonnée pour bien les enrober des deux côtés.

Chauffer le beurre dans une petite poêle épaisse. Y faire dorer les amandes à feu doux, en brassant. Ajouter la ciboulette, le jus et le zeste de citron.

Chauffer l'huile dans une grand poêle épaisse et y faire frire le poisson vivement, jusqu'à ce qu'il soit bien doré des deux côtés. Disposer dans un plat de service chaud et couvrir de beurre aux amandes. Servir immédiatement.

6 PORTIONS

Sole et asperges

1 lb	*filets de sole congelés*	*450 g*
10 oz	*asperges congelées*	*280 g*
2 c. à s.	*huile à cuisson*	*30 ml*
1/2 c. à t.	*sel*	*2 ml*
1 c. à s.	*huile*	*15 ml*
1/2 c. à t.	*sel*	*2 ml*
	poivre noir	
1/2 tasse	*eau froide*	*125 ml*
1 c. à t.	*fécule de maïs*	*5 ml*

Dégeler la sole suffisamment pour en séparer les filets. Les couper en portions, si nécessaire.

Couper les asperges encore congelées, en diagonale, en bouts de 1 po (2,5 cm).

Chauffer 2 c. à s. (30 ml) d'huile dans une poêle épaisse. Y mettre les asperges et saupoudrer de sel. Cuire à feu vif, en brassant constamment ou en secouant la poêle, jusqu'à ce que les asperges soient dégelées, bien chaudes mais à peine cuites. Les retirer de la poêle avec une cuillère perforée et les mettre dans un plat de service. Réserver au chaud.

Ajouter 1 c. à s. (15 ml) d'huile au jus de cuisson dans la poêle. Y cuire vivement les morceaux de poisson, pendant 2 minutes. Tourner les morceaux délicatement, saler et poivrer légèrement et continuer la cuisson 2 minutes ou jusqu'à ce que le poisson se défasse facilement à la fourchette. Mettre dans le plat de service, à côté des asperges.

Entre-temps, mêler l'eau et la fécule de maïs. Ajouter au jus de cuisson, sitôt le poisson retiré de la poêle, petit à petit et en brassant. Cuire, en brassant, jusqu'à ce que cette sauce soit légèrement épaissie et translucide. Verser sur le poisson et servir immédiatement.

3 PORTIONS

Ci-contre : sole et avocat

Sole et avocat

1 lb	*filets de sole, frais ou congelés*	*450 g*
	sel et poivre	
1 c. à s.	*jus de limette*	*15 ml*
1	*gros avocat*	*1*
1/4 tasse	*farine*	*1*
1/4 tasse	*beurre*	*60 ml*
1/4 tasse	*crème à 15 %*	*60 ml*
1 1/2 c. à t.	*jus de limette*	*7 ml*
1/4 tasse	*noix de coco râpée, rôtie*	*60 ml*

Dégeler le poisson, s'il y a lieu, suffisamment pour pouvoir séparer les filets. Déposer en une couche simple, dans un grand plat peu profond. Saler et poivrer légèrement et arroser de jus de limette. Laisser reposer 10 minutes.

Couper l'avocat en deux et retirer le noyau. Le peler et le couper en cubes de 1/2 po (1,25 cm).

Mettre la farine dans un plat peu profond.

Chauffer 2 c. à s. (30 ml) de beurre, dans une grande poêle épaisse. Passer les filets dans la farine et les faire brunir d'un côté dans le beurre bien chaud. Ajouter 1 c. à s. (15 ml) de beurre et retourner les filets; les faire brunir sans toutefois les cuire trop longtemps. Disposer dans un plat de service chaud.

Ajouter dans la poêle, ce qui reste de beurre, la crème et les cubes d'avocat. Chauffer à feu doux, en brassant, pendant 1 minute. Verser sur le poisson. Arroser de jus de limette et parsemer de noix de coco. Servir immédiatement.

2 OU 3 PORTIONS

Rouleaux de sole nappés de sauce au citron

2 lb	*filets de sole*	*900 g*
3 tasses	*eau*	*750 ml*
2	*minces tranches d'oignon*	2
1	*carotte moyenne, tranchée*	1
1	*petit morceau de feuille de laurier*	1
1	*petit bouquet de feuilles de céleri*	1
2	*brindilles de persil*	2
2	*grains de piment de la Jamaïque*	2
6	*grains de poivre*	6
2 c. à t.	*sel*	*10 ml*
2 c. à s.	*beurre*	*30 ml*
2 c. à s.	*farine*	*30 ml*
1 tasse	*bouillon de cuisson du poisson*	*250 ml*
1 c. à s.	*jus de citron*	*15 ml*
1 pincée	*poivre*	*1 pincée*
1	*jaune d'œuf*	1
1/4 tasse	*crème à 35 %*	*1 ml*
2 c. à s.	*persil*	*30 ml*

Fendre les filets de sole en deux, en suivant la ligne qui les divise naturellement, pour en faire deux étroites bandes. Rouler ces bandes sur elles-mêmes et fixer les rouleaux avec des cure-dents.

Chauffer ensemble, dans une poêle épaisse et profonde, l'eau, l'oignon, la carotte, le laurier, les feuilles de céleri, le persil, le piment de la Jamaïque, les grains de poivre et le sel. Couvrir et faire bouillir 10 minutes.

Ajouter les rouleaux de poisson, couvrir de nouveau et faire mijoter 10 minutes ou jusqu'à ce que le centre des petits rouleaux soit tendre. Les retirer du bouillon, les débarrasser des cure-dents et les disposer dans un plat de service chaud. Garder bien chaud.

Tamiser le bouillon de cuisson et en conserver 1 tasse (250 ml) pour la sauce.

→

Faire fondre le beurre dans une petite casserole. Saupoudrer de farine et bien mêler. Retirer du feu et ajouter 1 tasse (250 ml) du bouillon réservé, le jus de citron et le poivre. Bien mêler.

Continuer la cuisson à feu moyen, en brassant sans arrêt, jusqu'à ce que la sauce bouille et soit épaisse et lisse. Battre ensemble à la fourchette, le jaune d'œuf et la crème et ajouter un peu de sauce chaude à ce mélange, en brassant. Remettre le tout dans la casserole et chauffer sans toutefois laisser bouillir. Ajouter le persil. Verser sur le poisson et servir immédiatement.

4 À 6 PORTIONS

Sole à la sauce aux crevettes

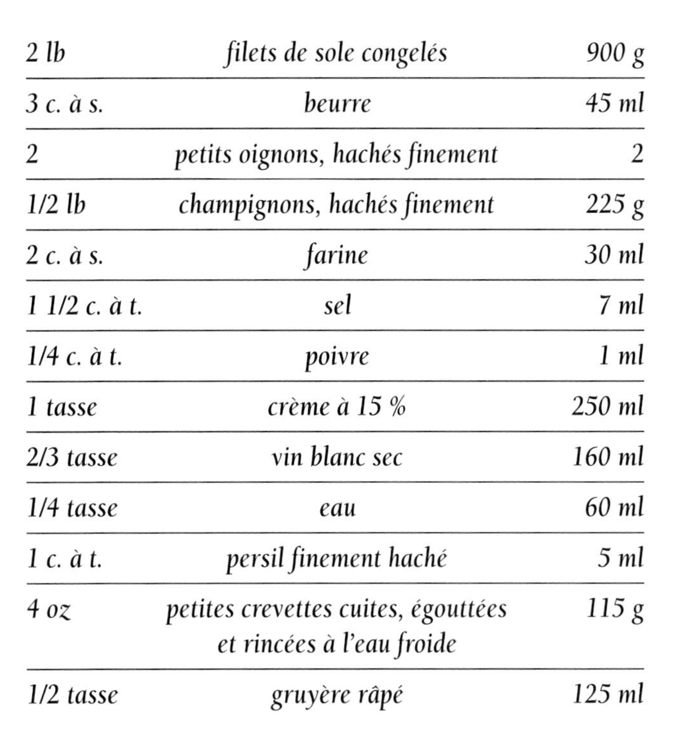

2 lb	*filets de sole congelés*	*900 g*
3 c. à s.	*beurre*	*45 ml*
2	*petits oignons, hachés finement*	*2*
1/2 lb	*champignons, hachés finement*	*225 g*
2 c. à s.	*farine*	*30 ml*
1 1/2 c. à t.	*sel*	*7 ml*
1/4 c. à t.	*poivre*	*1 ml*
1 tasse	*crème à 15 %*	*250 ml*
2/3 tasse	*vin blanc sec*	*160 ml*
1/4 tasse	*eau*	*60 ml*
1 c. à t.	*persil finement haché*	*5 ml*
4 oz	*petites crevettes cuites, égouttées et rincées à l'eau froide*	*115 g*
1/2 tasse	*gruyère râpé*	*125 ml*

Dégeler le poisson suffisamment pour en séparer les filets.

Chauffer le four à 400 °F (205 °C). Beurrer un plat à cuire de 13 x 9 x 2 po (33 x 23 x 5 cm).

Disposer les filets dans le plat à cuire, côte à côte si possible.

Chauffer le beurre dans une poêle épaisse. Y cuire l'oignon et les champignons, en brassant, jusqu'à ce que les oignons soient ramollis. Saupoudrer de farine, de sel et de poivre; bien mêler. Retirer du feu. Ajouter la crème, le vin et l'eau, en brassant. Continuer la cuisson à feu moyen, en brassant constamment, jusqu'à ce que la sauce bouille et soit épaisse et lisse. Retirer du feu et ajouter le persil et les crevettes. Verser sur les filets de poisson et parsemer de gruyère.

Cuire au four, 25 minutes ou jusqu'à ce que le poisson se défasse facilement à la fourchette.

6 PORTIONS

Ci-contre : rouleaux de sole nappés de sauce au citron et sole à la sauce aux crevettes

Perche de mer thermidor

2 lb	*filets de perche de mer (ou sébaste) congelés*	*900 g*
1/4 tasse	*beurre fondu*	*60 ml*
2 c. à s.	*jus de citron*	*30 ml*
1 c. à t.	*oignon finement haché*	*5 ml*
3 gouttes	*sauce Tabasco*	*3 gouttes*
2 c. à s.	*beurre*	*30 ml*
2 c. à s.	*farine*	*30 ml*
1/4 c. à t.	*moutarde en poudre*	*1 ml*
1/4 c. à t.	*paprika*	*1 ml*
1/2 c. à t.	*sel*	*2 ml*
3 c. à s.	*vin blanc sec*	*45 ml*
1 tasse	*lait*	*250 ml*
1/4 c. à t.	*cerfeuil séché*	*1 ml*
1 pincée	*estragon séché*	*1 pincée*
2	*jaunes d'œufs*	*2*
1/2 tasse	*crème à 35 %*	*125 ml*
	paprika	

Dégeler le poisson suffisamment pour pouvoir en séparer les filets. Enlever la peau du poisson si on le désire (quand les filets sont encore partiellement gelés, la peau s'enlève plus facilement).

Chauffer le four à 375 °F (190 °C). Beurrer 6 plats à cuire individuels, d'environ 12 oz (375 ml) chacun.

Couper les filets en carrés de 1 po (2,5 cm) de côté. Les répartir également dans les plats à cuire. Mêler le beurre fondu, le jus de citron, l'oignon et la sauce Tabasco et verser sur le poisson. Cuire au four, 25 minutes ou jusqu'à ce que le poisson se défasse facilement à la fourchette.

Entre-temps, chauffer 2 c. à s. (30 ml) de beurre dans une casserole. Saupoudrer de farine, de moutarde, de paprika et de sel et bien mêler. Retirer du feu et ajouter le vin, le lait, le cerfeuil et l'estragon. Bien mêler. Continuer la cuisson, en brassant constamment, jusqu'à ce que la sauce bouille et soit épaisse et lisse.

Battre ensemble à la fourchette, les jaunes d'œufs et la crème. Ajouter un peu de la sauce bien chaude au mélange, petit à petit et en brassant. Remettre le tout dans la casserole, en brassant, et continuer la cuisson 2 minutes, en brassant toujours.

Retirer les plats du four, une fois le poisson cuit, et allumer le grilloir.

Verser la sauce sur le poisson et saupoudrer de paprika. Faire griller, en plaçant les plats au centre du four, jusqu'à ce que la sauce bouillonne et que le dessus en soit légèrement bruni. Servir immédiatement.

6 PORTIONS

Perche de mer barbecue

1 lb	*filets de perche de mer (ou sébaste) congelés*	*450 g*
1/4 tasse	*beurre fondu*	*60 ml*
1 c. à s.	*jus de citron*	*15 ml*
2 c. à s.	*ketchup*	*30 ml*
1 c. à t.	*sauce Worcestershire*	*5 ml*
1/8 c. à t.	*moutarde en poudre*	*0,5 ml*
1/2 c. à t.	*sel*	*2 ml*
1/2 c. à t.	*poivre*	*2 ml*
1 c. à s.	*oignon, finement haché*	*15 ml*
2 c. à s.	*persil haché*	*30 ml*

Dégeler le poisson, juste assez pour pouvoir en séparer les filets. Chauffer le grilloir du four. Graisser un plat à cuire peu profond, juste assez grand pour contenir les filets de perche disposés en une couche simple; y déposer les filets, la peau en dessous.

Mettre dans un bol le beurre fondu, le jus de citron, le ketchup, la sauce Worcestershire, la moutarde, l'oignon haché et le persil; saler et poivrer. Verser sur les filets.

Faire griller à environ 3 po (7,5 cm) du grilloir (sans retourner les filets), 10 minutes ou jusqu'à ce que le poisson se défasse facilement à la fourchette. Servir immédiatement.

3 PORTIONS

Ci-dessus : perche de mer barbecue

Flétan à la sauce tomate

2	*darnes de flétan, d'environ 12 oz (350 g) chacune*	2
1/2 c. à t.	*sel*	2 ml
1/8 c. à t.	*poivre*	0,5 ml
1 c. à t.	*jus de citron*	5 ml
3 c. à s.	*huile d'olive*	45 ml
2	*grosses tomates, pelées et hachées*	2
1	*oignon moyen, haché*	1
1	*gousse d'ail, broyée*	1
1/2 c. à t.	*sel*	2 ml
1 c. à t.	*sucre*	5 ml
1/4 tasse	*persil haché*	60 ml
3 c. à s.	*pâte de tomate*	45 ml
1/4 tasse	*sherry*	60 ml
1/2 tasse	*eau*	125 ml
1/4 c. à t.	*menthe séchée*	1 ml
4	*tranches de citron*	4
1 c. à s.	*beurre*	15 ml
	riz bien chaud	

Chauffer le four à 375 °F (190 °C). Graisser un plat à cuire peu profond et juste assez grand pour contenir les darnes, côte à côte. Y mettre les darnes, saupoudrer de sel et de poivre et arroser du jus de citron.

Chauffer l'huile d'olive, dans une casserole moyenne. Y cuire les tomates, l'oignon et l'ail à feu doux, en brassant, 5 minutes ou jusqu'à ce que ce soit ramolli. Ajouter le sel, le sucre, le persil, la pâte de tomate, le sherry, l'eau et la menthe et laisser mijoter 10 minutes, à découvert.

Verser sur le poisson. Disposer les tranches de citron sur les darnes et parsemer de noisettes de beurre. Couvrir de papier d'aluminium. Cuire au four environ 30 minutes. Servir sur du riz.

4 PORTIONS

Morue à la portugaise

2 lb	*filets de morue congelés*	900 g
	huile de maïs	
2 tasses	*tomates pelées, épépinées et hachées finement*	500 ml
1/2 tasse	*oignon, haché finement*	125 ml
1/4 tasse	*poivron vert, haché finement*	60 ml
1 c. à t.	*sel*	5 ml
1/8 c. à t.	*poivre noir*	0,5 ml
1/2 c. à t.	*basilic séché*	5 ml
1/4 c. à t.	*thym séché*	1 ml
1/4 c. à t.	*estragon séché*	1 ml
1/4 tasse	*huile de maïs*	60 ml

Dégeler le poisson suffisamment pour pouvoir en séparer les filets.

Chauffer le four à 500 °F (260 °C). Enduire d'huile de maïs un grand plat à cuire.

Mêler les tomates, l'oignon, le poivron, le sel, le poivre, les fines herbes et 1/4 tasse (60 ml) d'huile, dans un bol.

Déposer les filets dans le plat à cuire, en une couche simple si possible. Les recouvrir du mélange aux tomates. Cuire au four, de 10 à 15 minutes ou jusqu'à ce que le poisson se défasse facilement à la fourchette. Servir immédiatement.

6 PORTIONS

Ci-contre : flétan à la sauce tomate

Saumon farci au concombre

1/4 tasse	*beurre*	*60 ml*
1/2 tasse	*oignon finement haché*	*125 ml*
1/2 tasse	*céleri finement haché*	*125 ml*
3 tasses	*miettes de pain frais*	*750 ml*
1 1/2 tasse	*concombre pelé, épépiné et finement haché*	*375 ml*
1 c. à t.	*sel*	*5 ml*
1/4 c. à t.	*poivre*	*1 ml*
1/2 c. à t.	*aneth séché*	*2 ml*
4 lb	*saumon en un seul morceau*	*1,8 kg*
	sel et poivre	
1 c. à s.	*huile à cuisson*	*15 ml*

Saler et poivrer l'intérieur du saumon et le remplir de farce.

Refermer l'ouverture avec des brochettes.

Lacer avec une bonne ficelle, pour retenir la farce dans le poisson.

Chauffer le four à 450 °F (230 °C). Beurrer un plat à cuire peu profond et suffisamment grand pour contenir le morceau de saumon.

Chauffer le beurre, dans une grande poêle épaisse et y cuire l'oignon et le céleri à feu doux, en brassant, jusqu'à ce que l'oignon soit ramolli mais non bruni. Ajouter la moitié des miettes de pain et continuer la cuisson, en brassant, jusqu'à ce que les miettes soient légèrement brunies. Ajouter au reste des miettes ainsi que le concombre, le sel, le poivre et l'aneth.

Saler et poivrer l'intérieur du saumon. Remplir le saumon de farce, refermer l'ouverture avec des brochettes et lacer, avec une bonne ficelle, pour retenir la farce dans le poisson.

Mesurer l'épaisseur du poisson farci, le mettre dans le plat à cuire et l'enduire d'huile. Cuire au four, en comptant 10 minutes de cuisson par pouce (2,5 cm) d'épaisseur du poisson. Servir immédiatement.

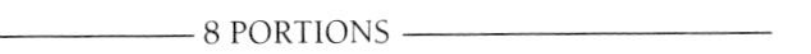

8 PORTIONS

Ci-contre : saumon farci au concombre

Asperges et saumon

2 lb	*asperges fraîches*	*900 g*
1/4 tasse	*beurre fondu*	*60 ml*
1/2 c. à t.	*basilic séché*	*2 ml*
1 c. à s.	*jus de citron*	*15 ml*
4	*darnes de saumon, de 3/4 po (1,75 cm) d'épaisseur*	*4*
1 c. à s.	*beurre*	*15 ml*
1/2 tasse	*champignons tranchés*	*125 ml*
10 oz	*crème de champignons*	*284 ml*
1/2 tasse	*lait*	*125 ml*

Laver les asperges et couper l'extrémité dure des tiges. Les déposer, en un couche simple, dans une grande poêle épaisse. Ajouter 1/4 po (0,5 cm) d'eau bouillante, couvrir et cuire, 8 à 10 minutes ou jusqu'à ce que ce soit tendre. Égoutter les asperges et les garder chaudes.

Mêler, dans un petit plat, le beurre fondu, le basilic et le jus de citron. Mettre les darnes de saumon sur une plaque graissée et les badigeonner du beurre au citron. Cuire au four, sous le grilloir 5 minutes de chaque côté ou jusqu'à ce que le poisson se défasse facilement à la fourchette.

Entre-temps, chauffer 1 c. à s. (15 ml) de beurre, dans une petite casserole. Ajouter les champignons et cuire 3 minutes à feu doux, en brassant. Ajouter la crème de champignons et le lait et chauffer.

Mettre les asperges et le saumon dans des assiettes et napper les asperges de la sauce aux champignons.

4 PORTIONS

Darnes de saumon grillées

1/3 tasse	*huile à salade*	*80 ml*
1 1/2 c. à t.	*zeste de citron râpé*	*7 ml*
1/3 tasse	*jus de citron*	*80 ml*
1	*petite gousse d'ail, broyée*	*1*
1 c. à t.	*sucre*	*5 ml*
1/4 c. à t.	*poivre*	*1 ml*
1 c. à t.	*sel*	*5 ml*
1/2 c. à t.	*origan séché*	*2 ml*
4	*darnes de saumon, de 1 po (2,5 cm) d'épaisseur*	*4*
1/3 tasse	*olives farcies, tranchées (facultatif)*	*80 ml*

→

Mêler l'huile, le zeste et le jus de citron, l'ail, le sucre, le poivre, le sel et l'origan.

Chauffer le grilloir du four. Bien graisser la clayette d'une plaque à griller. Y déposer les tranches de saumon et badigeonner généreusement du mélange au citron. Faire griller au four environ 5 minutes, à 4 po (10 cm) du grilloir. Tourner les darnes délicatement, badigeonner de nouveau du mélange au citron et faire griller, 2 ou 3 minutes ou jusqu'à ce que le saumon se défasse facilement à la fourchette.

Ajouter, si on le désire, les tranches d'olives à ce qui reste du mélange au citron et porter à ébullition. Servir avec le saumon.

4 PORTIONS

Darnes de saumon à la sauce au crabe

1 tasses	*eau*	*250 ml*
2	*minces tranches de citron*	2
1/4 c. à t.	*sel*	*1 ml*
1/2 c. à t.	*graines de fenouil*	*2 ml*
1	*petit morceau de feuille de laurier*	1
6	*darnes de saumon, de 1/2 à 3/4 po (1,25 à 1,75 cm) d'épaisseur*	6
1/4 tasse	*eau froide*	*60 ml*
1 c. à s.	*fécule de maïs*	*15 ml*
1/4 tasse	*crème sure*	*60 ml*
2 c. à s.	*beurre*	*30 ml*
1 pincée	*muscade*	*1 pincée*
1/4 tasse	*persil haché*	*60 ml*
6 oz	*chair de crabe, égouttée et émiettée*	*165 g*

Mettre, dans une grande poêle, 2 tasses (500 ml) d'eau, les tranches de citron, le sel, les graines de fenouil et le laurier; porter à ébullition. Ajouter le saumon, couvrir et faire mijoter 5 minutes ou jusqu'à ce qu'il se défasse facilement à la fourchette (vérifier près de la grosse arête dorsale). Retirer le saumon délicatement et le déposer dans un plat de service chaud. Garder chaud, dans un four tiède.

Tamiser l'eau de cuisson du saumon et en conserver 1 tasse (250 ml). Mettre dans une casserole et porter à ébullition. Faire un mélange lisse avec 1/4 tasse (60 ml) d'eau froide et la fécule de maïs. Ajouter au liquide bouillant, petit à petit et en brassant. Laisser bouillir jusqu'à ce que la sauce soit épaisse et translucide. Retirer du feu. Ajouter la crème sure, le beurre, la muscade, le persil et la chair de crabe, en brassant. Chauffer sans toutefois laisser bouillir.

Servir le saumon en nappant chaque portion d'un peu de la sauce au crabe.

6 PORTIONS

Ci-contre : à gauche, darnes de saumon grillées et à droite, darnes de saumon à la sauce au crabe et plat d'accompagnements

Pain de saumon

1 lb	*saumon rose en conserve*	*450 g*
2	*œufs*	2
1 tasse	*liquide (le jus de conserve du saumon et du lait)*	*250 ml*
1 c. à t.	*sel*	*5 ml*
1/4 c. à t.	*sauge*	*1 ml*
1 tasse	*mélange de carottes et de petits pois, cuits, bien égouttés*	*250 ml*
2 tasses	*nouilles fines, cuites*	*500 ml*
	sauce aux œufs (recette ci-après)	

Chauffer le four à 350 °F (175 °C). Graisser un moule à pain de 2 x 5 x 3 po (5 x 12,5 x 7,5 cm).

Égoutter et émietter le saumon. Réserver son jus de conserve et ajouter le lait nécessaire pour obtenir la tasse (250 ml) de liquide.

Battre les œufs légèrement. Ajouter la tasse (250 ml) de liquide, le sel et la sauge, en brassant. Ajouter le saumon, les carottes, les petits pois et les nouilles et mêler délicatement à la fourchette. Mettre dans le moule. Cuire au four, environ 1 heure ou jusqu'à ce que le pain soit pris.

Démouler dans un plat de service chaud. Servir en tranches épaisses, nappées de sauce aux œufs.

6 PORTIONS

Sauce aux œufs

6 c. à s.	*beurre ou margarine*	*90 ml*
6 c. à s.	*farine*	*90 ml*
3/4 c. à t.	*sel*	*3 ml*
1/8 c. à t.	*poivre*	*0,5 ml*
1 1/2 tasse	*lait*	*375 ml*
2	*œufs durs, en dés*	2

Faire fondre le beurre, dans une casserole. Saupoudrer de farine, de sel et de poivre et laisser bouillonner un peu. Retirer du feu et ajouter le lait, d'un trait et en mêlant bien. Continuer la cuisson à feu moyen et en brassant sans arrêt, jusqu'à ce que la sauce bouille et soit épaisse et lisse. Ajouter les œufs durs et continuer la cuisson jusqu'à ce qu'ils soient chauds.

Saumon et pommes de terre en casserole

4 tasses	*pommes de terre, en tranches minces*	*1 L*
8 oz	*saumon en conserve*	*225 g*
3 c. à s.	*beurre*	*45 ml*
1/4 tasse	*farine*	*60 ml*
1 c. à t.	*sel*	*5 ml*
1/8 c. à t.	*poivre*	*0,5 ml*
2 tasses	*liquide (le jus de conserve du saumon et du lait)*	*500 ml*
2 c. à s.	*moutarde en pâte*	*30 ml*
1 tasse	*oignon, en tranches minces*	*250 ml*

Chauffer le four à 350 °F (175 °C). Beurrer un plat à cuire de 6 tasses (1,5 L).

Cuire les tranches de pommes de terre à l'eau bouillante salée, environ 10 minutes. Les égoutter immédiatement.

Égoutter le saumon (réserver le jus de conserve) et le défaire en bouchées. Ajouter au jus de conserve suffisamment de lait pour obtenir 2 tasses (500 ml) de liquide.

Chauffer le beurre dans une casserole moyenne. Ajouter la farine, le sel et le poivre et bien mêler. Retirer du feu et ajouter les 2 tasses (500 ml) de liquide, d'un trait et en mêlant. Ajouter la moutarde. Continuer la cuisson à feu moyen, en brassant constamment, jusqu'à ce que la sauce bouille et soit épaisse et lisse. Réduire le feu au plus bas et continuer la cuisson 2 minutes en brassant.

Étendre dans le plat à cuire, environ le quart des tranches de pommes de terre. Recouvrir du tiers du saumon, du tiers des oignons et d'un quart de la sauce. Répéter ces couches d'aliments deux fois. Recouvrir finalement de ce qui reste de pommes de terre et de ce qui reste de sauce.

Cuire au four, 45 minutes ou jusqu'à ce que les pommes de terre soient tendres et que la sauce bouillonne.

4 PORTIONS

Ci-dessus : saumon et pommes de terre en casserole

Macaroni au thon et aux haricots

2 tasses	*macaroni*	*500 ml*
20 oz	*haricots verts, taillés à la française, frais ou congelés*	*560 g*
2 c. à s.	*vinaigrette*	*30 ml*
7 oz	*thon, égoutté*	*190 g*
10 oz	*champignons, en conserve*	*284 ml*
1/4 tasse	*beurre*	*60 ml*
1/3 tasse	*oignon, finement haché*	*80 ml*
3 c. à s.	*farine*	*45 ml*
1 1/2 c. à t.	*sel*	*7 ml*
1/4 c. à t.	*poivre*	*1 ml*
2 tasses	*liquide (le jus de conserve des champignons et du lait)*	*500 ml*
1 tasse	*cheddar fort, râpé*	*250 ml*

Chauffer le four à 375 °F (190 °C). Beurrer un plat de pyrex de 12 x 7 x 2 po (30,5 x 18 x 5 cm).

Cuire le macaroni, dans une grande casserole d'eau bouillante salée, 7 minutes ou jusqu'à ce qu'il soit « al dente ».

Cuire les haricots, dans un peu d'eau bouillante, jusqu'à ce qu'ils soient tendres mais encore un peu croquants. Les égoutter et les étendre dans le plat à cuire. Arroser de vinaigrette. Défaire le thon en morceaux et en parsemer uniformément les haricots.

Égoutter les champignons en réservant leur jus de conserve. Chauffer le beurre dans une casserole moyenne et y cuire les champignons et l'oignon 3 minutes, à feu doux. Saupoudrer de farine, de sel et de poivre et bien mêler. Retirer du feu.

Ajouter suffisamment de lait au jus de conserve des champignons, pour obtenir 2 tasses (500 ml) de liquide. Ajouter ce liquide à la farine délayée, d'un trait et en mêlant bien. Continuer la cuisson à feu moyen, en brassant sans arrêt, jusqu'à ce que la sauce bouille et soit épaisse et lisse. Ajouter la moitié du cheddar et le macaroni cuit. Bien mêler et verser dans le plat, sur les haricots et le thon. Parsemer de ce qui reste du cheddar.

Cuire au four 20 minutes ou jusqu'à ce que ce soit très chaud.

6 PORTIONS

Ci-dessus : macaroni au thon et aux haricots

Éperlans au parmesan

1 lb	*éperlans congelés, dégelés*	*450 g*
1/4 tasse	*beurre fondu*	*60 ml*
1	*gousses d'ail, broyée*	*1*
1/4 tasse	*chapelure fine*	*60 ml*
1/4 tasse	*parmesan, râpé*	*60 ml*
1 c. à s.	*persil, finement haché*	*15 ml*
1/4 c. à t.	*sel*	*1 ml*

Parer les éperlan (voir note). Laver et assécher les poissons. Chauffer le four à 450 °F (230 °C). Graisser un plat à cuire peu profond, d'environ 12 x 7 x 2 po (30,5 x 18 x 5 cm).

Mêler le beurre fondu et l'ail, dans un plat peu profond. Mêler la chapelure, le parmesan, le persil et le sel, dans un autre plat peu profond. Passer les petits poissons d'abord dans le beurre à l'ail, ensuite dans le mélange sec pour bien les enrober des deux côtés. Les mettre dans le plat à cuire, la peau en dessous. Cuire au four 8 minutes ou jusqu'à ce que les éperlans soient brunis et se défassent facilement à la fourchette.

Note: il est facile de vider les éperlans et de les débarrasser de leur arête dorsale. Avec des ciseaux de cuisine, couper la tête, juste sous les branchies. Tailler aussi les nageoires et la queue. Ouvrir le ventre du poisson, sur la longueur et bien le vider. Ouvrir les poissons à plat sur la table. Avec la pointe d'un couteau, dégager l'extrémité de l'arête dorsale, du côté de la tête. Saisir alors cette extrémité et retirer toute l'arête, avec précaution, pour enlever, en même temps, les petites arêtes rattachées à la grosse dorsale sans déchirer la chair. Cuire les petits poissons ouverts.

2 À 3 PORTIONS

Homard thermidor

4	*petits homards, cuits*	*4*
1 c. à s.	*beurre*	*15 ml*
1 1/2 c. à t.	*oignon, finement émincé*	*7 ml*
2 c. à s.	*farine*	*30 ml*
1 1/2 tasse	*lait, frissonnant*	*375 ml*
1/4 c. à t.	*sel*	*1 ml*
1 pincée	*poivre blanc*	*1 pincée*
1	*brindille de persil*	*1*
1 pincée	*muscade*	*1 pincée*
1/3 tasse	*crème à 35 %*	*80 ml*
2 c. à t.	*jus de citron*	*10 ml*
1 c. à s.	*sherry sec*	*15 ml*
1 c. à t.	*moutarde en poudre*	*5 ml*
1 pincée	*poivre de Cayenne*	*1 pincée*
3 gouttes	*sauce Worcestershire*	*3 gouttes*
	sel et poivre	
1/4 tasse	*parmesan râpé*	*60 ml*
	paprika	
1/4 tasse	*beurre ramolli*	*60 ml*

Fendre les homards en deux, sur la longueur. Enlever les pinces. Retirer la chair des carapaces et des pinces et la couper en gros morceaux. Ne pas briser les carapaces.

Faire fondre le beurre dans une casserole. Y cuire l'oignon à feu doux 3 minutes. Saupoudrer de farine et cuire, en brassant, jusqu'à ce que ce soit doré. Retirer du feu et ajouter le lait chaud, en brassant. Ajouter le sel, le poivre blanc, le persil et la muscade. Continuer la cuisson à feu moyen, en brassant constamment, jusqu'à ce que la sauce commence à bouillir. Réduire alors le feu au plus bas et continuer la cuisson, en brassant souvent, pendant 20 minutes. Tamiser la sauce et la remettre dans la casserole.

Ajouter la crème, le jus de citron, le sherry, la moutarde, le poivre de Cayenne et la sauce Worcestershire, en brassant. Saler et poivrer au goût. Ajouter les morceaux de homard et bien chauffer.

Disposer les demi-carapaces dans un plat à four peu profond. Y mettre le mélange au homard et saupoudrer de parmesan râpé. Décorer d'un peu de paprika et parsemer de noisettes de beurre.

Glisser au four, sous le grilloir et bien faire dorer. Servir immédiatement.

Note: on peut utiliser la même recette pour préparer 2 gros homards ou 3 de grosseur moyenne.

4 PORTIONS

Ci-contre : homard thermidor

Entrée de fruits de mer et d'avocats

6 oz	*chair de homard*	165 g
4 1/2 oz	*petites crevettes cocktail*	130 g
5 oz	*chair de crabe*	140 g
3 3/4 oz	*thon, défait grossièrement*	110 g
2 c. à t.	*câpres*	10 ml
2 c. à t.	*ciboulette hachée*	10 ml
2 c. à t.	*persil haché*	10 ml
1/2 tasse	*crème sure*	125 ml
1/3 tasse	*mayonnaise*	80 ml
1/4 c. à t.	*moutarde en poudre*	60 ml
2 c. à t.	*jus de conserve des câpres*	10 ml
1/4 c. à t.	*sel*	1 ml
1 pincée	*poivre*	1 pincée
2	*gros avocats (ou 4 petits)*	2
	laitue	

Mettre, dans un bol, le homard, les crevettes, le crabe, le thon, les câpres, la ciboulette et le persil et mêler délicatement, à la fourchette. Mêler la crème sure, la mayonnaise, la moutarde, le jus de câpres, le sel et le poivre et ajouter aux fruits de mer. Brasser délicatement, à la fourchette, couvrir et bien réfrigérer.

Servir sur des pointes d'avocat disposées sur de la laitue. Ou, si vous utilisez des petits avocats, les couper en deux et en farcir une moitié par convive.

8 PORTIONS

Queues de homard farcies

12	*queues de homard congelées*	*12*
1	*petite tranche d'oignon*	*1*
1	*petite carotte, en morceaux*	*1*
1	*branche de persil*	*1*
1	*petite feuille de laurier*	*1*
2 c. à t.	*sel*	*10 ml*
4	*grains de poivre*	*4*
3/4 tasse	*beurre*	*180 ml*
6 c. à s.	*farine*	*90 ml*
1 1/2 c. à t.	*sel*	*7 ml*
1 1/2 c. à t.	*paprika*	*7 ml*
1/4 c. à t.	*estragon séché*	*1 ml*
1 pincée	*poivre de Cayenne*	*1 pincée*
3 tasses	*crème à 15 %*	*750 ml*
3 c. à s.	*jus de citron*	*45 ml*
1/2 tasse	*fromage parmesan râpé*	*125 ml*
1/2 tasse	*chapelure fine*	*125 ml*
2 c. à s.	*beurre fondu*	*30 ml*

Mettre les queues de homard congelées dans une grande marmite. Ajouter la tranche d'oignon, la carotte, le céleri, le persil, le laurier, le sel et les grains de poivre. Ajouter suffisamment d'eau bouillante pour couvrir complètement les queues. Porter à ébullition, réduire le feu, couvrir et laisser bouillir jusqu'à ce que ce soit tendre. (Le temps de cuisson varie selon la grosseur des queues. Compter environ 1 minute de cuisson par once (30 g) plus 2 minutes pour les queues congelées ou 1 minutes de cuisson par once (30 g) plus 1 minutes pour les queues préalablement décongelées.) Égoutter et rincer à l'eau froide.

Couper avec des ciseaux de cuisine, le dessous des carapaces et retirer la chair des queues. (Ne pas jeter les carapaces, vous en aurez besoin.)

Couper en dés la chair du homard.

Chauffer le beurre dans une grande poêle épaisse. Ajouter les dés de homard et cuire à feu doux, en brassant, pendant 3 minutes. Saupoudrer de farine, de sel, de paprika, d'estragon et de poivre de Cayenne et bien mêler. Retirer du feu et ajouter la crème, d'un trait et en mêlant bien. Continuer la cuisson à feu moyen, en brassant constamment, jusqu'à ce que la sauce bouille et soit épaisse et lisse. Ajouter le jus de citron et retirer du feu immédiatement.

Mettre les carapaces dans un plat à cuire peu profond et assez grand pour les contenir toutes, côte à côte. (Si les coquilles sont serrées les unes contre les autres, elles ne verseront pas sur le côté quand vous les remplirez de garniture.) Mettre la garniture dans les carapaces, à la cuillère, en la montant en dôme aussi haut que possible. Couvrir le plat de pellicule plastique et réfrigérer jusqu'à peu avant le moment de servir.(voir note).

Chauffer le four à 350 °F (175 °C).

Mêler le parmesan, la chapelure et le beurre fondu. En parsemer généreusement les queues de homard. Cuire au four environ 30 minutes ou jusqu'à ce que la garniture bouillonne et que le dessus des coquilles soit bruni. Servir immédiatement.

Note: si vous préférez terminer la cuisson des queues tout de suite après les avoir farcies, c'est-à-dire sans les réfrigérer, chauffer le four à 450 °F (230 °C). Parsemer les queues, remplies de garniture encore chaude, du mélange à la chapelure et cuire pendant environ 12 minutes ou jusqu'à ce que le dessus soit doré.

6 PORTIONS

Ci-contre : entrée de fruits de mer et d'avocats

Crevettes grillées

2 lb	*grosses crevettes*	*900 g*
1/2 tasse	*huile d'olive*	*125 ml*
1/2 c. à t.	*sel*	*2 ml*
1/4 c. à t.	*poivre*	*1 ml*
2 c. à s.	*persil, finement haché*	*30 ml*
1 pincée	*estragon séché*	*1 pincée*
1/4 tasse	*beurre*	*60 ml*
3 c. à s.	*jus de citron*	*45 ml*
	riz bien chaud	

Décortiquer et bien nettoyer les crevettes. Mêler, dans un petit bol, l'huile, le sel, le poivre, le persil et l'estragon. Passer les crevettes dans le mélange pour bien les enrober. Les mettre dans une plaque en métal peu profonde.

Chauffer le grilloir du four. Griller les crevettes, 3 minutes de chaque côté ou jusqu'à ce qu'elles soient cuites à point. Les mettre dans un plat de service chaud.

Entre-temps, faire chauffer ensemble le beurre et le jus de citron. Ajouter le jus de cuisson des crevettes. Bien chauffer et verser sur les crevettes. Servir immédiatement, avec du riz.

4 À 6 PORTIONS

Crevettes et œufs durs au cari

3 c. à s.	*mayonnaise*	*45 ml*
1/4 tasse	*yogourt nature*	*60 ml*
2 c. à t.	*poudre de cari*	*10 ml*
1/4 tasse	*chutney, du commerce, haché si cela est nécessaire*	*60 ml*
2 c. à t.	*jus de citron*	*10 ml*
1 c. à s.	*raisins secs*	*15 ml*
1 lb	*petites crevettes cuites*	*450 g*
3	*œufs durs, hachés*	*3*
	laitue Iceberg	

Mêler parfaitement la mayonnaise, le yogourt, la poudre de cari, le chutney et le jus de citron. Ajouter tous les autres ingrédients, excepté la laitue, bien mêler et réfrigérer.

Déchiqueter à la main suffisamment de laitue pour habiller 8 coupes à sorbet ou petits plats à entrée. Les garnir de laitue, au moment de servir, et y répartir le mélange aux crevettes. Servir immédiatement.

8 PORTIONS

Ci-contre : en bas, crevettes aux œufs durs et en haut, au cari et crevettes grillées

Entrée de pétoncles

1 lb	*pétoncles*	*450 g*
2/3 tasse	*vin blanc sec*	*160 ml*
1/3 tasse	*eau*	*80 ml*
2	*brindilles de persil*	*2*
1	*petit oignon, coupé en deux*	*1*
1 c. à s.	*jus de citron*	*15 ml*
1 c. à s.	*vinaigre à l'estragon*	*15 ml*
2	*œufs durs*	*2*
2 c. à s.	*moutarde en pâte*	*30 ml*
1/4 c. à t.	*sel*	*1 ml*
1 pincée	*poivre blanc*	*1 pincée*
1/4 c. à t.	*estragon séché*	*1 ml*
1/2 tasse	*huile d'olive*	*125 ml*
	jus de 1/2 citron	
1 1/2 c. à t.	*câpres hachées*	*7 ml*
1 1/2 c. à t.	*persil haché*	*7 ml*
	laitue	

Bien rincer les pétoncles à l'eau froide.

Mettre le vin, l'eau, le persil et l'oignon dans une casserole et porter à ébullition. Ajouter les pétoncles et faire mijoter 5 minutes. Égoutter et couper en deux tout pétoncle trop gros; laisser refroidir. Arroser de 1 c. à s. (15 ml) de jus de citron et de vinaigre à l'estragon, couvrir et réfrigérer, en brassant de temps à autre.

Couper les œufs durs en deux, en retirer les jaunes et les passer au tamis fin.

Ajouter la moutarde, le sel, le poivre et l'estragon. Ajouter l'huile et le jus de citron, goutte à goutte, en mêlant bien après chaque addition. Ajouter les blancs d'œufs, hachés très fin, les câpres et le persil.

Habiller de laitue des coupes à sorbet, au moment de servir. Y mettre les pétoncles, les napper de sauce et servir immédiatement.

4 PORTIONS

Ci-contre : entrée de pétoncles

Crabe et sauce aux crevettes

1/4 lb	*crevettes fraîches*	*115 g*
1 tasse	*eau bouillante*	*250 ml*
1	*petit bouquet de feuilles de céleri*	*1*
2	*brindilles de persil*	*2*
3	*grains de poivre*	*3*
2 c. à s.	*beurre*	*30 ml*
1 c. à s.	*oignon, finement haché*	*15 ml*
2 c. à s.	*farine*	*30 ml*
3/4 tasse	*crème à 15 %*	*180 ml*
3/4 tasse	*bouillon de cuisson des crevettes*	*180 ml*
1 c. à t.	*sel*	*5 ml*
1/4 c. à t.	*poivre*	*1 ml*
1 pincée	*estragon séché*	*1 pincée*
1 c. à t.	*jus de citron*	*5 ml*
1 1/3 tasse	*chair de crabe, cuite*	*330 ml*
1 c. à s.	*persil haché*	*15 ml*
1 c. à s.	*beurre*	*15 ml*
	riz cuit chaud	

Mettre les crevettes lavées dans une petite casserole. Ajouter l'eau bouillante, les feuilles de céleri, le persil et les grains de poivre. Porter à ébullition, baisser le feu, couvrir et faire mijoter 5 minutes. Retirer du feu et laisser refroidir. Égoutter en conservant le bouillon. Décortiquer les crevettes, les parer et les hacher finement. Passer le bouillon de cuisson et en réserver 3/4 tasse (180 ml).

Faire fondre 2 c. à s. (30 ml) de beurre, dans une casserole. Ajouter l'oignon et cuire à feu doux, en brassant, pendant 3 minutes. Saupoudrer de farine et bien mêler. Retirer du feu et ajouter la crème et le bouillon réservé, d'un trait. Continuer la cuisson à feu moyen, en brassant sans arrêt, jusqu'à ce que la sauce bouille et soit épaisse et lisse. Baisser le feu au plus bas et ajouter le sel, le poivre, l'estragon et le jus de citron, en brassant. Faire mijoter 5 minutes, en brassant souvent. Ajouter les crevettes hachées, le crabe, le persil et le beurre. Bien chauffer. Servir sur du riz très chaud.

3 OU 4 PORTIONS

Paëlla

3	*poitrines de poulet*	*3*
1/2 tasse	*huile d'olive*	*125 ml*
2	*gousses d'ail, en allumettes*	*2*
1	*gros poivron vert, en allumettes*	*1*
1/3 tasse	*oignon, finement haché*	*80 ml*
2 c. à t.	*paprika*	*10 ml*
1/2 c. à t.	*poivre*	*2 ml*
2 tasses	*riz à longs grains, non précuit ou prétraité*	*500 ml*
12 oz	*petits pois congelés*	*350 g*
2	*grosses tomates, pelées et hachées grossièrement*	*2*
4 tasses	*bouillon de poulet*	*1 L*
1/4 c. à t.	*safran*	*1 ml*
1 lb	*crevettes crues décortiquées et parées*	*450 g*
16	*palourdes (dans leur écaille)*	*16*
	persil haché	
	quartiers de citron	

Demander au boucher de séparer les poitrines de poulet en moitiés et de couper chaque moitié (chair et os) en quatre morceaux; vous aurez ainsi 24 morceaux.

Utiliser 2 poêles épaisses, de 10 po (25 cm) de diamètre (voir note). Dans chacune, chauffer 1/4 tasse (60 ml) d'huile. Dans chacune, ajouter la moitié du poulet et bien le brunir. Ajouter, dans chaque poêle, la moitié de l'ail, du poivron vert, de l'oignon, du paprika et du poivre. Bien mêler et continuer la cuisson à feu doux pendant 3 minutes. Retirer du feu.

Ajouter la moitié du riz, des petits pois et des tomates dans chaque poêle. Porter le bouillon de poulet à ébullition. Ajouter le safran et brasser. Ajouter la moitié du bouillon dans chaque poêle. Cuire 10 minutes à découvert, à feu moyen. Ne pas brasser.

Ajouter les crevettes, en les enfonçant bien dans le liquide. Réduire le feu, couvrir hermétiquement et faire mijoter, 10 à 15 minutes ou jusqu'à ce que le poulet et le riz soient tendres.

Chauffer le four à 350 °F (175 °C).

Brasser légèrement à la fourchette et cuire au four à découvert, 15 minutes ou jusqu'à ce que presque tout le liquide soit absorbé.

Nettoyer parfaitement les palourdes, avec une brosse. Cuire à la vapeur, 10 minutes ou jusqu'à ce que les écailles s'ouvrent; utiliser, pour ce faire, une marmite à pression ou mettre les palourdes dans une passoire, au-dessus d'eau bouillante, dans une casserole hermétiquement fermée.

Parsemer la paëlla cuite de persil haché et disposer joliment, sur le dessus, les palourdes cuites et les quartiers de citron.

(Note: si vous ne pouvez vous procurer de crevettes et de palourdes fraîches, utiliser 18 oz (510 g) de crevettes (égouttées et rincées) et 5 oz (140 g) de palourdes (égouttées). Ajouter ces fruits de mer à la préparation 15 minutes avant la fin de la cuisson, en les enfonçant bien dans le mélange.)

8 PORTIONS

Ci-dessus : paëlla

Langoustes grillées

1 1/2 lb	*langoustes congelées*	*675 g*
3/4 tasse	*beurre fondu*	*180 ml*
2	*gousses d'ail, broyées*	*2*
2 c. à t.	*sel*	*10 ml*
3/4 tasse	*huile d'olive*	*180 ml*
1/4 tasse	*persil, finement haché*	*60 ml*
1/8 c. à t.	*estragon séché*	*0,5 ml*
2 c. à s.	*jus de citron*	*30 ml*
	poivre noir frais moulu	
1/2 tasse	*chapelure fine*	*125 ml*

Faire dégeler les langoustes, les laver et enlever, à l'aide de ciseaux de cuisine, la membrane sèche qui ferme leur écaille.

Chauffer le grilloir du four.

Ajouter au beurre fondu, l'ail, le sel, l'huile, le persil, l'estragon, le jus de citron et du poivre frais, au goût. Tremper chaque langouste dans ce mélange. Passer le dessus des langoustes dans la chapelure. Disposer, en une couche simple et les écailles en-dessous, dans un plat à cuire peu profond.

Faire griller 5 minutes en arrosant à quelques reprises, d'un peu du beurre relevé. Mettre ce qui reste de ce beurre dans des petits plats. Les convives y tremperont les bouchées de langoustes. Servir immédiatement.

4 PORTIONS

Pétoncles au cari

1 lb	*pétoncles*	*450 g*
1/4 tasse	*chapelure fine*	*60 ml*
1/4 c. à t.	*sel*	*1 ml*
3 c. à s.	*beurre*	*45 ml*
1 c. à t.	*poudre de cari*	*5 ml*
2 c. à t.	*jus de citron*	*10 ml*
4	*minces tranches de citron*	*4*

Chauffer le four à 450 °F (230 °C). Beurrer 4 coquilles à pétoncles ou 4 grands plats ou individuels.

Rincer les pétoncles à l'eau froide courante et bien les assécher. Mêler la chapelure et le sel, dans un plat peu profond, et y rouler les pétoncles pour bien les enrober de tous les côtés. Répartir les pétoncles dans les coquilles.

Faire fondre le beurre dans une petite casserole. Ajouter la poudre de cari et cuire 2 minutes à feu doux, en brassant. Ajouter le jus de citron. Arroser les pétoncles du mélange. Mettre 1 tranche de citron sur chaque coquille et cuire au four, 15 minutes ou jusqu'à ce que les pétoncles soient tendres. Servir immédiatement.

4 PORTIONS, COMME ENTRÉE

Pétoncles sautés

1 1/2 lb	*pétoncles*	*675 g*
1/2 tasse	*sauce au chili*	*125 ml*
1/2 tasse	*ketchup*	*125 ml*
1 c. à s.	*raifort préparé*	*15 ml*
1 c. à t.	*sauce Worcestershire*	*5 ml*
1 c. à s.	*jus de citron*	*15 ml*
2 c. à t.	*moutarde en pâte*	*10 ml*
1 pincée	*estragon séché*	*1 pincée*
2 c. à s.	*beurre*	*30 ml*
1 c. à s.	*huile à cuisson*	*15 ml*
1	*gousse d'ail, épluchée et coupée en deux*	*1*
	persil haché	

Laver les pétoncles et bien les assécher sur du papier absorbant.

Mêler la sauce au chili, le ketchup, le raifort, la sauce Worcestershire, le jus de citron, la moutarde et l'estragon.

Chauffer le beurre, l'huile et l'ail, dans une grande poêle épaisse. Y cuire les pétoncles à feu vif, en brassant, 5 minutes ou jusqu'à ce qu'ils soient tendres et légèrement brunis. Jeter l'ail. Verser le mélange à la sauce au chili sur les pétoncles et porter à ébullition. Parsemer généreusement de persil haché. Excellent avec des nouilles.

4 À 6 PORTIONS

Ci-contre : en bas, pétoncles au cari et en haut, pétoncles sautés

Coquilles Saint-Jacques au gratin

1 lb	*pétoncles*	*450 g*
2/3 tasse	*vin blanc sec*	*160 ml*
1/3 tasse	*eau*	*80 ml*
2	*brindilles de persil*	*2*
1	*petit oignon, coupé en deux*	*1*
3 c. à s.	*beurre*	*45 ml*
1 tasse	*champignons frais, tranchés*	*250 ml*
1 c. à s.	*farine*	*15 ml*
1/2 c. à t.	*sel*	*2 ml*
1/8 c. à t.	*poivre*	*0,5 ml*
2 c. à s.	*jus de citron*	*30 ml*
10 oz	*soupe aux crevettes, en conserve*	*284 ml*
1	*jaune d'œuf*	*1*
1/3 tasse	*crème à 35 %*	*80 ml*
1/4 tasse	*beurre*	*60 ml*
1 tasse	*cubes de pain de 1/4 po (0,5 cm)*	*250 ml*
1/2 tasse	*parmesan râpé*	*125 ml*
	paprika	

Rincer les pétoncles. Mettre le vin et l'eau dans une casserole. Ajouter le persil et l'oignon et porter à ébullition. Ajouter les pétoncles et faire mijoter 5 minutes.

Égoutter; conserver l'eau de cuisson mais jeter le persil et l'oignon. Couper les pétoncles en deux s'ils sont gros.

Chauffer 3 c. à s. (45 ml) de beurre, dans une casserole, et y ajouter les champignons. Faire cuire à feu doux 3 minutes. Saupoudrer de farine, de sel, de poivre et laisser bouillonner un peu. Retirer du feu et ajouter le jus de citron et 1/2 tasse (125 ml) du liquide de cuisson des pétoncles, d'un trait. Continuer la cuisson à feu doux, en brassant, jusqu'à ce que le mélange bouille de nouveau et soit bien lisse.

Ajouter la soupe aux crevettes, non diluée, et bien mêler.

Battre ensemble à la fourchette, le jaune d'œuf et la crème. Ajouter à la préparation, en brassant. Ajouter les pétoncles et bien chauffer.

Faire fondre 1/4 tasse (60 ml) de beurre dans une poêle épaisse. Ajouter les cubes de pain et bien les faire dorer, en brassant. Retirer du feu, ajouter le parmesan et mêler délicatement.

Mettre les pétoncles dans 6 coquilles creuses ou dans 6 plats à cuire individuels. Parsemer des cubes de pain au fromage et saupoudrer de paprika.

Mettre sous le grilloir, au centre du four, et faire griller 5 minutes ou jusqu'à ce que ce soit bien chaud et doré (attention de ne pas laisser brûler le dessus du plat). Servir immédiatement.

Accompa

gnements

Accompagnements

En France, où les légumes sont très appréciés, on les sert souvent en plat séparé. Et s'ils sont si appréciés, c'est qu'on les sert, du plus humble au plus prestigieux, avec respect et imagination. Sachons accorder, nous aussi, à nos beaux légumes, toute l'attention qu'ils méritent. Ils apportent de la couleur, des goûts et des textures différentes, et une grande richesse en vitamines et sels minéraux.

Voici bien des qualités... mais qualités qui se manifestent seulement si la cuisson est juste à point. Elle ne doit surtout pas être trop prolongée.

En plus, les légumes ne sont pas exigeants pour être à leur meilleur. Une pincée d'herbes aromatiques, un peu d'oignon, un soupçon de sucre... et voilà un goût qui s'affirme et nous ravit.

Le riz, les pâtes et les œufs ne sont pas non plus très difficiles à préparer pour être délicieux. Et si nourrissants ! Comme en témoignent les recettes à la fin du chapitre.

Avocats farcis de riz

2 c. à s.	*beurre*	*30 ml*
1/2 tasse	*riz non précuit ou prétraité*	*125 ml*
1/4 tasse	*oignon finement haché*	*60 ml*
1/4 tasse	*céleri finement haché*	*60 ml*
1 tasse	*bouillon de poulet bouillant (voir note)*	*250 ml*
1/2 c. à t.	*sel*	*2 ml*
1	*œuf battu*	*1*
1 tasse	*cheddar fort, râpé*	*250 ml*
1/4 c. à t.	*sauce Worcestershire*	*1 ml*
1/2 tasse	*persil haché*	*125 ml*
3	*avocats moyens*	*3*
1/2 tasse	*chapelure fine*	*125 ml*
2 c. à s.	*beurre fondu*	*30 ml*

Chauffer le beurre dans une casserole moyenne. Y cuire le riz, en brassant, jusqu'à ce qu'il soit doré. Ajouter l'oignon et le céleri et continuer la cuisson 3 minutes, à feu doux et en brassant. Ajouter le bouillon de poulet et le sel, couvrir et faire mijoter, 20 minutes ou jusqu'à ce que le riz soit tendre. (S'il est encore trop humide, continuer la cuisson quelques minutes, à découvert.) Retirer du feu. Bien mêler, à la fourchette, l'œuf, le fromage et la sauce Worcestershire, ajouter au riz, ainsi que le persil, et bien mêler le tout.

Chauffer le four à 350 °F (175 °C).

Couper les avocats en deux et en retirer les noyaux. Déposer les moitiés d'avocats dans un plat à cuire peu profond et ajouter 1/4 po (0,5 cm) d'eau bouillante. Remplir l'intérieur des avocats du mélange au riz. Mêler la chapelure et le beurre et en couvrir le riz. Cuire au four 20 minutes ou jusqu'à ce que la chapelure soit bien dorée et que les avocats soient très chauds. Excellent avec du poulet.

Note: on peut remplacer le bouillon par 1 cube de bouillon de poulet dissous dans 1 tasse (250 ml) d'eau bouillante.

6 PORTIONS

Asperges à l'italienne

8 oz	*nouilles fines*	*225 g*
1	*petite gousse d'ail, épluchée*	*1*
1 lb	*asperges fraîches*	*450 g*
3 c. à s.	*huile à cuisson*	*45 ml*
5 oz	*champignons tranchés en conserve, égouttés*	*142 ml*
1/2 c. à t.	*sel*	*2 ml*
1/4 tasse	*fromage romano râpé*	*60 ml*

Remplir une grande casserole d'eau bouillante salée. Ajouter les nouilles. Piquer le morceau d'ail d'un cure-dents (pour mieux le retrouver après la cuisson) et l'ajouter. Cuire les nouilles 5 minutes ou comme il est indiqué sur leur emballage. Égoutter, jeter le morceau d'ail et rincer les nouilles à l'eau froide.

Laver les asperges et couper leur extrémité trop dure. Couper les tiges en diagonale, en morceaux de 1/2 po (1,25 cm); laisser les pointes entières, toutefois. Chauffer l'huile dans une grande poêle épaisse. Ajouter les asperges, couvrir et cuire à feu moyen, en secouant souvent la poêle, 5 à 8 minutes ou juste assez pour que les asperges soient tendres mais encore un peu croquantes. Ajouter les nouilles et les champignons. Cuire à feu moyen, en mêlant délicatement tous les ingrédients, jusqu'à ce que ce soit bien chaud.

Saupoudrer de sel et parsemer du fromage. Servir immédiatement. Excellent avec le poulet frit.

4 PORTIONS

Ci-contre : en haut, avocat farci de riz et en bas, asperges à l'italienne

Ci-dessus : en haut, haricots verts aux amandes et en bas, bâtonnets de carottes au four

Haricots verts aux amandes

1/4 tasse	*beurre ou margarine*	*60 ml*
1/2 tasse	*amandes mondées, en allumettes*	*125 ml*
1/2 c. à t.	*sel*	*2 ml*
2 c. à t.	*jus de citron*	*10 ml*
1 1/2 lb	*haricots verts congelés, en fine julienne*	*675 g*

Chauffer le beurre ou la margarine dans une casserole ou une poêle épaisse. Y cuire les amandes à feu doux, en brassant souvent, jusqu'à ce qu'elles soient dorées. Retirer du feu. Ajouter le sel et le jus de citron, en brassant.

Cuire les haricots, selon les indications sur les paquets, et les égoutter. Verser les amandes sur les haricots et servir immédiatement.

6 PORTIONS

Carottes savoureuses

1 lb	*carottes (environ 6 moyennes)*	*450 g*
1/2 tasse	*eau*	*125 ml*
1 cube	*bouillon de poulet, déshydraté*	*1 cube*
1/4 tasse	*beurre*	*60 ml*
3	*oignons moyens, tranchés*	*3*
1 c. à s.	*farine*	*15 ml*
1/2 c. à t.	*sel*	*2 ml*
1 pincée	*poivre*	*1 pincée*
1 pincée	*sucre*	*1 pincée*
1/4 c. à t.	*thym séché*	*1 ml*
3/4 tasse	*eau*	*180 ml*

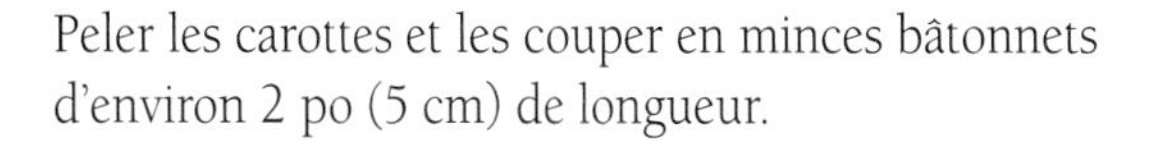

Peler les carottes et les couper en minces bâtonnets d'environ 2 po (5 cm) de longueur.

Mettre 1/2 tasse (125 ml) d'eau dans une casserole moyenne, porter à ébullition et ajouter le cube de bouillon; brasser pour le dissoudre. Ajouter les carottes, couvrir et cuire pendant 10 minutes. Ne pas égoutter.

Chauffer le beurre, pendant ce temps, dans une poêle épaisse. Y cuire l'oignon 5 minutes, à couvert, en secouant souvent la poêle pour empêcher l'oignon de coller au fond. Retirer le couvercle et ajouter, en mêlant, la farine, le sel, le poivre, le sucre et le thym. Retirer du feu et ajouter l'eau, d'un seul coup et en mêlant bien. Continuer la cuisson, à feu moyen et en brassant constamment, jusqu'à ce que la sauce bouille et soit épaisse et lisse. Ajouter les carottes et leur liquide de cuisson et faire mijoter, à couvert, 5 minutes ou jusqu'à ce que les carottes soient tendres. Servir immédiatement.

4 À 6 PORTIONS

Bâtonnets de carottes au four

1 lb	*carottes*	*450 g*
2 c. à t.	*sucre*	*10 ml*
1 c. à t.	*sel*	*5 ml*
1/8 c. à t.	*poivre*	*0,5 ml*
2 c. à t.	*fenouil déchiqueté*	*10 ml*
1/4 tasse	*beurre ou margarine*	*60 ml*

Chauffer le four à 400 °F (205 °C). Beurrer un plat à cuire peu profond d'environ 10 x 6 x 2 po (25 x 15 x 5 cm).

Racler ou peler les carottes et les détailler en bâtonnets d'environ 2 po (5 cm) de longueur. Les mettre dans le plat à cuire. Saupoudrer de sucre, de sel, de poivre et de fenouil. Parsemer de noisettes de beurre. Couvrir. (Si le plat n'a pas de couvercle, utiliser du papier d'aluminium).

Cuire au four, 30 minutes ou jusqu'à ce que les carottes soient tendres.

4 PORTIONS

Brocoli à la sauce moutarde

1/4 tasse	*beurre*	*60 ml*
1 c. à s.	*oignon haché finement*	*15 ml*
1/4 tasse	*farine*	*60 ml*
3/4 tasse	*lait*	*180 ml*
3/4 tasse	*bouillon de poulet*	*180 ml*
1 1/2 c. à s.	*jus de citron*	*22 ml*
1 c. à s.	*moutarde en pâte*	*15 ml*
1 c.à t.	*sucre*	*5 ml*
1/2 c. à t.	*sel*	*2 ml*
3 lb	*brocoli*	*1,4 kg*

Faire fondre le beurre dans une casserole moyenne. Y cuire l'oignon 3 minutes à feu doux, en brassant. Ajouter la farine et bien mêler. Retirer du feu et ajouter le lait et le bouillon de poulet, d'un trait et en mêlant bien. Continuer la cuisson à feu moyen, en brassant, jusqu'à ce que la sauce bouille et soit épaisse et lisse. Ajouter, en brassant, le jus de citron, la moutarde, le sucre et le sel. Garder bien chaud. (Si l'on fait la sauce à l'avance, placer la casserole qui la contient dans de l'eau bouillante.)

Cuire le brocoli, dans une petite quantité d'eau bouillante salée, jusqu'à ce qu'il soit tendre. Le servir immédiatement, nappé de sauce moutarde.

8 PORTIONS

Chou-fleur en vinaigrette

1	*chou-fleur moyen*	*1*
2	*poivrons verts*	*2*
2	*tomates*	*2*
1/4 tasse	*vinaigre de vin*	*60 ml*
3/4 tasse	*huile d'olive*	*180 ml*
1 c. à t.	*sel*	*5 ml*
1/8 c. à t.	*poivre*	*0,5 ml*
1 c. à t.	*paprika*	*5 ml*
2 c. à s.	*olives farcies hachées*	*30 ml*
1 c. à s.	*relish sucrée*	*15 ml*
2	*oignons verts, hachés*	*2*
	laitue	

Défaire le chou-fleur en petits bouquets. Le cuire 3 minutes, à couvert, dans une petite quantité d'eau bouillante. Ajouter le poivron que l'on aura coupé sur la longueur, en fines lanières et continuer la cuisson, 5 minutes ou jusqu'à ce que les légumes soient tendres mais encore un peu croquants. Égoutter. Mettre les légumes chauds dans un plat de verre, peu profond, et y ajouter les tomates, que l'on aura pelées et coupées en six.

Mettre, dans un petit bocal fermant hermétiquement, le vinaigre, l'huile, le sel, le poivre, le paprika, les olives, la relish ainsi que les oignons; agiter vigoureusement, pour bien mêler le tout. Verser la vinaigrette sur les légumes et laisser refroidir en brassant délicatement, à deux ou trois reprises. Couvrir alors de pellicule plastique et réfrigérer jusqu'au moment de servir.

Retirer les légumes de la vinaigrette, avec une cuillère perforée, et les disposer sur de la laitue. Servir comme une salade.

4 PORTIONS

Ci-contre : à gauche, chou-fleur à l'orientale et à droite, brocoli à la sauce moutarde

Chou-fleur à l'orientale

1	*chou-fleur moyen*	*1*
2 c. à s.	*beurre*	*30 ml*
1	*oignon moyen, finement haché*	*1*
1/2 tasse	*céleri haché*	*125 ml*
1 cube	*bouillon de poulet, déshydraté*	*1 cube*
1 tasse	*eau bouillante*	*250 ml*
1/4 tasse	*eau froide*	*60 ml*
1 c. à s.	*fécule de maïs*	*15 ml*
1 c. à s.	*sauce soya*	*15 ml*
2 c. à s.	*persil finement haché*	*30 ml*

Laver le chou-fleur et le défaire en bouquets. Déposer les bouquets dans de l'eau bouillante salée et cuire 15 minutes ou juste assez pour que le chou-fleur soit tendre.

Entre-temps, chauffer le beurre dans une casserole. Y cuire l'oignon et le céleri à feu doux, en brassant, pendant 5 minutes. Ajouter le cube de bouillon et l'eau bouillante et porter à ébullition. Faire un mélange lisse avec l'eau froide, la fécule de maïs et la sauce soya; ajouter à la sauce bouillante, petit à petit et en brassant constamment. Laisser bouillir pendant 1 minute. Ajouter le persil.

Mettre le chou-fleur chaud dans un plat de service et napper de sauce. Servir immédiatement.

4 PORTIONS

Navet en casserole

2 c. à s.	*beurre*	30 ml
1 1/2 tasse	*poivron vert, haché*	375 ml
1 1/2 c. à s.	*oignon finement haché*	22 ml
1 c. à s.	*farine*	15 ml
1 c. à t.	*sel*	5 ml
1/4 c. à t.	*poivre*	1 ml
1/2 tasse	*sauce au chili*	125 ml
1/4 tasse	*eau*	60 ml
4 tasses	*navet cuit, en cubes de 3/4 po (2 cm)*	1 L
1/2 tasse	*gruyère râpé*	125 ml

Chauffer le four à 350 °F (175 °C). Beurrer un plat à cuire de 8 tasses (2 L).

Chauffer 2 c. à s. (30 ml) de beurre, dans une casserole moyenne. Ajouter le poivron et l'oignon et cuire à feu doux, en brassant, jusqu'à ce que l'oignon soit un tout petit peu bruni. Saupoudrer de farine, de sel et de poivre et bien mêler. Retirer du feu et ajouter la sauce au chili et l'eau, en mêlant bien. Continuer la cuisson à feu moyen, en brassant, jusqu'à ce que la sauce soit épaisse. Ajouter le navet et verser dans le plat à cuire. Parsemer de gruyère.

Cuire au four, 20 minutes ou jusqu'à ce que le fromage soit fondu et la préparation très chaude.

6 PORTIONS

Rondelles d'oignons frites

2	*oignons espagnols moyens*	2
1 tasse	*lait*	250 ml
1/2 c. à t.	*sel*	2 ml
6 tasses	*huile à friture*	1 1/2 L
1 tasse	*farine tout usage, tamisée*	250 ml
1/2 c. à t.	*sel*	2 ml
1/2 c. à t.	*paprika*	2 ml
1/2 c. à t.	*marjolaine séchée*	2 ml
2/3 tasse	*eau*	160 ml
2 c. à s.	*huile d'olive*	30 ml
1	*blanc d'œuf*	1

Peler les oignons et les couper en tranches épaisses. Séparer les tranches en rondelles.

→

Mettre le lait et le sel dans un plat de pyrex. Y mettre les rondelles d'oignons et les laisser reposer 30 minutes, en les retournant souvent.

Chauffer la friture à 380 °F (193 °C).

Tamiser, dans un bol, la farine, le sel et le paprika. Ajouter la marjolaine. Ajouter l'eau et brasser pour obtenir un mélange lisse. Ajouter l'huile en battant. Battre le blanc d'œuf en neige ferme, sans être sèche, et l'incorporer à la pâte.

Tremper les rondelles dans la pâte, quelques-unes à la fois, et les secouer un peu pour faire tomber l'excès de garniture. Les faire frire, quelques-unes à la fois, 2 minutes ou jusqu'à ce qu'elles soient légèrement brunies. Égoutter sur du papier absorbant et saler légèrement. Servir très chaud.

4 PORTIONS

Petits oignons en crème

2 lb	*petits oignons (de 26 à 32 selon leur taille)*	*900 g*
2 c. à s.	*beurre ou margarine*	*30 ml*
2 c. à s.	*farine*	*30 ml*
1/2 c. à t.	*sel*	*2 ml*
1/8 c. à t.	*poivre*	*0,5 ml*
1/4 c. à t.	*sarriette séchée*	*1 ml*
1/8 c. à t.	*paprika*	*0,5 ml*
1 1/2 tasse	*lait*	*375 ml*
1/2 tasse	*arachides salées, grossièrement hachées*	*125 ml*
1/3 tasse	*chapelure fine*	*80 ml*
2 c. à s.	*beurre (ou margarine), fondu*	*30 ml*

Éplucher les oignons et les cuire à l'eau bouillante légèrement salée, 10 minutes ou juste assez pour qu'ils soient tendres. Les égoutter en conservant 1/2 tasse (125 ml) de leur liquide de cuisson.

Chauffer le four à 375 °F (190 °C). Beurrer un plat à cuire de 1 1/2 pinte (environ 2 L).

Faire fondre 2 c. à s. (30 ml) de beurre ou de margarine, dans une casserole. Saupoudrer de farine, de sel, de poivre, de sarriette et de paprika et bien mêler. Retirer du feu et ajouter, d'un trait, le lait et 1/2 tasse (125 ml) du liquide de cuisson des oignons. Bien mêler et continuer la cuisson à feu moyen, en brassant, jusqu'à ce que la sauce bouille et soit épaisse et lisse. Ajouter les arachides.

Mettre les oignons dans le plat à cuire. Verser la sauce et brasser délicatement, à la fourchette.

Mêler la chapelure et le beurre fondu et parsemer le plat du mélange. Cuire au four, 20 minutes ou jusqu'à ce que la sauce bouillonne.

6 PORTIONS

Ci-contre : à gauche, navet en casserole et à droite, petits oignons en crème

Nouilles et céleri au four

3 tasses	*céleri en tranches de 1/4 po (0,5 cm) d'épaisseur*	*750 ml*
1/2 tasse	*eau bouillante*	*125 ml*
1/4 c. à t.	*sel*	*1 ml*
1/4 tasse	*beurre ou margarine*	*60 ml*
5 oz	*châtaignes d'eau, tranchées*	*142 ml*
10 oz	*crème de poulet en conserve*	*284 ml*
1/4 c. à t.	*sel*	*1 ml*
1 pincée	*poivre*	*1 pincée*
5 oz	*nouilles chinoises*	*142 ml*

Chauffer le four à 400 °F (205 °C). Beurrer un plat à cuire de 1 1/2 pinte (environ 2 L).

Cuire le céleri dans l'eau bouillante salée, 10 minutes ou jusqu'à ce qu'il soit tendre mais encore un peu croquant. Retirer du feu mais ne pas égoutter. Ajouter le beurre ou la margarine, les châtaignes, la crème de poulet, le sel et le poivre. Mêler délicatement.

Étendre un tiers des nouilles dans le plat à cuire. Ajouter la moitié du mélange au céleri. Couvrir de la moitié de ce qui reste de nouilles, du reste du mélange au céleri et du reste des nouilles. Cuire au four 10 minute, à couvert. Découvrir et continuer la cuisson, 5 minutes ou jusqu'à ce que la préparation bouillonne.

4 PORTIONS

Panais en casserole

1 1/2 lb	*panais*	*675 g*
3 c. à s.	*beurre*	*45 ml*
1/4 tasse	*oignon haché*	*60 ml*
3 c. à s.	*farine*	*45 ml*
1/2 c. à t.	*sel*	*2 ml*
1 pincée	*poivre*	*1 pincée*
1 c. à t.	*sucre*	*5 ml*
1/4 c. à t.	*basilic séché*	*1 ml*
1 1/2 tasse	*jus de tomate*	*375 ml*
1/4 tasse	*chapelure fine*	*60 ml*
1 c. à s.	*beurre fondu*	*15 ml*

Peler les panais et les couper en cubes de 1/2 po (1,25 cm). Cuire à l'eau bouillante salée, jusqu'à ce que ce soit tendre; égoutter. Chauffer le four à 400 °F (205 °C). Beurrer un plat à cuire de 8 tasses (2 L).

Faire fondre 3 c. à s. (45 ml) de beurre, dans une casserole moyenne. Y cuire l'oignon 3 minutes, à feu doux et en brassant. Saupoudrer de la farine, du sel, du poivre, du sucre et du basilic et bien mêler. Retirer du feu et ajouter le jus de tomate, d'un seul trait et en brassant. Continuer la cuisson à feu doux, en brassant, jusqu'à ce que la sauce bouille et soit épaisse et lisse.

Mettre les panais dans le plat à cuire. Verser la sauce tomate et brasser délicatement, à la fourchette. Mêler la chapelure et 1 c. à s. (15 ml) de beurre fondu et parsemer le plat du mélange. Cuire au four, 15 minutes ou jusqu'à ce que la préparation bouillonne.

6 PORTIONS

Ci-dessus : petits pois en crème

Petits pois en crème

2 c. à s.	*beurre*	*30 ml*
2 c. à s.	*oignons verts hachés*	*30 ml*
1 c. à s.	*farine*	*15 ml*
1 c. à t.	*sucre*	*5 ml*
1 pincée	*thym séché*	*1 pincée*
1 pincée	*muscade*	*1 pincée*
1/2 c. à t.	*sel*	*2 ml*
1 pincée	*poivre*	*1 pincée*
3/4 tasse	*lait*	*180 ml*
24 oz	*petits pois congelés*	*675 g*

Faire fondre le beurre dans une petite casserole. Y cuire les oignons 5 minutes à feu doux, en brassant. Saupoudrer de farine, de sucre, de thym, de muscade, de sel et de poivre. Bien mêler et retirer du feu. Ajouter le lait, d'un trait, en mêlant bien. Continuer la cuisson, à feu moyen et en brassant constamment, jusqu'à ce que la sauce bouille et soit épaisse et lisse. Régler le feu au plus bas et continuer la cuisson 10 minutes, en brassant de temps à autre.

Cuire les petits pois, dans une petite quantité d'eau bouillante salée, juste assez pour qu'ils soient tendres mais encore un peu croquants. Les égoutter, les ajouter à la sauce bien chaude et servir immédiatement. Si vous devez faire attendre les petits pois, les garder bien chauds dans un bain-marie, au-dessus d'eau bouillante.

8 PORTIONS

Ci-contre : pommes de terre au fromage au barbecue

Pommes de terre au fromage au barbecue

4	*tranches de bacon*	4
3	*grosses pommes de terre, pelées et tranchées*	3
1	*gros oignon, tranché*	1
1 tasse	*fromage fondu, en cubes de 1/2 po (1,25 cm)*	*250 ml*
3/4 c. à t.	*sel*	*3 ml*
1/4 c. à t.	*poivre*	*1 ml*
1/2 c. à t.	*cerfeuil séché*	*2 ml*
2 c. à s.	*beurre ou margarine*	*30 ml*
1 c. à s.	*graisse de bacon*	*15 ml*

Faire frire le bacon jusqu'à ce qu'il soit croustillant. L'égoutter sur du papier absorbant et l'émietter. Mettre les pommes de terre sur deux grands morceaux superposés de papier d'aluminium du type le plus épais. Ajouter l'oignon, séparé en rondelles. Ajouter les miettes de bacon, le fromage, le sel, le poivre et le cerfeuil et mêler délicatement. Parsemer de noisettes de beurre ou de margarine et arroser de graisse de bacon. Envelopper sans serrer, et bien sceller le paquet en repliant les bords. Cuire, à environ 4 po (10 cm) des charbons brûlants, 1 heure ou jusqu'à ce que les pommes de terre soient tendres; retourner le paquet à la mi-cuisson ou, si on le préfère, cuire au four à 400 °F (205 °C) pendant à peu près le même temps.

4 PORTIONS

Galette de pommes de terre à la suisse

9	*pommes de terre moyennes*	9
1 1/2 c. à t.	*sel*	*7 ml*
4	*tranches de bacon, en petits carrés*	4
1/4 tasse	*oignon haché*	*60 ml*
1/4 tasse	*poivron vert haché (facultatif)*	*60 ml*
environ 1/3 tasse	*huile à cuisson*	*environ 80 ml*
environ 1/4 tasse	*beurre*	*environ 60 ml*

Bien brosser les pommes de terre (ne pas les peler) et les mettre dans une grand casserole. Couvrir complètement d'eau bouillante. Faire bouillir à feu vif pendant 10 minutes ou jusqu'à ce qu'on puisse enfoncer la pointe d'un couteau de 1 po (2,5 cm) dans une pomme de terre avant qu'elle ne touche la partie non encore cuite. Égoutter immédiatement les pommes de terre et les laisser refroidir suffisamment pour pouvoir les manipuler. Les peler et les mettre dans un bol. Couvrir de pellicule plastique et réfrigérer 1 heure.

Râper les pommes de terre juste avant de cuire la galette. Utiliser une râpe fine et faire les petits filaments aussi longs que possible. Ajouter le sel et brasser délicatement à la fourchette.

Faire frire, dans une petite poêle épaisse, les morceaux de bacon jusqu'à ce que leur partie grasse semble translucide. Ajouter l'oignon et le poivron vert et continuer la cuisson, en brassant, jusqu'à ce que ces légumes soient ramollis. Retirer du feu.

Mettre la moitié de l'huile et la moitié du beurre dans une poêle de fonte épaisse, de 10 po (25 cm) de diamètre. Y mettre la moitié des pommes de terre et les presser fermement avec le dos d'une spatule. Couvrir du mélange au bacon en l'étalant jusqu'à 1 po (2,5 cm) du bord, tout autour. Étaler uniformément le reste des pommes de terre. Souder les pommes de terre ensemble, tout autour de la galette, en pressant bien avec la spatule.

Cuire à feu modérément haut, de 8 à 10 minutes ou jusqu'à ce que le dessous de la galette soit bien bruni. Mettre une grande assiette ou une plaque à biscuits sur le dessus de la poêle. Retourner la poêle et l'assiette ensemble, en les tenant fermement.

Remettre la poêle sur le feu et y mettre, les restes d'huile et de beurre. Bien chauffer. Faire glisser la galette dans la poêle, avec précautions, le côté bruni sur le dessus. La presser fermement et continuer la cuisson, 8 minutes ou jusqu'à ce que la galette soit bien brunie en dessous et croustillante tout autour.

Retourner dans une grand plat de service, chaud, couper en pointes et servir immédiatement.

6 À 8 PORTIONS

Courge au cari

2	*courges potirons*	2
	sel et poivre	
2 c. à s.	*beurre*	30 ml
1/2 c. à t.	*poudre de cari*	2 ml
1 1/2 c. à t.	*farine*	7 ml
1 tasse	*crème à 15 %*	250 ml
1/4 c. à t.	*sel*	1 ml
1 pincée	*poivre*	1 pincée
	paprika	

Chauffer le four à 375 °F (190 °C). Beurrer un plat à cuire de 12 x 7 x 2 po (30,5 x 18 x 5 cm).

Trancher les courges sur la longueur. Enlever les graines et la pelure. Déposer les morceaux de courge dans de l'eau bouillante légèrement salée et les cuire, de 5 à 10 minutes ou jusqu'à ce qu'elles soient presque tendres. Égoutter et disposer les morceaux de courge dans le plat à cuire, en une couche simple. Saler et poivrer légèrement.

Chauffer le beurre dans une casserole. Ajouter la poudre de cari et cuire à feu doux, en brassant, pendant 2 minutes. Saupoudrer de farine et bien mêler. Retirer du feu et ajouter la crème, d'un trait. Saler, poivrer et bien mêler. Continuer la cuisson à feu moyen, en brassant constamment, jusqu'à ce que la sauce bouille et soit épaisse et lisse. Verser sur les morceaux de courge et saupoudrer de paprika.

Cuire au four, de 10 à 15 minutes ou jusqu'à ce que la sauce bouillonne.

4 PORTIONS

Courge glacée au barbecue

1	*courge potiron*	1
1/4 tasse	*beurre ou margarine*	60 ml
1/4 tasse	*cassonade, mesurée bien tassée*	60 ml
1/4 c. à t.	*muscade*	1 ml
1/2 c. à t.	*sel*	2 ml
1/8 c. à t.	*poivre*	0,5 ml

Couper la courge sur la longueur, en bâtonnets d'environ 1/2 po (1,25 cm) d'épaisseur. Peler tous ces bâtonnets et les mettre sur deux grands morceaux superposés de papier d'aluminium du type le plus épais. Faire fondre le beurre (ou la margarine) et y ajouter tous les autres ingrédients. Verser sur la courge et envelopper sans serrer. Bien sceller le paquet en repliant les bords. Cuire à environ 4 po (10 cm) des charbons brûlants, 45 minutes ou jusqu'à ce que ce soit tendre; retourner les paquets à la mi-cuisson.

Note: si on le préfère, cuire au four à 400 °F (205 °C), pendant 1 heure.

2 PORTIONS

Ci-contre : à gauche, courge au cari et à droite, courge glacée au barbecue

Compote de tomates au yogourt

4	*grosses tomates, pelées*	4
2 c. à s.	*beurre*	30 ml
1 c. à t.	*graines de moutarde*	5 ml
2 c. à s.	*oignon vert, finement haché*	30 ml
3 c. à s.	*poivron vert, finement haché*	45 ml
1/2 c. à t.	*sel*	2 ml
1/8 c. à t.	*poivre*	0,5 ml
1/3 tasse	*yogourt*	80 ml

Couper les tomates en quartiers et en enlever les graines. Couper la chair en très petits morceaux.

Chauffer le beurre dans une poêle épaisse de grandeur moyenne. Ajouter les graines de moutarde et chauffer, en brassant, jusqu'à ce que le beurre brunisse légèrement et que les graines commencent à éclater. Ajouter les tomates l'oignon et le poivron vert. Faire mijoter 10 minutes à découvert. Saler et poivrer. Goûter et rectifier l'assaisonnement s'il y a lieu. Ajouter le yogourt en brassant.

Servir immédiatement.

4 PORTIONS

Tomates grillées au fromage bleu

4	*grosses tomates*	4
1 c. à t.	*sucre*	5 ml
1/2 c. à t.	*basilic séché*	2 ml
1/4 c. à t.	*sel*	1 ml
1 pincée	*poivre*	1 pincée
1 tasse	*miettes de pain frais*	250 ml
2 c. à s.	*beurre fondu*	30 ml
1/4 tasse	*fromage bleu émietté*	60 ml

Chauffer le grilloir du four. Enlever une tranche de chaque tomate, du côté du pédoncule. Couper ensuite chacque tomate en deux tranches épaisses et les mettre sur une grille, dans une plaque.

Mêler le sucre, le basilic, le sel et le poivre et en saupoudrer les tomates. Mettre au four, à 4 po (10 cm) environ sous le feu, et faire griller 2 minutes.

Ajouter les miettes de pain au beurre fondu et brasser délicatement à la fourchette. Ajouter le fromage et brasser de nouveau, délicatement. Répartir sur les tranches de tomates. Faire griller, environ 1 minute, pour bien dorer, et servir immédiatement.

4 PORTIONS

Ci-contre : en bas, tomates grillées au fromage bleu et en haut, compote de tomates au yogourt

Courgettes farcies

6	*petites courgettes*	6
1 tasse	*petits cubes de pain frais*	*250 ml*
1/2 tasse	*épinards cuits, finement hachés*	*125 ml*
1 c. à s.	*oignon finement haché*	*15 ml*
2	*œufs, légèrement battus*	2
2 c. à s.	*huile à cuisson*	*30 ml*
1/2 c. à t.	*sel*	*2 ml*
1/4 c. à t.	*poivre*	*1 ml*
1/4 c. à t.	*paprika*	*1 ml*
1/4 c. à t.	*thym séché*	*1 ml*
1 pincée	*sel d'ail*	*1 pincée*

Chauffer le four à 350 °F (175 °C). Beurrer un plat à cuire peu profond de 12 x 7 1/2 x 2 po (30,5 x 19 x 5 cm).

Laver les courgettes et en couper les bouts. Les immerger dans de l'eau bouillante salée et faire bouillir 5 minutes. Les égoutter et les laisser refroidir assez pour pouvoir les manipuler. Couper les courgettes en deux, horizontalement, et en évider l'intérieur, en leur laissant une paroi de 1/4 po (0,5 cm) d'épaisseur, assez solide pour contenir la garniture. Hacher finement la pulpe enlevée et y ajouter tous les autres ingrédients. Répartir dans les courgettes évidées. Mettre dans le plat beurré et cuire au four, 30 minutes ou jusqu'à ce que les courgettes soient tendres.

6 PORTIONS

Courgettes et oignons au barbecue

3	*courgettes moyennes*	3
2	*oignons moyens, tranchés très minces*	2
1 sachet	*mélange pour sauce à salade à l'italienne*	*1 sachet*
2 c. à s.	*vinaigre de vin*	*30 ml*
1/4 tasse	*huile à salade*	*60 ml*
2 c. à s.	*parmesan râpé*	*30 ml*

Couper les courgettes en tranches de 1/4 po (0,5 cm) d'épaisseur. Les mettre sur deux grandes feuilles superposées de papier d'aluminium du type le plus épais. Ajouter les oignons et relever un peu les bords du papier.

Mêler le mélange pour sauce à salade, le vinaigre et l'huile et verser sur les légumes. Parsemer de parmesan.

Envelopper sans serrer. Bien sceller le paquet en repliant les bords. Cuire à environ 4 po (10 cm) des charbons très chauds, 25 minutes ou jusqu'à ce que les légumes soient tendres; retourner le paquet à la mi-cuisson.

Note: si on le préfère, cuire au four à 400 °F (205 °C), pendant environ 40 minutes.

3 PORTIONS

Ci-contre : courgettes farcies

Cornichons à la moutarde

4 tasses	*très petits oignons blancs*	*1 L*
24	*petits concombres de 3 à 4 po (7,5 à 10 cm) de longueur*	*24*
1	*chou-fleur moyen*	*1*
1	*poivron rouge*	*1*
8 tasses	*eau froide*	*2 L*
1 tasse	*sel à marinades*	*250 ml*
1 pincée	*alum*	*1 pincée*
2 1/2 tasses	*sucre*	*625 ml*
1/2 tasse	*farine*	*125 ml*
1/2 tasse	*moutarde en poudre*	*125 ml*
2 c. à s.	*curcuma*	*30 ml*
2 c. à s.	*graines de céleri*	*30 ml*
5 tasses	*vinaigre de cidre*	*1,25 L*

Éplucher les oignons. Bien laver les concombres et couper en tranches de 1/4 po (0,5 cm) d'épaisseur. Séparer le chou-fleur en bouquets d'une bouchée. Couper le poivron en courtes lanières.

Mettre l'eau froide dans un grand bol. Ajouter le sel et l'alun et brasser jusqu'à ce que le sel soit dissous. Ajouter les légumes et laisser reposer jusqu'au lendemain. Bien égoutter.

Mettre dans une grande marmite, le sucre, la farine, la moutarde, le curcuma et les graines de céleri et bien mêler. Ajouter le vinaigre, petit à petit et en mêlant bien. Cuire à feu moyen, en brassant constamment, jusqu'à ce que le mélange bouille et soit épais et lisse. Ajouter les légumes et cuire 15 minutes, à feu moyen et en brassant de temps à autre.

Mettre dans des bocaux stérilisés et sceller.

8 TASSES (2 L)

Légumes et fèves soya en casserole

1 tasse	*fèves soya sèches*	*250 ml*
4 tasses	*eau froide*	*1 L*
1 c. à t.	*sel*	*5 ml*
12 oz	*maïs en grains entiers*	*341 ml*
19 oz	*tomates*	*540 ml*
2 c. à s.	*farine*	*30 ml*
1 c. à t.	*sucre*	*5 ml*
1 c. à t.	*sel d'ail*	*5 ml*
1/4 c. à t.	*basilic séché*	*1 ml*
1/8 c. à t.	*poivre*	*0,5 ml*
1 tasse	*pain, en cubes de 1/4 po (0,5 cm)*	*250 ml*
2 c. à s.	*beurre fondu*	*30 ml*
1/2 tasse	*cheddar fort, râpé*	*125 ml*

Laver les fèves après les avoir triées et enlevé celles qui ne sont pas parfaites. Les couvrir d'eau froide et les laisser tremper jusqu'au lendemain.

Mettre les fèves, leur eau de trempage et le sel dans une grande casserole. Porter à ébullition, baisser le feu, couvrir et faire mijoter, de 2 à 3 heures ou jusqu'à ce que les fèves soient tendres. (Ajouter de l'eau pendant la cuisson, si nécessaire.) Égoutter.

Chauffer le four à 375 °F (190 °C). Beurrer un plat à cuire de 8 tasses (2 L). Mêler les fèves et le maïs et mettre dans le plat à cuire.

Mettre dans un petit plat, 2 c. à s. (30 ml) du jus de conserve des tomates. Mettre le reste de la boîte de tomates dans une casserole moyenne. Défaire les gros morceaux avec une fourchette et porter à ébullition.

Ajouter, aux 2 c. à s. (30 ml) de jus de tomates dans le petit plat, la farine, le sucre, le sel d'ail, le basilic et le poivre; brasser jusqu'à ce que le mélange soit lisse. Ajouter aux tomates bouillantes, petit à petit et en brassant. Porter de nouveau à ébullition, en brassant constamment. Verser sur les fèves et le maïs dans la casserole et brasser délicatement.

Ajouter les cubes de pain au beurre fondu et brasser légèrement à la fourchette, pour enduire tous les cubes. Ajouter le fromage et brasser à la fourchette. Étendre sur le dessus du plat.

Cuire au four 30 minutes ou jusqu'à ce que les cubes de pain soient brunis et que la sauce bouillonne.

4 À 6 PORTIONS

Légumes trois couleurs

1	*gros poivron rouge, en carrés de 1 po (2,5 cm) de côté*	*1*
1 c. à s.	*huile d'olive*	*15 ml*
2 tasses	*chou-fleur en petits bouquets*	*500 ml*
10 oz	*petits pois congelés*	*280 g*
1/2 tasse	*eau*	*125 ml*
1/2 c. à t.	*sel*	*2 ml*
1/4 c. à t.	*poivre*	*1 ml*
1/4 c. à t.	*graines de cumin moulues*	*1 ml*

Chauffer l'huile dans une grande poêle épaisse. Y mettre le poivron, le chou-fleur, les pois (non dégelés), l'eau, le sel, le poivre et le cumin. Couvrir et cuire à feu vif, en secouant souvent la poêle, 8 minutes ou pour que le chou-fleur soit tendre mais un peu croquant. Servir immédiatement.

4 À 6 PORTIONS

Légumes frits à la chinoise

4	*grosses branches de céleri*	*4*
2	*oignons moyens*	*2*
1/2	*gros poivron vert*	*1/2*
2 c. à s.	*eau*	*30 ml*
1 c. à t.	*fécule de maïs*	*5 ml*
2 c. à s.	*huile d'arachide*	*30 ml*
1/2 c. à t.	*sel*	*2 ml*
2 c. à t.	*sauce soya*	*10 ml*
1/4 tasse	*eau*	*60 ml*

Couper le céleri en diagonale, en tranches de 1/4 po (0,5 cm). Couper les oignons en deux, sur la longueur, et mettre les morceaux à plat, c'est-à-dire le côté coupé en dessous, sur une planche. Trancher en longues lamelles. Couper le poivron sur la longueur également, en fines languettes. Mêler 2 c. à s. (30 ml) d'eau et la fécule de maïs en une sauce lisse.

Chauffer l'huile dans une grande poêle épaisse ou un wok. Ajouter le sel à l'huile très chaude. Ajouter le céleri et cuire 30 secondes, à feu vif, en brassant constamment. Ajouter l'oignon et cuire 30 secondes, en brassant. Ajouter finalement le poivron et cuire encore 30 secondes, en brassant. Ajouter la sauce soya et 1/4 tasse (60 m l) d'eau. Couvrir, réduire le feu à moyen et cuire 2 minutes.

Repousser les légumes d'un seul côté du récipient et ajouter au liquide de cuisson bouillant suffisamment de fécule de maïs délayée pour obtenir une sauce épaisse qui adhère aux légumes. Bien brasser et servir immédiatement.

2 OU 3 PORTIONS

Ci-contre : à gauche, légumes frits à la chinoise et à droite, légumes trois couleurs

Riz aux poivrons

1/4 tasse	*huile à cuisson*	*60 ml*
1 tasse	*riz à longs grains, non prétraité*	*250 ml*
2	*gros poivrons, épépinés et coupés en carrés de 1 po (2,5 cm)*	2
1	*oignon moyen, haché*	1
19 oz	*jus de tomate*	*540 ml*
1/2 tasse	*ketchup*	*125 ml*
1 c. à t.	*sel*	*5 ml*
1/4 c. à t.	*poivre*	*1 ml*

Chauffer le four à 350 °F (175 °C). Graisser un plat à cuire de 8 tasses (2 L).

Faire chauffer l'huile dans une casserole moyenne. Y dorer le riz à feu moyen, en brassant. Ajouter le poivron et l'oignon et cuire 1 minute, à feu doux. Ajouter tous les autres ingrédients, brasser et porter à ébullition. Verser dans le plat à cuire, couvrir et cuire au four, 45 minutes ou jusqu'à ce que le riz soit tendre et ait absorbé tout le liquide. Excellent avec du poulet, du poisson ou du veau.

6 PORTIONS

Riz aux fines herbes

1/4 tasse	*beurre*	*60 ml*
1/2 tasse	*oignon haché*	*125 ml*
1 1/2 tasse	*riz à longs grains, non prétraité*	*375 ml*
1 1/4 tasse	*bouillon de poulet*	*300 ml*
2 1/2 tasses	*eau*	*625 ml*
1/8 c. à t.	*thym séché*	*0,5 ml*
1/8 c. à t.	*marjolaine séchée*	*0,5 ml*
2 c. à t.	*sel*	*10 ml*
1/8 c. à t.	*poivre*	*0,5 ml*
1/2 tasse	*amandes rôties, en allumettes*	*125 ml*

Chauffer le beurre dans une grande casserole. Cuire l'oignon 3 minutes à feu doux, en brassant. Ajouter le riz et continuer la cuisson, en brassant, jusqu'à ce qu'il soit bien doré.

Porter à ébullition le bouillon de poulet et l'eau. Ajouter au riz ainsi que le thym, la marjolaine, le sel et le poivre. Porter à ébullition, réduire le feu au plus bas, couvrir et faire mijoter, 20 minutes ou jusqu'à ce que le riz soit tendre et ait absorbé tout le liquide. Ajouter les amandes et brasser délicatement à la fourchette.

8 PORTIONS

Ci-contre : de gauche à droite, riz aux poivrons, riz aux fines herbes et riz savoureux

Riz savoureux

1 tasse	*riz à longs grains, non prétraité*	*250 ml*
1 tasse	*champignons, tranchés finement*	*250 ml*
1/4 tasse	*eau*	*60 ml*
1 c. à t.	*jus de citron*	*5 ml*
1 c. à s.	*beurre*	*15 ml*
2 tasses	*eau bouillante*	*500 ml*
1 1/2 oz	*mélange pour soupe à l'oignon déshydraté*	*45 g*

Chauffer le four à 400 °F (205 °C). Étendre le riz dans un grand plat à cuire peu profond et mettre au four. Chauffer, en brassant une ou deux fois, 5 minutes ou jusqu'à ce que le riz soit d'un beau doré. Retirer du four et réduire la température à 350 °F (175 °C).

Mettre les champignons, 1/4 tasse (60 ml) d'eau et le jus de citron dans une petite casserole et porter à petite ébullition. Couvrir et laisser mijoter 3 minutes, en secouant la casserole souvent. Égoutter.

Bien mêler à la fourchette, dans un plat à cuire de 8 tasses (2 L), le riz, les champignons, le beurre, l'eau bouillante et le mélange pour soupe à l'oignon. Couvrir et cuire au four 30 minutes.

Mêler délicatement à la fourchette, et continuer la cuisson à découvert, 15 minutes ou jusqu'à ce que le riz ait absorbé tout le liquide mais soit encore moelleux. Délicieux avec les fricadelles grillées, le bifteck ou le poisson.

4 PORTIONS

Boulettes de riz et de fromage

1 1/2 tasse	*riz à longs grains, non prétraité*	*375 ml*
1/8 c. à t.	*muscade*	*0,5 ml*
1/4 c. à t.	*poivre noir*	*1 ml*
3 c. à s.	*parmesan râpé*	*45 ml*
2	*œufs*	*2*
1/4 lb	*mozzarella, en cubes de 1/4 po (0,5 cm)*	*115 g*
1 c. à s.	*parmesan râpé*	*15 ml*
1 pincée	*sel*	*1 pincée*
1 c. à s.	*persil, finement haché*	*15 ml*
6 tasse	*huile à friture*	*1,5 L*
environ 1/3 tasse	*farine tout usage*	*environ 80 ml*
environ 1/2 tasse	*chapelure fine*	*environ 125 ml*

Cuire le riz selon les indications sur le paquet. Ajouter la muscade, le poivre et le parmesan et mêler délicatement à la fourchette. Couvrir de pellicule plastique et bien réfrigérer.

Battre les œufs à la fourchette, dans un plat peu profond (une assiette à tarte par exemple).

Mêler les cubes de mozzarella, 1 c. à s. (15 ml) de parmesan, le sel, 1 c. à s. (15 ml) d'œuf battu (le reste des œufs sera utilisé plus tard) et le persil, peu avant le moment de faire les boulettes. Chauffer l'huile à friture à 400 °F (205 °C).

Se passer les mains à l'eau froide, secouer l'excès d'eau et mettre une bonne cuillerée à soupe de riz froid dans le creux d'une main. Mettre une bonne cuillerée à thé du mélange au mozzarella au creux de ce riz et recouvrir d'une autre bonne cuillerée à soupe de riz. Façonner en une boule d'environ 2 po (5 cm) de diamètre. Répéter pour utiliser tout le riz et tout le fromage (se passer les mains à l'eau froide avant la confection de chacune). Déposer les boulettes sur du papier ciré.

Mettre la farine dans un plat peu profond et la chapelure dans un autre. Passer les boulettes d'abord dans la farine, pour les en enrober légèrement, ensuite dans les œufs battus et, finalement, dans la chapelure.

Faire frire les boulettes, quelques-unes à la fois, 5 minutes ou jusqu'à ce qu'elles soient dorées. Les réserver au four chauffé au degré le plus bas, jusqu'à ce qu'elles soient toutes prêtes. Avec une salade, ces boulettes font un bon repas léger; on peut aussi les servir avec un plat de viande.

Ci-dessus : boulettes de riz et de fromage, et riz aux légumes

Riz aux légumes

2 c. à s.	*huile d'olive*	30 ml
4	*tranches de bacon, hachées*	4
1/3 tasse	*oignon haché*	80 ml
4	*tomates, pelées et hachée*	4
1 1/2 tasse	*riz à longs grains, non prétraité*	375 ml
2 1/2 tasses	*bouillon de bœuf*	625 ml
1 c. à t.	*sel*	5 ml
1/8 c. à t.	*poivre*	0,5 ml
1 tasse	*chou-fleur, haché finement*	250 ml
1 tasse	*haricots verts, en morceaux*	250 ml
1 tasse	*petits pois congelés*	250 ml

Chauffer le four à 350 °F (175 °C). Chauffer l'huile et le bacon dans une grande casserole épaisse ou une rôtissoire que vous pourrez ensuite mettre au four. Ajouter l'oignon et le cuire à feu doux, 5 minutes ou jusqu'à ce qu'il soit doré. Ajouter, en brassant, les tomates et le riz.

Ajouter le bouillon, le sel et le poivre. Porter à ébullition. Ajouter le chou-fleur et les haricots. Couvrir et faire mijoter 15 minutes. Brasser délicatement à la fourchette, ajouter les petits pois, couvrir et faire mijoter 5 minutes.

Cuire au four, à découvert, 10 minutes ou jusqu'à ce que le riz ait absorbé tout le liquide mais soit encore moelleux. Brasser à la fourchette et servir immédiatement.

6 À 8 PORTIONS

Spaghetti avec sauce à l'aubergine

1/2 tasse	*huile d'olive*	*125 ml*
1/2 tasse	*oignon, haché finement*	*125 ml*
2	*gousses d'ail, broyées*	*2*
3 tasses	*aubergine (1 aubergine moyenne), en cubes de 1/2 po (1,25 cm)*	*750 ml*
1 tasse	*poivron vert (1 petit poivron), taillé en allumettes*	*250 ml*
3 tasses	*tomates (4 grosses), pelées et hachées*	*750 ml*
1/2 c. à t.	*basilic séché*	*2 ml*
1/2 c. à t.	*sel*	*2 ml*
1/4 c. à t.	*poivre*	*1 ml*
1/2 tasse	*olives noires, taillées en allumettes*	*125 ml*
6	*anchois, hachés très fin*	*6*
1 c. à s.	*câpres hachées*	*15 ml*
1 lb	*spaghetti, cuit et égoutté*	*450 g*
2 c. à s.	*beurre fondu*	*30 ml*
1/4 tasse	*parmesan râpé*	*60 ml*
2 c. à s.	*persil haché*	*30 ml*
	fromage parmesan râpé	

Faire chauffer l'huile dans une casserole. Ajouter l'oignon et l'ail et cuire doucement, 10 minutes, en brassant. Ajouter l'aubergine et le poivron vert et continuer la cuisson 5 minutes, en brassant.

Ajouter les tomates et le basilic, le sel et le poivre. Couvrir et laisser mijoter 30 minutes, en brassant de temps à autre. Ajouter les olives, les anchois et les câpres et continuer la cuisson à feu doux 5 minutes. Goûter et rectifier l'assaisonnement, s'il y a lieu.

Ajouter, au spaghetti chaud, le beurre, le parmesan et le persil; mettre dans un plat creux. Verser la sauce à l'aubergine sur le spaghetti et parsemer de parmesan.

4 À 6 PORTIONS

Macaroni aux légumes

2 tasses	*macaroni en coudes*	*500 ml*
2 c. à s.	*beurre*	*30 ml*
1	*poivron vert moyen, grossièrement haché*	*1*
1 tasse	*céleri, tranché mince*	*250 ml*
2 c. à s.	*oignon, finement haché*	*30 ml*
1/2 lb	*saucisses fumées, en tranches minces*	*225 g*
2	*petites courgettes, coupées grossièrement*	*2*
12 oz	*maïs en grains entiers*	*350 g*
2	*tomates, en pointes*	*2*
1 c. à t.	*sel*	*5 ml*
1/4 c. à t.	*poivre*	*1 ml*
2 tasses	*fromage râpé*	*500 ml*

Cuire le macaroni, dans une abondante quantité d'eau bouillante, 7 minutes ou jusqu'à ce qu'il soit tendre. L'égoutter et le garder bien chaud.

Faire fondre le beurre dans une grande poêle épaisse. Ajouter le poivron, le céleri, l'oignon et les saucisses et cuire à feu doux jusqu'à ce que les légumes soient tendres tout en étant encore un peu croquants et les morceaux de saucisses légèrement brunis. Ajouter les courgettes, le maïs et les tomates. Saler et poivrer. Cuire à feu moyen, en brassant de temps à autre, jusqu'à ce que les courgettes soient tendres et que le tout soit très chaud. Parsemer de fromage râpé et brasser, sur feu doux, jusqu'à ce que le fromage soit fondu.

Mettre le macaroni dans un plat de service chaud et couvrir du mélange aux légumes. Servir immédiatement.

4 À 6 PORTIONS

Ci-contre : macaroni aux légumes

Ci-dessus : nouilles à l'ail

Nouilles à l'ail

1/4 tasse	*beurre ramolli (ou margarine)*	*60 ml*
8 oz	*fromage à la crème, ramolli*	*225 g*
1/4 tasse	*persil haché*	*60 ml*
1 c. à t.	*basilic séché*	*5 ml*
1/4 c. à t.	*sel*	*1 ml*
1/2 c. à t.	*poivre*	*2 ml*
8 oz	*nouilles fines*	*225 g*
1	*gousse d'ail, broyée*	*1*
1/2 tasse	*beurre ou margarine*	*125 ml*
1/2 tasse	*parmesan râpé*	*125 ml*
2/3 tasse	*eau bouillante*	*160 ml*
1/2 tasse	*parmesan râpé*	*125 ml*

Mêler au malaxeur, le beurre et le fromage à la crème. Ajouter le persil, le basilic, le sel et le poivre, en brassant. Réserver.

Faire cuire les nouilles dans une grande quantité d'eau bouillante salée, 5 minutes ou pour qu'elles soient « al dente ». Les égoutter et les remettre dans leur casserole.

Entre-temps, faire cuire à feu doux, l'ail et 1/2 tasse (125 ml) de beurre, environ 2 minutes. Ajouter les nouilles et continuer la cuisson à feu doux, en brassant avec deux fourchettes, jusqu'à ce que les nouilles soient très chaudes. Retirer du feu. Ajouter 1/2 tasse (125 ml) de parmesan et mêler. Mettre dans un plat de service chaud et garder bien chaud.

Ajouter l'eau bouillante au mélange au fromage à la crème et bien mêler. Verser sur les nouilles chaudes. Parsemer de 1/2 tasse (60 ml) de parmesan râpé et servir immédiatement.

6 PORTIONS

Nouilles en sauce aux fines herbes

2 c. à s.	*huile d'olive*	*30 ml*
1 tasse	*oignon haché*	*250 ml*
2	*gousses d'ail, émincées*	*2*
5 tasses	*tomates, pelées et grossièrement hachées*	*1,25 L*
1/2 tasse	*vin rouge sec*	*125 ml*
1/4 tasse	*persil haché*	*60 ml*
1 c. à t.	*sel*	*5 ml*
1/4 c. à t.	*poivre*	*1 ml*
1 c. à t.	*paprika*	*5 ml*
1 c. à t.	*sucre*	*5 ml*
1 c. à t.	*origan séché*	*5 ml*
1/2 c. à t.	*basilic séché*	*2 ml*
3 gouttes	*sauce Tabasco*	*3 gouttes*
1/4 tasse	*beurre*	*60 ml*
1 tasse	*pain frais, en cubes*	*250 ml*
1 c. à t.	*basilic séché*	*5 ml*
1 c. à t.	*cerfeuil séché*	*5 ml*
1 c. à s.	*persil haché*	*15 ml*
1 tasse	*crème à 15 %*	*250 ml*
1 tasse	*olives noires, en allumettes*	*250 ml*
16 oz	*nouilles moyennes*	*450 g*

Chauffer l'huile dans une grand poêle épaisse. Cuire l'oignon et l'ail 3 minutes, à feu doux. Ajouter les tomates, le vin le persil, le sel, le poivre, le paprika, le sucre, l'origan, le basilic et la sauce Tabasco. Porter à ébullition, baisser le feu et laisser mijoter 40 minutes, à découvert.

Dès que la sauce est presque prête, faire fondre le beurre, dans une casserole. Y cuire les cubes de pain, en brassant, jusqu'à ce qu'ils soient dorés. Ajouter 1 c. à t. (5 ml) de basilic, le cerfeuil, 1 c. à s. (15 ml) de persil et la crème. Porter à ébullition. Ajouter les olives et garder chaud, sur un feu très doux.

Cuire les nouilles dans une abondante quantité d'eau bouillante salée jusqu'à ce qu'elles soient « al dente ». Égoutter. Ajouter le mélange à la crème aux nouilles et mêler délicatement. Disposer les nouilles en amas au centre d'un grand plat de service creux. Verser la sauce tomate autour et servir immédiatement.

6 PORTIONS

Omelette soufflée californienne

6	*œufs*	6
4 oz	*fromage à la crème, ramolli*	*115 g*
1/4 tasse	*lait*	*60 ml*
3/4 c. à t.	*sel*	*3 ml*
1/8 c. à t.	*poivre*	*0,5 ml*
2 c. à s.	*beurre*	*30 ml*
1 c. à s.	*oignon vert, finement tranché*	*15 ml*
	sauce californienne (recette ci-après)	

Chauffer le four à 350 °F (175 °C).

Battre les jaunes d'œufs, à la grande vitesse d'un malaxeur électrique, 5 minutes ou jusqu'à ce qu'ils soient épais et d'un beau jaune citron. Ajouter le fromage à la crème et battre jusqu'à ce que le mélange soit homogène. Ajouter le lait, le sel et le poivre.

Chauffer le beurre dans une grande poêle épaisse de 10 po (25,5 cm) de diamètre, que l'on pourra mettre au four. Y cuire l'oignon 2 minutes, à feu doux. Battre les blancs d'œufs en une neige ferme mais non sèche. Les incorporer à la préparation et mettre le tout dans la poêle. Cuire à feu doux, 10 minutes ou jusqu'à ce que l'omelette prenne et soit légèrement brunie en dessous.

Continuer la cuisson au four, 15 minutes ou jusqu'à ce que l'omelette soit ferme et brunie sur le dessus. Couper en pointes et servir immédiatement, avec la sauce.

4 À 6 PORTIONS

Sauce californienne

7 1/2 oz	*sauce tomate*	*215 ml*
1/4 c. à t.	*assaisonnement au chili*	*1 ml*
1/2 tasse	*olives noires, en allumettes*	*125 ml*

Mettre la sauce tomate et l'assaisonnement au chili dans une petite casserole et faire mijoter 5 minutes. Ajouter les olives et servir sur les pointes d'omelette.

Ci-contre : omelette soufflée californienne

Soufflé au brocoli

10 oz	*brocoli haché congelé*	*280 g*
6	*œufs*	6
1/4 c. à t.	*crème de tartre*	*1 ml*
1/3 tasse	*beurre ou margarine*	*80 ml*
1/3 tasse	*farine*	*80 ml*
1 1/2 tasse	*lait*	*375 ml*
1/2 c. à t.	*sel*	*2 ml*
1/4 c. à t.	*poivre*	*1 ml*
1/4 c. à t.	*sel d'ail*	*1 ml*
1/2 c. à t.	*marjolaine séchée*	*2 ml*
1/2 tasse	*cheddar fort, râpé*	*125 ml*
2 c. à s.	*cheddar fort, râpé*	*30 ml*

Cuire le brocoli selon les indications sur son emballage mais en comptant le plus court des temps de cuisson suggérés. Égoutter parfaitement.

Chauffer le four à 350 °F (175 °C). Hausser de 3 po (7,5 cm) le bord d'un plat à soufflé de 8 tasses (2 L) à l'aide d'une double bande de papier d'aluminium fixée bien solidement. Beurrer légèrement cette bande, sans toutefois toucher au plat.

Mettre les blancs d'œufs dans un grand bol et les jaunes dans un autre. Ajouter la crème de tartre aux blancs et battre ces derniers jusqu'à ce qu'ils forment des pics au bout des batteurs. Mettre de côté.

Faire fondre le beurre (ou la margarine) dans une casserole moyenne. Ajouter la farine, brasser et laisser bouillonner un peu. Retirer du feu et ajouter le lait, d'un trait et en mêlant bien. Continuer la cuisson, en brassant sans arrêt, jusqu'à ce que la sauce soit épaisse et lisse. Retirer du feu et ajouter le sel, le poivre, le sel d'ail et la marjolaine.

Bien battre les jaunes d'œufs. Y ajouter le mélange chaud, petit à petit et en battant. Ajouter le brocoli et 1/2 tasse (125 ml) de cheddar et bien mêler le tout. Incorporer les blancs d'œufs au mélange au brocoli, aussi rapidement que possible, en brassant délicatement, juste ce qu'il faut pour bien mêler.

Mettre dans le plat à soufflé. Parsemer de 2 c. à s. (30 ml) de cheddar râpé et cuire au four, 50 minutes ou jusqu'à ce que le soufflé soit à point. Servir immédiatement.

6 PORTIONS

Ci-contre : omelette au fromage cottage

Omelette au fromage cottage

4	*jaunes d'œufs*	4
1/2 c. à t.	*sel*	*2 ml*
1/8 c. à t.	*poivre*	*0,5 ml*
1/4 c. à t.	*paprika*	*1 ml*
1/4 c. à t.	*cerfeuil séché*	*1 ml*
1/4 tasse	*lait*	*60 ml*
3/4 tasse	*fromage cottage en crème*	*180 ml*
3 c. à s.	*pimento en conserve, haché*	*45 ml*
1 c. à s.	*persil haché*	*15 ml*
4	*blancs d'œufs*	4
1 c. à s.	*beurre*	*15 ml*

Chauffer le four à 350 °F (175 °C). Battre les jaunes d'œufs, à la grande vitesse d'un malaxeur, 5 minutes ou jusqu'à ce qu'ils soient épais et d'un beau jaune citron. Ajouter, en brassant, les assaisonnements, le lait, le fromage, le pimento et le persil. Battre les blancs d'œufs en une neige ferme mais non sèche. Les incorporer au mélange.

Faire fondre le beurre dans une poêle épaisse de 10 po (25,5 cm) de diamètre, que l'on pourra ensuite mettre au four (une poêle de fonte par exemple). Mettre la préparation dans la poêle et cuire à feu doux, 10 minutes ou jusqu'à ce que l'omelette prenne et soit légèrement brunie en dessous.

Cuire alors au four, de 10 à 15 minutes ou jusqu'à ce que l'omelette soit brunie sur le dessus. Creuser une marque au centre de l'omelette, d'un bord à l'autre, la replier en deux, la mettre dans un plat de service (on peut aussi la couper en pointes) et servir immédiatement.

4 PORTIONS

Œufs et riz en casserole

2 tasses	*riz cuit*	*500 ml*
1 tasse	*cheddar fort, râpé*	*250 ml*
3/4 tasse	*persil haché*	*180 ml*
3/4 tasse	*olives noires, en allumettes*	*180 ml*
2	*œufs durs, hachés*	2
1/4 tasse	*beurre (ou margarine), fondu*	*60 ml*
1/2 c. à t.	*sel*	*2 ml*
1/4 c. à t.	*poivre*	*1 ml*
2	*œufs*	2
1/4 tasse	*cheddar fort, râpé*	*60 ml*

Chauffer le four à 350 °F (175 °C). Beurrer un plat à cuire de 1 pinte (1,25 L).

Mêler délicatement à la fourchette, le riz, le cheddar, le persil, les olives, les œufs durs, le beurre, le sel et le poivre.

Casser 2 œufs et en séparer les jaunes des blancs. Battre les jaunes légèrement à la fourchette et les ajouter à la préparation. Battre les blancs jusqu'à ce qu'ils soient fermes et les incorporer délicatement à la préparation. Mettre dans le plat à cuire et parsemer de 1/4 tasse (60 ml) de cheddar.

Cuire au four, 40 minutes ou jusqu'à ce que ce soit légèrement bruni, gonflé et ferme.

4 PORTIONS

Œufs durs et oignons en casserole

2	*gros oignons blancs, (espagnols ou des Bermudes)*	2
	eau bouillante	
2 c. à s.	*beurre*	30 ml
2 c. à s.	*huile d'olive*	30 ml
1/4 tasse	*beurre*	60 ml
1/4 tasse	*farine*	60 ml
1 tasse	*lait*	250 ml
1/4 c. à t.	*sel*	1 ml
1/4 c. à t.	*poivre*	1 ml
2 c. à t.	*moutarde en poudre*	10 ml
1 pincée	*poivre de Cayenne*	1 pincée
1/2 tasse	*fromage emmenthal râpé*	125 ml
1/4 tasse	*crème à 15 %*	60 ml
6	*œufs durs*	6
3 c. à s.	*persil*	45 ml

Chauffer le four à 400 °F (205 °C). Beurrer un plat à cuire peu profond d'environ 10 x 6 x 2 po (25 x 15 x 5 cm).

Couper les oignons en deux et les trancher en lamelles. Mettre dans un bol, couvrir d'eau bouillante et laisser reposer 5 minutes. Bien égoutter.

Chauffer 2 c. à s. (30 ml) de beurre et l'huile, dans une grande poêle épaisse. Y cuire les oignons à feu doux, en brassant, 15 minutes ou jusqu'à ce qu'ils soient ramollis sans être brunis.

Chauffer 1/4 tasse (60 ml) de beurre, dans une casserole. Saupoudrer de farine et bien mêler. Retirer du feu et ajouter le lait, d'un trait. Ajouter aussi le sel, le poivre, la moutarde et le poivre de Cayenne et bien mêler. Continuer la cuisson, à feu moyen et en brassant constamment, jusqu'à ce que la sauce bouille et soit épaisse et lisse. Ajouter le fromage et la crème, en brassant.

Couper les œufs en deux et retirer les jaunes des blancs. Mettre les jaunes dans un tamis à grosses mailles et détailler les blancs en tranches minces.

Étendre le tiers de l'oignon dans le plat à cuire et le parsemer du tiers des blancs d'œufs. Presser sur le tout, à travers le tamis, le tiers des jaunes d'œufs et parsemer de 1 c. à s. (15 ml) de persil. Répéter ces couches d'ingrédients, à deux reprises. Verser la sauce au fromage sur le tout. Cuire au four, 15 minutes ou jusqu'à ce que la sauce bouillonne et que le dessus du plat soit légèrement bruni.

Note: ce plat fait merveille avec le poisson.

4 À 6 PORTIONS

Ci-contre : œufs et riz en casserole

Quiche aux saucisses

	pâte à tarte pour 1 abaisse de 9 po (23 cm)	
10 oz	*asperges congelées*	*280 g*
1/2 lb	*saucisses, coupées en rondelles de 1/4 po (0,5 cm) d'épaisseur*	*225 g*
1	*gros oignon, tranché très mince*	*1*
1 tasse	*cheddar fort en cubes de 1/4 po (0,5 cm)*	*250 ml*
4	*œufs*	*4*
1 1/2 tasse	*crème à 15 %*	*375 ml*
1/4 c. à t.	*sarriette séchée*	*1 ml*
1/2 c. à t.	*sel*	*2 ml*
1/4 c. à t.	*poivre*	*1 ml*

Chauffer le four à 450 °F (230 °C). Avoir sous la main une assiette à tarte de 9 po (23 cm) de diamètre.

Foncer l'assiette de l'abaisse en construisant un bord haut et dentelé qui retiendra bien la garniture; couvrir ce bord d'une étroite bande de papier d'aluminium.

Cuire au four 5 minutes. (Ne pas piquer la pâte avec une fourchette comme on le fait habituellement quand on cuit une croûte à blanc; la presser seulement un peu si elle gonfle.) Retirer du four et laisser refroidir.

Cuire les asperges, juste assez pour qu'elles soient tendres mais encore un peu croquantes. Bien égoutter et laisser assécher sur du papier absorbant. Couper en bouts de 1/2 po (1,25 cm).

Bien cuire les tranches de saucisses, dans une grande poêle épaisse, tout en les faisant dorer légèrement. Les retirer de la poêle, avec une cuillère perforée, et les mettre dans la pâte. Ne laisser dans la poêle qu'une cuillerée à soupe (15 ml) de graisse de cuisson. Y cuire l'oignon à feu doux, en brassant, jusqu'à ce qu'il soit ramolli. Mettre sur la saucisse dans la pâte. Ajouter les cubes de cheddar et les asperges.

Battre ensemble à la fourchette, les œufs et la crème. Ajouter les assaisonnements en mêlant bien. Verser dans la pâte, sur les autres ingrédients. Cuire 15 minutes, au four à 450 °F (230 °C). Réduire le feu à 350 °F (175 °C) et continuer la cuisson, 30 minutes ou jusqu'à ce qu'un couteau inséré dans la quiche à un pouce (2,5 cm) du bord, en ressorte sec. Servir très chaud.

6 PORTIONS

Salades

Salades

Pour beaucoup de gens « ce qui est bon pour la santé » est synonyme d'aliments ennuyeux ou insipides. Rien n'est moins vrai, au contraire. Les salades, par exemple, n'offrent pas de limites à la variété des ingrédients qui les composent et à la finesse des accords de saveurs et de couleurs que l'on peut réaliser. Il suffit d'un peu d'imagination et de quelques sources d'accompagnements qui s'harmonisent bien avec les ingrédients choisis pour obtenir des résultats qui, tout en étant bons pour la santé, seront un plaisir pour le palais et pour les yeux !

On les sert froides, tièdes ou chaudes, en hors-d'œuvre, en entrée ou avant le fromage et bien sûr, comme dessert lorsqu'elles sont faites à base de fruits. Mais il ne faut pas négliger les salades comme plat principal où l'addition d'aliments protéinés — comme les viandes, les volailles, les poissons, les fromages, les légumineuses, les noix, les œufs, — nous permet de réaliser des plats nettement plus consistants.

Nombre de chefs ont exercé leurs talents sur le thème de la salade composée d'éléments parfois très recherchés ou alors tout simples en sachant miser sur le décor et sur l'harmonie des couleurs et des saveurs. Il faut savoir osser et laisser s'exprimer ses goûts personnels et sa créativité selon les arrivages du marché et ce... à l'année longue.

Salade hollandaise

4 tasses	*pommes de terre cuites, en dés*	*1 L*
20 oz	*petits pois congelés, cuits*	*560 g*
1 lb	*saucisses fumées*	*450 g*
1 c. à s.	*beurre*	*15 ml*
1	*petit oignon, haché*	*1*
2 c. à s.	*cassonade*	*30 ml*
2 c. à s.	*vinaigre de cidre*	*30 ml*
2 c. à s.	*eau*	*30 ml*
1 c. à t.	*sel*	*5 ml*
1/4 c. à t.	*poivre*	*1 ml*
2 c. à s.	*persil haché*	*30 ml*
	laitue	

Mêler les pommes de terre et les petits pois, dans un bol (ces légumes doivent être encore tièdes).

Couper les saucisses fumées en tranches de 1/4 po (0,5 cm) d'épaisseur.

Chauffer le beurre, dans une poêle épaisse, et y cuire les saucisses et l'oignon, à feu doux et en brassant, 3 minutes ou jusqu'à ce que les saucisses soient bien chaudes. Ajouter la cassonade, le vinaigre, l'eau, le sel, le poivre et le persil. Porter à ébullition. Verser sur le premier mélange et mêler délicatement.

Tapisser de feuilles de laitue un bol à salade et y déposer la préparation. Servir la salade encore tiède.

6 PORTIONS

Salade paysanne suisse

2 tasses	*fromage emmenthal en cubes de 1/4 po (0,5 cm)*	*500 ml*
3 tasses	*pommes de terre nouvelles bouillies, tranchées*	*750 ml*
1 1/2 tasse	*haricots verts cuits, en bouts de 1 po (2,5 cm)*	*375 ml*
1/2 tasse	*oignon espagnol, haché*	*125 ml*
2 c. à s.	*vinaigre*	*30 ml*
1 c. à s.	*moutarde en pâte*	*15 ml*
3 c. à s.	*huile à salade*	*45 ml*
2 c. à s.	*mayonnaise*	*30 ml*
1/2 c. à t.	*sel*	*2 ml*
	un soupçon de poivre	
	laitue	

Mettre, dans un grand bol, le fromage, les pommes de terre, les haricots et l'oignon et mêler délicatement. Mêler tous les autres ingrédients, excepté la laitue, et verser sur la salade. Mêler délicatement et réfrigérer plusieurs heures ou jusqu'au moment du repas. Servir sur de la laitue, avec du pain croûté ou du gros pain de seigle dit « pumpernickel », comme plat de résistance.

4 PORTIONS

Salade de pommes de terre en crème

3 lb	*pommes de terre*	*1,4 kg*
2 c. à s.	*vinaigre*	*30 ml*
1/2 tasse	*céleri, finement tranché*	*125 ml*
1/2 tasse	*cornichons sucrés au vinaigre, hachés*	*125 ml*
1/2 tasse	*oignons verts, finement tranchés*	*125 ml*
1/4 tasse	*radis, finement tranchés*	*60 ml*
2 c. à s.	*persil haché*	*30 ml*
1 1/2 c. à t.	*sel*	*7 ml*
1/8 c. à t.	*poivre*	*0,5 ml*
2	*jaunes d'œufs*	*2*
2 c. à s.	*farine*	*30 ml*
1 c. à t.	*sucre*	*5 ml*
1 c. à t.	*moutarde en poudre*	*5 ml*
1 c. à t.	*sel*	*5 ml*
1	*gousse d'ail, broyée*	*1*
6 c. à s.	*vinaigre*	*90 ml*
1 c. à s.	*beurre fondu*	*15 ml*
3/4 tasse	*crème à 35 %*	*180 ml*

Peler les pommes de terre et les faire cuire pour qu'elles soient tendres mais encore croquantes. Les égoutter. Les couper en petits cubes, dès qu'elles sont assez refroidies pour être manipulées. Ajouter 2 c. à s. (30 ml) de vinaigre et mêler délicatement. Laisser tiédir. Ajouter le céleri, les cornichons, les oignons, les radis, le persil; saler et poivrer. Brasser délicatement. Couvrir et réfrigérer jusqu'à peu avant le moment de servir.

Mêler, dans la casserole supérieure d'un bain-marie, les jaunes d'œufs, la farine, le sucre, la moutarde et le sel. Battre, avec une cuillère de bois, pour bien mêler le tout. Ajouter l'ail, 6 c. à s. (90 ml) de vinaigre et le beurre; battre à la mixette. Mettre au-dessus d'eau frissonnante et cuire, en brassant constamment, jusqu'à ce que le mélange épaississe. Retirer du feu et ajouter la crème, non fouettée. Laisser refroidir.

Ajouter cette sauce aux pommes de terre, environ 30 minutes avant le moment de servir. Brasser délicatement, couvrir et garder au réfrigérateur jusqu'au moment de servir.

6 PORTIONS

Ci-dessus : salade de pommes de terre en crème

Salade au brocoli

1 1/2 lb	*brocoli*	*675 g*
1 c. à t.	*sel*	*5 ml*
1/4 c. à t.	*poivre*	*1 ml*
1/3 tasse	*huile à salade*	*80 ml*
2 c. à s.	*jus de citron*	*30 ml*
4	*tomates moyennes*	*4*
1/3 tasse	*crème sure*	*80 ml*
1 c. à t.	*moutarde en pâte*	*5 ml*
	feuilles de laitue, creuses	

Laver et bien assécher le brocoli. Couper les fleurs à l'endroit où leur tige jaillit de la branche centrale. (Réfrigérer la branche centrale, l'incorporer à une soupe ou la faire cuire pour la servir comme légume.) Hacher les fleurs, très finement. Mettre dans un grand bol, saler et poivrer. Mêler l'huile et le jus de citron et verser sur le brocoli. Couvrir et réfrigérer, au moins 30 minutes, en brassant à quelques reprises.

Peler les tomates et les couper en petits morceaux, en les épépinant autant que possible. Les ajouter au brocoli. Mêler la crème sure et la moutarde et verser sur la salade. Bien mêler. Déposer dans des feuilles de laitue, en les choisissant un peu creuses, comme des coupes, et servir immédiatement.

4 PORTIONS

Salade de tomates

1/2 c. à t.	*sel*	*2 ml*
1	*grosse gousse d'ail, épluchée et coupée en deux*	*1*
1/4 tasse	*vinaigre de vin*	*60 ml*
1/8 c. à t.	*poivre*	*0,5 ml*
1/3 tasse	*huile d'olive*	*80 ml*
8	*gros oignons verts, (la partie blanche seulement)*	*8*
6	*tomates moyennes*	*6*

Mettre le sel dans un petit bol. Ajouter l'ail et l'écraser, à la fourchette, pour presque le réduire en pâte. Ajouter le vinaigre et brasser, à la fourchette, jusqu'à ce que le sel soit dissous. Enlever les morceaux d'ail qui restent, en passant le mélange au besoin. Ajouter le poivre. Ajouter aussi l'huile d'olive, petit à petit et en battant à la fourchette jusqu'à ce que le mélange soit homogène.

Couper les oignons en lamelles. Les ajouter à la vinaigrette.

Peler les tomates et couper chacune en 6 pointes. Les mettre dans un bol refroidi, arroser de vinaigrette et brasser délicatement. Couvrir et réfrigérer quelques minutes avant de servir.

4 À 6 PORTIONS

Ci-contre : en bas, salade au brocoli et en haut, salade de tomates

Salade santé

10 oz	épinards, déchiquetés	280 g
1	petite pomme de laitue Boston, déchiquetée	1
1	grosse botte de cresson (le feuillage seulement)	1
1/2 tasse	brindilles de persil	125 ml
2	grosses branches de céleri coupées en diagonale, en tranches très fines	2
1	gousse d'ail, broyée	1
1/2 c. à t.	sel	2 ml
1/2 c. à t.	zeste de citron râpé	2 ml
1/2 c. à t.	graines de céleri	2 ml
1/4 c. à t.	paprika	1 ml
1/4 c. à t.	poivre	1 ml
2 c. à s.	vinaigre à l'estragon	30 ml
1/2 tasse	huile d'olive	125 ml
1 c. à s.	crème à 35 %	15 ml
6	tranches de bacon cuites très croustillantes, bien égouttées et émiettées	6

Laver toutes les verdures, et bien les assécher en les secouant dans une serviette de cuisine. Les mettre dans un grand bol, avec le céleri. Couvrir le bol et réfrigérer jusqu'à ce que toutes les verdures soient bien croustillantes.

Mettre tous les autres ingrédients, excepté le bacon, dans un petit bocal fermant hermétiquement. Agiter vigoureusement. Verser la garniture sur la salade et bien mêler, délicatement. Parsemer de miettes de bacon et servir immédiatement.

8 À 10 PORTIONS

Salade des jours de fête

10 oz	yogourt nature	280 g
1/2 tasse	mayonnaise	125 ml
2	oignons verts, en petites lamelles	2
1/4 tasse	persil, finement haché	60 ml
1/3 tasse	fromage bleu, écrasé	80 ml
1/3 tasse	olives noires, taillées en allumettes	80 ml
1/4 c. à t.	sel	1 ml
3 gouttes	sauce Tabasco	3 gouttes
8 à 10 tasses	mélange de laitues, déchiquetées	2 à 2,5 L
2 tasses	poulet cuit, en fines languettes	500 ml
2	œufs durs, tranchés	2
1/4 tasse	pimento en conserve, en allumettes	60 ml

Bien mêler le yogourt, la mayonnaise, les oignons, le persil, le fromage bleu, les olives, le sel et la sauce Tabasco.

Mettre les laitues dans un grand bol et les arroser de sauce au yogourt. Mêler délicatement. Déposer la salade dans 6 à 8 bols individuels. Répartir le poulet, les tranches d'œufs durs et le pimento dans les bols. Servir immédiatement.

6 À 8 PORTIONS

Ci-contre : salade santé

Ci-dessus : salade de chou à la tartare

Salade de chou à la tartare

1	*petit chou, grossièrement râpé ou finement déchiqueté*	*1*
1 tasse	*radis en lamelles*	*250 ml*
1 tasse	*mayonnaise*	*250 ml*
2 c. à t.	*moutarde en pâte*	*10 ml*
2 c. à t.	*oignon râpé*	*10 ml*
1/4 tasse	*cornichons marinés au fenouil, finement hachés*	*60 ml*
2 c. à s.	*persil finement haché*	*30 ml*
4 c. à t.	*pimento en conserve, finement haché*	*20 ml*
1/8 c. à t.	*estragon séché*	*0,5 ml*

Mêler le chou et les tranches de radis, dans un grand bol.

Mêler tous les autres ingrédients et verser sur le chou en mêlant délicatement. Réfrigérer jusqu'au moment de servir.

6 À 8 PORTIONS

Salade au pepperoni

6 tasses	*diverses verdures, déchiquetées (voir note)*	*1,5 L*
1	*concombre (non pelé, si possible), en bâtonnets de 2 po (5 cm)*	*1*
1/4 lb	*mozzarella, en cubes de 1/4 po (0,5 cm)*	*115 g*
1	*petite courgette, en lamelles*	*1*
1 tasse	*haricots de Lima, cuits*	*250 ml*
1 tasse	*pepperoni, en lamelles*	*250 ml*
1/4 tasse	*oignons verts, finement tranchés*	*60 ml*
	sel	
	poivre frais moulu	
1/4 tasse	*huile d'olive*	*60 ml*
3 c. à s.	*vinaigre de vin à l'estragon*	*45 ml*
2 c. à s.	*persil haché*	*30 ml*
1	*petite gousse d'ail, broyée*	
1/8 c. à t.	*moutarde en poudre*	*0,5 ml*
1/8 c. à t.	*basilic séché*	*0,5 ml*
1 pincée	*estragon séché*	*1 pincée*
1/2 c. à t.	*sel*	*2 ml*
1/8 c. à t.	*poivre*	*0,5 ml*
1/4 c. à t.	*paprika*	*1 ml*
12	*tomates cerises, en moitiés*	*12*

Mêler, dans un grand bol, les verdures, le concombre, le fromage, la courgette, les haricots de Lima, le pepperoni et les oignons verts. Saler et poivrer; mêler délicatement.

Mettre dans un petit bocal fermant hermétiquement, tous les autres ingrédients excepté les petites tomates. Agiter vigoureusement, pour bien mêler le tout. Ne verser sur la salade que juste assez de vinaigrette pour bien enrober tous les ingrédients. Mêler délicatement. Ajouter les tomates, mêler de nouveau avec précaution et servir immédiatement.

Note: utiliser diverses laitues comme la Iceberg, la Boston ou la Bibb, la laitue en feuilles et aussi des épinards.

6 PORTIONS

Salade chaude au macaroni

1 lb	*macaroni en coudes, cuit et égoutté*	*450 g*
4	*saucisses fumées, tranchées mince*	*4*
1 tasse	*céleri haché*	*250 ml*
1/2 tasse	*poivron vert, en petits cubes*	*125 ml*
2 c. à s.	*pimento en conserve, haché*	*30 ml*
1 tasse	*bacon en petits carrés (environ 8 tranches)*	*250 ml*
1/2 tasse	*oignon, finement haché*	*125 ml*
1/4 tasse	*farine*	*60 ml*
3 c. à t.	*sel*	*45 ml*
1/4 c. à t.	*poivre*	*1 ml*
3/4 tasse	*vinaigre blanc*	*180 ml*
1/3 tasse	*sucre*	*80 ml*
1 1/2 tasse	*eau*	*375 ml*

Mêler, dans un grand bol, le macaroni, les saucisses fumées, le céleri, le poivron et le pimento. Faire frire le bacon, dans une petite poêle épaisse, jusqu'à ce qu'il soit croustillant. Ajouter l'oignon et cuire à feu doux, en brassant, jusqu'à ce qu'il soit ramolli. Saupoudrer de farine, de sel et de poivre et bien mêler. Retirer du feu. Ajouter le vinaigre, le sucre et l'eau, en mêlant bien.

Continuer la cuisson, à feu moyen et en brassant sans arrêt, jusqu'à ce que la sauce bouille et soit un peu épaissie. La verser, bien chaude, sur le macaroni et brasser délicatement. Servir immédiatement.

8 PORTIONS

Salade de poisson en gelée

3 lb	*filets d'aiglefin frais ou congelés*	*1,4 kg*
2 tasses	*mayonnaise*	*500 ml*
1/3 tasse	*jus de citron*	*80 ml*
1 c. à s.	*oignon râpé*	*15 ml*
2 c. à t.	*sel*	*10 ml*
1/2 c. à t.	*poivre*	*2 ml*
1 c. à t.	*poudre de cari*	*5 ml*
1 c. à t.	*sauce Worcestershire*	*5 ml*
1/8 c. à t.	*sauce Tabasco*	*0,5 ml*
2 sachets	*gélatine en poudre*	*2 sachets*
1 tasse	*liquide (jus de cuisson du poisson ou eau)*	*250 ml*
1/2 tasse	*persil haché*	*125 ml*
	cresson	
	crevettes marinées (recette ci-après)	

Laver les filets d'aiglefin, s'ils sont frais; les dégeler, s'il y a lieu, jusqu'à ce qu'on puisse les séparer.

Mettre une grande feuille de papier d'aluminium très épais sur une clayette, dans une grande plaque ou une rôtissoire. Y déposer les filets et remonter les bords du papier tout autour, de façon à former un plat qui retiendra le jus de cuisson. Mettre environ 1/2 po (1,25 cm) d'eau bouillante dans la plaque (l'eau ne touchera pas le poisson et celui-ci cuira à la vapeur).

Couvrir et faire mijoter 7 minutes ou jusqu'à ce que le poisson s'émiette à la fourchette. Mettre le poisson dans un bol et le laisser refroidir. Verser, dans une tasse à mesurer, le jus de cuisson du poisson et le laisser refroidir.

Émietter finement le poisson dans un grand bol en le débarrassant des arêtes, de la peau et des morceaux de chair qui seraient trop foncés. Vous aurez environ 6 tasses (1,5 L) de poisson émietté.

Mêler la mayonnaise, le jus de citron, l'oignon râpé, le sel, le poivre, la poudre de cari et les sauces Worcestershire et Tabasco. Ajouter au poisson et battre le tout, à la vitesse moyenne d'un malaxeur électrique, pour que le mélange soit aussi lisse que possible.

Mettre la gélatine et la tasse de liquide dans une petite casserole et laisser reposer 5 minutes. Chauffer alors à feu doux jusqu'à ce que la gélatine soit dissoute. Ajouter, en filet, au mélange au poisson, en battant constamment. Ajouter le persil, en mêlant bien.

Verser dans un moule démontable de 2 pintes (2,5 L). Réfrigérer plusieurs heures ou jusqu'à ce que ce soit ferme. Démouler la couronne bien prise sur un lit de cresson et en remplir le centre avec les crevettes marinées. Servir en mettant 2 ou 3 crevettes sur chaque portion de salade.

8 PORTIONS

Crevettes marinées

1	*petit oignon, tranché aussi mince que possible et séparé en rondelles*	*1*
9 oz	*grosses crevettes parées*	*270 g*
1/2 tasse	*vinaigre de vin*	*125 ml*
1/4 tasse	*huile à salade*	*60 ml*
3 gouttes	*sauce Worcestershire*	*3 gouttes*
3 gouttes	*sauce Tabasco*	*3 gouttes*
1/2 c. à t.	*paprika*	*2 ml*
1/4 c. à t.	*sel*	*1 ml*
1/4 c. à t.	*moutarde en poudre*	*1 ml*
1 pincée	*sel d'ail*	*1 pincée*

Disposer l'oignon et les crevettes, par couche alternées, dans un bocal fermant hermétiquement.

Mettre tous les autres ingrédients dans un bocal fermant hermétiquement et agiter vigoureusement. Verser dans l'autre bocal, sur les crevettes et l'oignon.

Réfrigérer plusieurs heures, en retournant le bocal plusieurs fois pour que toutes les crevettes puissent s'imprégner de la marinade. Bien égoutter les crevettes avant de les mettre au centre de la couronne.

Ci-contre : salade de saumon

Salade de saumon

15 1/2 oz	*saumon en conserve*	*435 g*
1	*petite gousse d'ail, broyée*	*1*
3/4 c. à t.	*sel*	*3 ml*
1/2 tasse	*mayonnaise*	*125 ml*
1 c. à s.	*vinaigre d'estragon*	*15 ml*
1/2 c. à t.	*sauce Worcestershire*	*2 ml*
5 tasses	*diverses verdures, déchiquetées*	*1,25 L*
1 tasse	*feuilles de céleri hachées*	*250 ml*
1/4 tasse	*radis, en lamelles*	*60 ml*
1/4 tasse	*olives farcies, en lamelles*	*60 ml*
2 tasses	*craquelins au fromage, grossièrement émiettés*	*500 ml*
	laitue	
3	*tomates, en quartiers*	*3*

Égoutter le saumon et le défaire en bouchées. Couvrir et réfrigérer.

Mêler l'ail, le sel, la mayonnaise, le vinaigre et la sauce Worcestershire. Couvrir et réfrigérer. Au moment de servir, mêler dans un grand bol, le saumon, les verdures, les feuilles de céleri, les radis, les olives et les miettes de craquelins. Verser la mayonnaise et mêler délicatement. Servir dans des feuilles de laitue, formant des coupes, et garnir des quartiers de tomates. Servir immédiatement.

6 PORTIONS

Avocats farcis de crevettes

	eau bouillante	
1	*petites tranche d'oignon*	*1*
1	*petit bouquet de feuilles de céleri*	*1*
1	*petit morceau de feuille de laurier*	*1*
1 1/2 c. à t.	*sel*	*7 ml*
1/4 c. à t.	*thym séché*	*1 ml*
1/4 c. à t.	*cerfeuil séché*	*1 ml*
4	*grains de poivre*	*4*
1 lb	*crevettes crues*	*450 g*
1 sachet	*gélatine en poudre*	*1 sachet*
1/4 tasse	*eau froide*	*60 ml*
1 1/2 tasse	*bouillon de poulet*	*375 ml*
1/4 c. à t.	*estragon séché*	*1 ml*
1/4 c. à t.	*cerfeuil séché*	*1 ml*
1 c. à s.	*vinaigre de vin*	*15 ml*
2 c. à s.	*jus de citron*	*30 ml*
1/2 c. à t.	*sel*	*2 ml*
1 pincée	*poivre*	*1 pincée*
	colorant végétal jaune (facultatif)	
3	*gros avocats*	*3*
	cresson ou persil	

Mettre environ 2 po (5 cm) d'eau bouillante dans une casserole. Ajouter l'oignon, le céleri, le laurier, le sel, le thym, le cerfeuil et les grains de poivre et faire mijoter pendant 5 minutes. Ajouter les crevettes, lavées. Ajouter de l'eau bouillante si nécessaire pour couvrir les crevettes. Porter à ébullition, baisser le feu, couvrir et laisser mijoter, 5 minutes ou jusqu'à ce que les crevettes soient d'un beau rouge.

Retirer du feu et égoutter. Laisser tiédir les crevettes, les décortiquer, les parer et les faire refroidir au réfrigérateur.

Ajouter la gélatine à l'eau froide et laisser reposer pendant 5 minutes. Chauffer le bouillon de poulet, auquel on aura ajouté l'estragon et le cerfeuil, jusqu'au point d'ébullition. Retirer du feu, ajouter la gélatine détrempée et brasser jusqu'à ce qu'elle soit dissoute. Ajouter le vinaigre, le jus de citron, saler, poivrer et ajouter quelques gouttes de colorant végétal, si on le désire, pour donner à la préparation

→

une délicate couleur jaune. Mettre le plat dans de l'eau glacée jusqu'à ce que la gelée commence à prendre.

Couper les avocats non pelés en moitiés et disposer dans un plat. Verser un peu de la gelée encore molle dans le creux des avocats et sur toute la surface coupée (pour empêcher celle-ci de noircir).

Disposer joliment les crevettes refroidies dans les avocats et les recouvrir d'un peu de gelée; faire refroidir au réfrigérateur jusqu'au moment de servir.

Au moment de servir, garnir de cresson ou de persil. Disposer dans des assiettes, si possible sur un lit de cresson.

Note: si on le désire, utiliser, à la place des crevettes fraîches, 2 boîtes de grosses crevettes; rincer celles-ci à l'eau froide courante et les refroidir.

6 PORTIONS

Tomates farcies de crabe

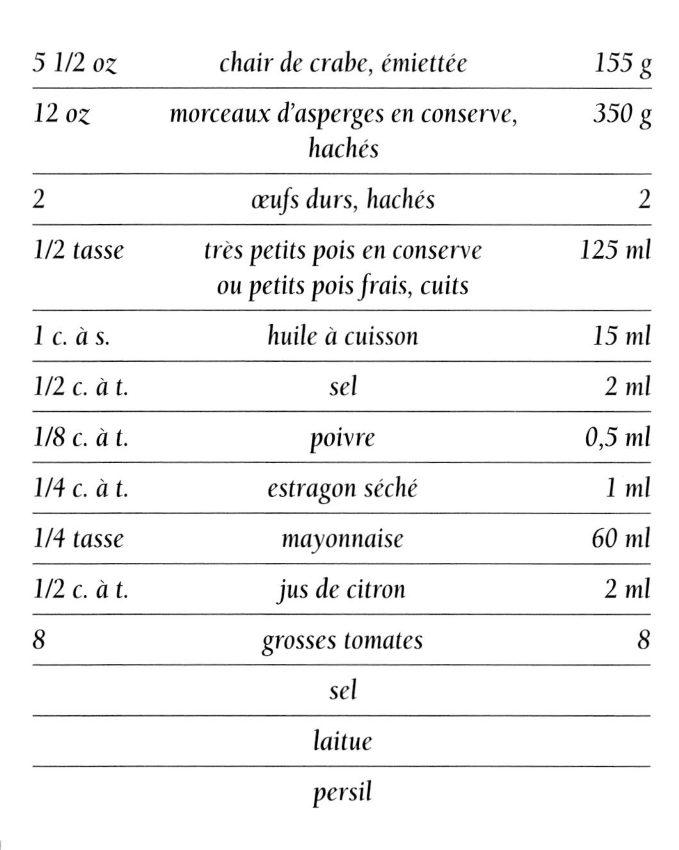

5 1/2 oz	*chair de crabe, émiettée*	*155 g*
12 oz	*morceaux d'asperges en conserve, hachés*	*350 g*
2	*œufs durs, hachés*	*2*
1/2 tasse	*très petits pois en conserve ou petits pois frais, cuits*	*125 ml*
1 c. à s.	*huile à cuisson*	*15 ml*
1/2 c. à t.	*sel*	*2 ml*
1/8 c. à t.	*poivre*	*0,5 ml*
1/4 c. à t.	*estragon séché*	*1 ml*
1/4 tasse	*mayonnaise*	*60 ml*
1/2 c. à t.	*jus de citron*	*2 ml*
8	*grosses tomates*	*8*
	sel	
	laitue	
	persil	

Mêler, parfaitement mais délicatement, le crabe, les asperges, les œufs, les petits pois, l'huile, le sel, le poivre, l'estragon, la mayonnaise et le jus de citron. Réfrigérer.

Peler les tomates et en couper une tranche épaisse, sur le dessus. Évider les tomates en leur laissant toutefois une paroi suffisamment épaisse et solide pour retenir la garniture. (Conserver la pulpe de tomate enlevée pour incorporer à un pain de viande, une soupe, une sauce à spaghetti, etc.)

Saler l'intérieur des tomates et retourner ces dernières sur du papier absorbant pour les laisser égoutter. Les réfrigérer.

Au moment de servir, remplir les tomates en utilisant, pour chacune d'elle, de 1/3 à 1/2 tasse (80 à 125 ml) du mélange au crabe. Disposer sur de la laitue et décorer de persil.

8 PORTIONS

Ci-contre : tomate farcie de crabe

Salade de poulet et de fruits

2 tasses	*poulet cuit, grossièrement haché*	*500 ml*
5 oz	*châtaignes d'eau, hachées*	*142 ml*
2 tasses	*pêches, en cubes*	*500 ml*
1/2 tasse	*céleri, finement tranché*	*125 ml*
1/2 tasse	*amandes grillées, coupées en allumettes*	*125 ml*
2/3 tasse	*mayonnaise*	*160 ml*
1/2 c. à t.	*poudre de cari*	*2 ml*
1/4 c. à t.	*sel*	*1 ml*
1 c. à t.	*sauce soya*	*5 ml*
6	*grosses pointes de melon (cantaloup ou melon miel)*	*6*
	laitue	

Mêler le poulet, les châtaignes, les pêches, le céleri et les amandes, dans un bol moyen.

Mêler la mayonnaise, la poudre de cari, le sel et la sauce soya. Verser sur le mélange au poulet et brasser délicatement. Réfrigérer.

Déposer, au moment de servir, la salade de poulet dans les pointes de melon et disposer ces dernières sur de la laitue, dans des assiettes individuelles.

6 PORTIONS GÉNÉREUSES

Salade de poulet et de homard

3	*œufs durs*	*3*
1	*petite poitrine de poulet, cuite*	*1*
5 oz	*homard en conserve*	*140 g*
1 tasse	*céleri haché*	*250 ml*
1/4 tasse	*vinaigrette*	*60 ml*
1/2 tasse	*mayonnaise*	*125 ml*
2 c. à s.	*sauce au chili*	*30 ml*
1 1/2 c. à t.	*ciboulette hachée*	*7 ml*
1/4 c. à t.	*sel*	*1 ml*
1/4 tasse	*crème fouettée*	*60 ml*
2 tasses	*laitue déchiquetée*	*500 ml*

Retirer les jaunes des œufs durs et les mettre de côté. Hacher les blancs.

Couper la chair du poulet en lanières d'environ 1 1/2 po (3,75 cm) de longueur. Égoutter et hacher la chair du homard. Mêler le poulet, le homard, les blancs d'œufs et le céleri dans un bol et arroser de vinaigrette. Bien brasser à la fourchette, couvrir et réfrigérer environ 1 heure, en brassant de temps à autre.

Écraser les jaunes d'œufs à la fourchette. Ajouter, en mêlant bien, la mayonnaise, la sauce au chili, la ciboulette et le sel. Incorporer la crème fouettée et réfrigérer.

Au moment de servir, habiller de laitue déchiquetée, un bol à salade. Ajouter la mayonnaise relevée au mélange au poulet et au homard et brasser délicatement. Mettre dans le bol et servir immédiatement.

4 PORTIONS

Ci-contre : en bas, salade de poulet et de fruits et en haut, salade de poulet et de homard

Salade aux œufs en gelée

1 sachet	*gélatine en poudre*	*1 sachet*
3/4 tasse	*eau froide*	*180 ml*
1/2 tasse	*mayonnaise*	*125 ml*
1 c. à s.	*moutarde en pâte*	*15 ml*
1 tasse	*lait évaporé*	*250 ml*
1 c. à t.	*sel assaisonné*	*5 ml*
2 c. à s.	*jus de citron*	*30 ml*
5	*œufs durs, hachés*	*5*
1/4 tasse	*céleri haché*	*60 ml*
1/2 tasse	*olives farcies, tranchées*	*125 ml*
	laitue	

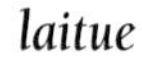

Ajouter la gélatine à l'eau froide et laisser reposer 5 minutes. Mettre le bol qui contient le mélange dans de l'eau bouillante et chauffer pour bien dissoudre la gélatine. Ajouter à la mayonnaise, ainsi que la moutarde, le lait évaporé, le sel assaisonné et le jus de citron. Refroidir dans de l'eau glacée, jusqu'à ce que la préparation commence à prendre. Incorporer alors les œufs, le céleri et les olives.

Déposer, à la cuillère, dans un moule de 1 pinte (1,25 ml) et réfrigérer jusqu'à ce que ce soit ferme. Démouler sur de la laitue et servir.

4 À 6 PORTIONS

Salade de légumes et d'œufs en gelée

12	*œufs durs*	12
1/2 tasse	*poivron vert, haché*	*125 ml*
1/2 tasse	*céleri haché*	*125 ml*
1/2 tasse	*cornichons sucrés au vinaigre, hachés*	*125 ml*
1/4 tasse	*radis hachés*	*60 ml*
1/4 tasse	*pimento en conserve, haché*	*60 ml*
1/4 tasse	*oignons verts, finement tranchés*	*60 ml*
2 c. à s.	*persil haché*	*30 ml*
8 oz	*fromage à la crème, ramolli*	*225 g*
1/2 tasse	*mayonnaise*	*125 ml*
3 c. à s.	*sauce au chili*	*45 ml*
1/4 tasse	*vinaigre de cidre*	*60 ml*
1 1/2 c. à t.	*sel*	*7 ml*
1/4 c. à t.	*poivre*	*1 ml*
2 sachets	*gélatine en poudre*	*2 sachets*
1/2 tasse	*eau*	*125 ml*
	laitue	

Hacher les œufs très finement. Les mettre dans un bol avec le poivron, le céleri, les cornichons, les radis, le pimento, les oignons et le persil; bien mêler.

Écraser le fromage à la fourchette; ajouter la mayonnaise, la sauce au chili, le vinaigre, le sel et le poivre et bien mêler.

Faire tremper la gélatine dans l'eau froide pendant 5 minutes. Mettre le plat qui contient le mélange dans de l'eau frissonnante et chauffer jusqu'à ce que la gélatine soit dissoute. Ajouter au mélange à la mayonnaise, en brassant; ajouter ensuite le tout au mélange aux œufs, en brassant.

Mettre dans un moule à pain, de 2 x 5 x 3 po (5 x 12,5 x 7,5 cm), ou dans un moule en couronne, de 10 po (25,5 cm) de diamètre. Réfrigérer plusieurs heures ou jusqu'à ce que ce soit très ferme. Démouler et couper en tranches épaisses ou en grosses pointes. Servir sur de la laitue.

6 PORTIONS

Ci-contre : salade de légumes et d'œufs en gelée

Saumon jardinière

1 tasse	*petites carottes, en tranches minces*	*250 ml*
1 tasse	*petits pois frais ou congelés*	*250 ml*
2 sachets	*gélatine en poudre*	*2 sachets*
1/2 tasse	*sucre*	*125 ml*
1 c. à t.	*sel*	*5 ml*
1 1/2 tasse	*liquide (eau de cuisson des légumes et eau)*	*375 ml*
1 tasse	*eau froide*	*250 ml*
1/2 tasse	*vinaigre blanc*	*125 ml*
2 c. à s.	*jus de citron*	*30 ml*
1 tasse	*chou, finement coupé*	*250 ml*
2 c à s.	*pimento en conserve, en dés*	*30 ml*
	laitue	
	saumon frais, poché et refroidi, ou saumon rouge en conserve	
	mayonnaise	
	câpres	

Cuire les tranches de carottes à l'eau bouillante salée, 2 minutes ou juste assez pour qu'elles soient tendres mais encore un peu croquantes.

Égoutter, en conservant l'eau de cuisson, et réfrigérer. Cuire les petits pois, aussi peu que possible. Si on utilise des petits pois congelés, les arroser d'un peu d'eau bouillante, chauffer pour faire reprendre l'ébullition et égoutter immédiatement). Égoutter, en conservant l'eau de cuisson, et réfrigérer.

Mêler la gélatine, le sucre et le sel dans une petite casserole.

Ajouter suffisamment d'eau froide à l'eau de cuisson des légumes, pour avoir 1 1/2 tasse (125 ml) de liquide et ajouter au mélange de gélatine. Laisser reposer 5 minutes. Chauffer alors à feu bas, en brassant, jusqu'à ce que la gélatine soit dissoute. Ajouter l'eau froide, le vinaigre et le jus de citron. Refroidir le mélange en plaçant la casserole qui le contient dans de l'eau glacée; brasser souvent pendant ce temps.

Mettre le chou et le pimento dans un bol moyen. Mettre les carottes dans un second bol et les petits pois dans un troisième. Ajouter un tiers de la gelée — c'est-à-dire 1 tasse (250 ml) ou un peu plus — dans chacun des bols et bien mêler. Réfrigérer le tout quelques minutes, en surveillant bien pour que les gelées soient bien épaisses mais non prises.

(Vous aurez maintenant besoin d'un assistant pour terminer le plat.)

Passer à l'eau froide un moule en couronne de 6 tasses (1,5 L). Déposer dans le moule, à la cuillère, la moitié de chaque gelée pendant que la personne qui vous assiste, armée de deux spatules en caoutchouc ou de deux grandes cuillères, retient, le plus possible, les gelées en place et les empêche de se mêler. Compléter la couronne en disposant dans le moule, de la même façon, ce qui reste des gelées et réfrigérer jusqu'à ce que ce soit ferme.

Démouler sur des feuilles de laitue, dans un grand plat de service. Remplir le centre de la couronne de gros morceaux de saumon refroidi. Ajouter un peu de mayonnaise et décorer de quelques câpres.

6 À 8 PORTIONS

Ci-contre : saumon jardinière

Petites salades de fruits en gelée

1 sachet	*gélatine en poudre*	*1 sachet*
1/2 tasse	*eau froide*	*125 ml*
1	*pamplemousse, en suprêmes*	*1*
1 tasse	*liquide (voir plus bas)*	*250 ml*
1/4 tasse	*sucre*	*60 ml*
1/4 tasse	*jus de citron*	*60 ml*
1 pincée	*sel*	*1 pincée*
2/3 tasse	*dattes hachées*	*160 ml*
1 tasse	*cantaloup, en petites boules*	*250 ml*
1 c. à s.	*cerises au marasquin, hachées*	*15 ml*
2 c. à s.	*gingembre en conserve, haché (facultatif)*	*30 ml*
	laitue	
	mayonnaise	

Ajouter la gélatine à l'eau froide et laisser reposer 5 minutes. Peler le pamplemousse et le séparer en suprêmes en travaillant au-dessus d'un bol pour recueillir le jus qui pourrait tomber du fruit. Ajouter au jus recueilli, la quantité d'eau nécessaire pour obtenir la tasse (250 ml) de liquide mentionnée plus haut. Porter ce liquide à ébullition, dans une petite casserole, et y ajouter la gélatine détrempée, le sucre, le jus de citron et le sel, en brassant pour bien faire dissoudre la gélatine et le sucre. Refroidir dans de l'eau glacée jusqu'à ce que la préparation épaississe. Couper les suprêmes de pamplemousse en petits morceaux et les incorporer à la gelée, de même que les dattes, le cantaloup, les cerises et le gingembre. Mettre, à la cuillère dans des moules de 6 oz (180 ml) et réfrigérer jusqu'à ce que ce soit ferme.

Démouler sur de la laitue et servir, avec de la mayonnaise.

6 PORTIONS

Salade d'oranges et d'avocat

1/3 tasse	*huile d'olive*	*80 ml*
1/4 tasse	*vinaigre de vin*	*60 ml*
1 c. à t.	*sucre*	*5 ml*
1/2 c. à t.	*sel*	*2 ml*
1/4 c. à t.	*thym séché*	*1 ml*
1/4 c. à t.	*basilic séché*	*1 ml*
1/4 c. à t.	*assaisonnement au chili*	*1 ml*
8 à 10 tasses	*verdures déchiquetées*	*2 à 2,5 L*
2	*grosses oranges*	*2*
1	*gros avocat mûr*	*1*
4	*oignons verts, en lamelles*	*4*

Mettre l'huile, le vinaigre, le sucre, le sel, le thym, le basilic et l'assaisonnement au chili dans un petit bocal fermant hermétiquement. Agiter le bocal pour mêler parfaitement tous les ingrédients; mettre de côté.

Déchiqueter les verdures, peu avant le moment de servir, et les mettre dans un grand bol peu profond. Peler les oranges, les détailler en tranches et couper ces dernières en deux. Peler l'avocat et le couper en tranches, sur la longueur.

Ajouter environ la moitié de la vinaigrette aux verdures déchiquetées et mêler délicatement. Disposer en couronne, sur les verdures, les tranches d'oranges et d'avocat, en les faisant se chevaucher un peu. Parsemer de lamelles d'oignon. Juste avant de servir, verser la vinaigrette sur la salade et mêler délicatement. Servir immédiatement.

8 PORTIONS

Ci-contre : en haut, petite salade de fruits en gelée et en bas, salade d'oranges et d'avocat

Salade aux boulettes de viande

1 lb	*bœuf haché*	*450 g*
1/4 tasse	*oignons verts, finement hachés*	*60 ml*
1 c. à s.	*persil, finement haché*	*15 ml*
1 c. à t.	*sel*	*5 ml*
1/8 c. à t.	*poivre*	*0,5 ml*
1	*œuf battu*	*1*
1/4 c. à t.	*assaisonnement au chili*	*1 ml*
1/4 c. à t.	*marjolaine séchée*	*1 ml*
1 c. à s.	*chapelure fine*	*15 ml*
2 c. à s.	*huile à cuisson*	*30 ml*
	vinaigrette à l'ail et aux fines herbes (recette ci-après)	
28 oz	*fonds d'artichauts, égouttés et coupés en deux*	*796 ml*
3 tasses	*petites carottes cuites (ou de carottes plus grosses tranchées)*	*750 ml*
	feuilles de laitue	
2 tasses	*laitue déchiquetée*	*500 ml*

Mêler parfaitement à la fourchette, le bœuf, les oignons verts, le persil, le sel, le poivre, l'œuf, l'assaisonnement au chili, la marjolaine et la chapelure. Façonner en boulettes de 1 po (2,5 cm) de diamètre, tout au plus.

Chauffer l'huile dans une grande poêle épaisse. Y cuire les boulettes, en les retournant souvent, jusqu'à ce qu'elles soient à point et brunies de tous les côtés. Les égoutter et les laisser refroidir sur du papier absorbant. Les déposer, en une couche simple, dans un plat peu profond et les arroser de la moitié de la vinaigrette. Couvrir hermétiquement et réfrigérer plusieurs heures, en retournant les boulettes au moins une fois pour qu'elles absorbent bien toute la saveur de la vinaigrette. Déposer, en une couche simple, les artichauts et les carottes, dans un autre plat peu profond; arroser de ce qui reste de vinaigrette, couvrir hermétiquement et bien réfrigérer.

Au moment de servir, habiller de feuilles de laitue un grand bol à salade. Mêler délicatement, le mélange d'artichauts et de carottes et sa vinaigrette avec la laitue déchiquetée. Mettre dans le plat, en faisant un creux au centre. Retirer de leur marinade les boulettes de viande, avec une cuillère perforée, et les empiler au centre de la salade. Servir immédiatement.

6 PORTIONS

Vinaigrette à l'ail et aux fines herbes

1/2 tasse	*huile d'olive*	*125 ml*
2 c. à s.	*vinaigre*	*30 ml*
2 c. à s.	*jus de citron*	*30 ml*
1/2 c. à t.	*sel*	*2 ml*
1/4 c. à t.	*moutarde en poudre*	*1 ml*
1/4 c. à t.	*paprika*	*1 ml*
1/2	*petite gousse d'ail, broyée*	*1/2*
2 c. à t.	*persil, finement haché*	*10 ml*
1/2 c. à t.	*origan séché*	*2 ml*
1/4 c. à t.	*thym séché*	*1 ml*
1/4 tasse	*mayonnaise*	*60 ml*

Mêler tous les ingrédients, dans un petit bocal fermant hermétiquement, et agiter vigoureusement.

Desserts

Desserts

Assez curieusement ce n'est que depuis 1850 que le dessert figure comme dernier plat d'un repas. Auparavant, les fruits, préparations sucrées et entremets dits « de douceur » se succédaient au cours des diffférents services. Le repas se terminait généralement sur une note salée, avec les fromages, ou mi-sucrée avec les biscuits et mignardises diverses. Toutefois, au cours des 17e et 18e siècles, la préparation des desserts prit beaucoup d'ampleur et devint, avec la diversification des produits de pâtisserie et l'apparition des glaces, le lieu où rivalisèrent en inventions et en complexité plusieurs grands noms de la gastronomie contemporaine.

Dans l'élaboration d'un menu, le choix du dessert doit tenir compte de la nature et de l'abondance des mets précédents. Il sera différent selon qu'on servira des grillades ou des plats en sauce, du poisson ou du gibier et, bien sûr, selon que l'on propose ou non des fromages à la fin du repas. Il peut aussi être intéressant de marier un plat de spécialité régionale ou exotique au dessert de cette région.

Dans ce chapitre, vous trouverez des desserts pour tous les goûts et toutes les occasions. Tantôt plus simples, tantôt élégants, tantôt très gourmands et tantôt subtilement légers, ils sauront terminer vos repas en beauté.

Boules surprise au chocolat

1/2 tasse	*amandes mondées, finement moulues*	*125 ml*
1	*blanc d'œuf*	*1*
2 c. à s.	*cassonade*	*30 ml*
1 c. à s.	*eau*	*15 ml*
1/2 c. à t.	*essence d'amande*	*2 ml*
4 oz	*chocolat au lait*	*115 g*
2 c. à s.	*lait*	*30 ml*
3/4 tasse	*beurre ramolli*	*180 ml*
1/4 tasse	*sucre*	*60 ml*
1 c. à t.	*vanille*	*5 ml*
2 tasses	*farine tout usage, tamisée*	*500 ml*
1/2 c. à t.	*sel*	*2 ml*
	sucre à glacer	

Chauffer le four à 375 °F (190 °C). Avoir sous la main des plaques à biscuits légèrement graissées.

Mêler les amandes moulues, le blanc d'œuf, la cassonade, l'eau et l'essence d'amande. Mettre de côté; ce mélange, un peu mou, servira de garniture.

Mêler le chocolat et le lait dans la casserole supérieure d'un bain-marie et chauffer, au-dessus d'eau frissonnante, jusqu'à ce que le chocolat soit fondu.

Bien travailler ensemble le beurre et le sucre. Ajouter la vanille et le chocolat, en brassant. Tamiser, dans le mélange, la farine et le sel et bien mêler.

Aplatir, en un petit cercle, une grosse cuillerée à thé de la pâte au chocolat et y déposer dessus, au centre, 1/4 c. à t. (1 ml) de garniture aux amandes. Bien refermer la pâte autour de la garniture de façon à former une petite boule. Mettre dans la plaque. Répéter pour utiliser tout la pâte et toute la garniture.

Cuire au four, 10 minutes ou jusqu'à ce que les boules soient à point. Laisser refroidir quelques minutes et rouler les boules dans du sucre à glacer. Laisser refroidir et, avant de ranger, rouler de nouveau dans du sucre à glacer.

4 À 5 DOUZAINES

Biscuits aux arachides salées

1 tasse	*graisse végétale ramollie (voir note)*	*250 ml*
1 1/2 tasse	*cassonade, mesurée bien tassée*	*375 ml*
2	*œufs*	*2*
3 3/4 tasses	*farine tout usage, tamisée*	*930 ml*
1 1/2 c. à t.	*bicarbonate de soude*	*7 ml*
1 c. à t.	*poudre à pâte*	*5 ml*
1 c. à t.	*sel*	*5 ml*
1/2 tasse	*lait*	*125 ml*
2 1/2 tasses	*flocons de son (voir note)*	*625 ml*
1 1/2 tasse	*arachides salées, hachées*	*375 ml*

Battre ensemble, jusqu'à ce que ce soit léger, la graisse, la cassonade et les œufs. Tamiser ensemble la farine, le bicarbonate de soude, la poudre à pâte et le sel et ajouter au premier mélange ainsi que le lait, en alternant. Ajouter les flocons de son et les arachides et mêler. Réfrigérer 1 heure ou jusqu'à ce que la pâte soit ferme.

Chauffer le four à 375 °F (190 °C). Graisser des plaques à biscuits. Y déposer la pâte par grosses cuillerées à soupe, en disposant les petits amas à environ 3 po (7,5 cm) les uns des autres. Cuire au four, de 12 à 15 minutes ou jusqu'à ce que les biscuits soient fermes et légèrement brunis.

Note: remplacer, si on le désire, une partie de la graisse végétale par du beurre. Il s'agit des flocons de son vendus comme céréale prête à servir.

ENVIRON 3 1/2 DOUZAINES

Ci-dessus : biscuits ermite

Biscuits ermite

1 tasse	*graisse végétale ramollie*	*250 ml*
2 tasses	*cassonade, mesurée bien tassée*	*500 ml*
4	*œufs*	4
1/4 tasse	*café fort, refroidi*	*60 ml*
2 tasses	*gros raisins de Corinthe*	*500 ml*
1 tasse	*noix hachées*	*250 ml*
4 tasses	*farine tout usage, tamisée*	*1 L*
1 c. à t.	*sel*	*5 ml*
1 c. à t.	*bicarbonate de soude*	*5 ml*
1 1/2 c. à t.	*muscade*	*7 ml*

Chauffer le four à 375 °F (190 °C). Graisser des plaques à biscuits.

Bien battre ensemble, jusqu'à ce que ce soit léger, la graisse, la cassonade et les œufs. Ajouter le café, les raisins et les noix, en brassant. Tamiser ensemble, dans le premier mélange, la farine, le sel, le bicarbonate de soude et la muscade et mêler.

Déposer la pâte sur les plaques, par grosses cuillerées à thé. Cuire au four, de 10 à 12 minutes ou jusqu'à ce que ce soit ferme.

ENVIRON 9 DOUZAINES

Bouchées au citron et au fromage

4 oz	*fromage à la crème, ramolli*	*115 g*
1/3 tasse	*beurre ramolli*	*80 ml*
1/2 tasse	*sucre*	*125 ml*
2 c. à s.	*zeste de citron râpé*	*30 ml*
2 c. à t.	*jus de citron*	*10 ml*
1 tasse	*farine tout usage, tamisée*	*250 ml*
2 c. à t.	*poudre à pâte*	*10 ml*
1/4 c. à t.	*sel*	*1 ml*
3/4 tasse	*flocons de maïs écrasés*	*180 ml*

Travailler ensemble, pour que ce soit léger, le fromage à la crème, le beurre et le sucre. Ajouter le zeste et le jus de citron, en brassant.

Tamiser ensemble la farine, la poudre à pâte et le sel. Ajouter au mélange en crème, en brassant jusqu'à ce que la pâte soit bien lisse. Réfrigérer environ 1 heure.

Chauffer le four à 350 °F (175 °C).

Façonner la pâte en boulettes de 1 pouce (2,5 cm) de diamètre. Rouler chacune dans les flocons de maïs écrasés. Mettre les boulettes dans une plaque à biscuits non graissée et cuire au four 12 à 15 minutes ou jusqu'à ce que les bouchées soient prises sans être brunies.

ENVIRON 3 DOUZAINES

Les biscuits favoris de papa

1 tasse	*beurre ramolli*	*250 l*
3 tasses	*cassonade, mesurée bien tassé*	*750 ml*
2	*œufs*	*2*
1 c. à t.	*vanille*	*5 ml*
2 tasses	*farine tout usage, tamisée*	*500 ml*
1 c. à t.	*poudre à pâte*	*5 ml*
1/2 c. à t.	*bicarbonate de soude*	*2 ml*
1/2 c. à t.	*sel*	*2 ml*
1 tasse	*noix de coco en flocons*	*250 ml*
2 tasses	*gruau d'avoine à cuisson rapide*	*500 ml*

Chauffer le four à 375 °F (190 °C). Graisser des plaques à biscuits.

Battre ensemble, jusqu'à ce que ce soit léger, le beurre, la cassonade, les œufs et la vanille.

Tamiser ensemble, dans le mélange, la farine, la poudre à pâte, le bicarbonate de soude et le sel et bien mêler. Ajouter la noix de coco et le gruau, en brassant.

Déposer, par grosse cuillerée à soupe, sur les plaques en espaçant les petits amas de pâte de 3 po (7,5 cm) et en les aplatissant à la fourchette. Cuire au four, 10 minutes ou jusqu'à ce que les biscuits soient fermes et légèrement brunis.

Laisser les biscuits dans la plaque pendant quelques minutes, pour qu'ils durcissent un peu, et les faire refroidir ensuite sur une clayette.

ENVIRON 3 DOUZAINES DE GROS BISCUITS

Biscuits aux dattes et au miel

1 tasse	*miel liquide*	*250 ml*
1 1/2 tasses	*beurre d'arachide*	*375 ml*
1/4 tasse	*graisse végétale ramollie*	*60 ml*
3	*œufs*	*3*
2 c. à t.	*vanille*	*10 ml*
1 1/2 tasse	*dattes hachées*	*375 ml*
1 tasse	*gruau d'avoine à cuisson rapide*	*250 ml*
1 tasse	*germe de blé, du type ordinaire*	*250 ml*
1 tasse	*noix grossièrement hachées*	*250 ml*
1 1/2 tasse	*farine tout usage, tamisée*	*375 ml*
2 c. à t.	*poudre à pâte*	*10 ml*
1 c. à t.	*sel*	*5 ml*
1/2 c. à t.	*cannelle*	*2 ml*
1/2 c. à t.	*muscade*	*2 ml*
	dattes (facultatif)	

Chauffer le four à 350 °F (175 °C). Graisser de grandes plaques à biscuits.

Mêler, dans un grand bol, le miel, le beurre d'arachide, la graisse végétale, les œufs et la vanille; battre jusqu'à ce que le mélange soit très léger. Ajouter, en brassant, les dattes, le gruau, le germe de blé et les noix. Tamiser ensemble, dans le mélange, la farine, la poudre à pâte, le sel, la cannelle et la muscade et bien mêler le tout.

Déposer la pâte, par grosses cuillerées à thé, sur les plaques à biscuits. Couper des dattes en deux, sur la longueur, et couronner chaque biscuit d'une demi-datte. On peut aussi omettre les dattes; aplatir alors légèrement les petits amas de pâte, avec les dents d'une fourchette. Cuire au four, de 18 à 20 minutes.

ENVIRON 8 DOUZAINES

Ci-contre : bouchées au citron et au fromage et biscuits aux dattes et au miel

Carrés aux fruits

1 tasse	*farine de blé entier*	*250 ml*
1/2 tasse	*germe de blé*	*125 ml*
1/2 tasse	*farine tout usage, tamisée*	*125 ml*
1 c. à t.	*bicarbonate de soude*	*5 ml*
1 c. à t.	*sel*	*5 ml*
2 1/2 tasses	*gruau d'avoine à cuisson rapide*	*625 ml*
1 tasse	*miel liquide*	*250 ml*
1 tasse	*graisse végétale, fondue (voir note)*	*250 ml*

garniture au miel et aux dattes (recette ci-après)

Chauffer le four à 350 °F (175 °C). Graisser un moule à gâteau de 13 x 9 x 2 po (33 x 23 x 5 cm).

Mettre, dans un bol, la farine de blé entier, le germe de blé, la farine, le bicarbonate, le sel et le gruau; bien mêler, à la fourchette. Ajouter le miel et la graisse fondue et bien mêler. Tapoter la moitié du mélange dans le moule pour en recouvrir tout le fond. Y déposer la garniture.

Déposer ce qui reste de pâte sur la garniture, par petites cuillerées (peu importe si la garniture n'est pas toute recouverte). Cuire au four, 30 minutes ou jusqu'à ce que ce soit doré. Laisser refroidir et couper en carrés.

Note: remplacer, si on le désire, une partie de la graisse végétale par du beurre ou de la margarine.

3 À 4 DOUZAINES

Garniture au miel et aux dattes

1 lb	*dattes, en morceaux*	*450 g*
3/4 tasse	*miel liquide*	*180 ml*
1/4 tasse	*jus d'orange*	*60 ml*
1 c. à s.	*zeste d'orange râpé*	*15 ml*
1 pincée	*sel*	*1 pincée*

Mêler tous les ingrédients, dans une casserole. Porter à ébullition, baisser le feu et laisser bouillir à feu doux, en brassant, 5 minutes ou jusqu'à épaississement.

Carrés au gruau

1/4 tasse	*beurre ou margarine*	*60 ml*
2/3 tasse	*cassonade, mesurée bien tassée*	*160 ml*
1/2 c. à t.	*vanille*	*2 ml*
1 tasse	*gruau d'avoine à cuisson rapide*	*250 ml*
1/4 tasse	*noix hachées*	*60 ml*
1/4 tasse	*farine tout usage, tamisée*	*60 ml*
1 c. à t.	*poudre à pâte*	*5 ml*
1/4 c. à t.	*sel*	*1 ml*

→

Chauffer le four à 300 °F (150 °C). Graisser un moule à gâteau carré, de 8 po (20,5 cm) de côté.

Faire fondre le beurre (ou la margarine) dans une casserole moyenne. Ajouter, en brassant, la cassonade, la vanille, le gruau et les noix. Tamiser ensemble, dans le mélange, la farine, la poudre à pâte et le sel et bien mêler, d'abord à la cuillère, ensuite directement avec les doigts. Presser le mélange uniformément dans le moule.

Cuire au four, 25 minutes environ. Laisser refroidir dans le moule 10 minutes et couper en carrés. Laisser refroidir complètement les carrés dans le moule.

3 DOUZAINES

Carrés aux abricots

2/3 tasse	*abricots secs*	*160 ml*
1/2 tasse	*beurre (ou graisse végétale) ramolli*	*125 ml*
1/4 tasse	*sucre*	*60 ml*
1 tasse	*farine tout usage, tamisée*	*250 ml*
2	*œufs*	*2*
1 tasse	*cassonade, mesurée bien tassée*	*250 ml*
1/3 tasse	*farine tout usage, tamisée*	*80 ml*
1/2 c. à t.	*poudre à pâte*	*2 ml*
1/4 c. à t.	*sel*	*1 ml*
1/2 tasse	*amandes hachées*	*125 ml*
1 c. à t.	*essence d'amande*	*5 ml*
	sucre à glacer	

Dans une petite casserole, couvrir les abricots d'eau et porter à ébullition. Baisser le feu, couvrir et faire mijoter 10 minutes. Égoutter, laisser refroidir et hacher finement.

Chauffer le four à 350 °F (175 °C). Graisser un moule à gâteau de 8 x 8 x 2 po (20,5 x 20,5 x 5 cm).

Mêler le beurre, le sucre et 1 tasse (250 ml) de farine, en travaillant d'abord à la fourchette, ensuite directement avec les doigts; le mélange sera grumeleux. Presser uniformément dans le moule.

Cuire au four de 20 à 25 minutes ou jusqu'à ce que ce soit pris et légèrement bruni.

Bien battre les œufs. Ajouter la cassonade, petit à petit et en battant. Tamiser ensemble, dans le mélange, 1/3 tasse (80 ml) de farine, la poudre à pâte et le sel et bien battre. Ajouter les abricots, les amandes et l'essence d'amande et mêler. Étendre sur la croûte dans le moule. Continuer la cuisson au four pendant 30 minutes.

Laisser tiédir et saupoudrer généreusement de sucre à glacer tamisé. Laisser refroidir et couper en rectangles.

2 À 3 DOUZAINES

Ci-contre : à gauche, carrés aux fruits et à droite, carrés aux abricots

Carrés hollandais

3/4 tasse	*beurre ramolli*	*180 ml*
1 tasse	*cassonade, mesurée bien tassée*	*250 ml*
3 c. à s.	*lait*	*45 ml*
2 3/4 tasses	*farine tout usage, tamisée*	*680 ml*
1 c. à s.	*cannelle*	*15 ml*
1/2 c. à t.	*macis*	*2 ml*
1/2 c. à t.	*graines d'anis moulues (voir note)*	*2 ml*
1/4 c. à t.	*gingembre en poudre*	*1 ml*
1/4 c. à t.	*muscade*	*1 ml*
1/4 c. à t.	*clou de girofle en poudre*	*1 ml*
1/4 c. à t.	*poudre à pâte*	*1 ml*
1/8 c. à t.	*sel*	*0,5 ml*
1 lb	*amandes mondées, finement hachées (voir note)*	*450 g*
3 tasses	*sucre à glacer, tamisé*	*750 ml*
2	*œufs, légèrement battus*	*2*
2 c. à s.	*jus de citron*	*30 ml*
1 1/2 c. à t.	*essence d'amande*	*7 ml*
60	*amandes mondées, entières*	*60*

Travailler ensemble, pour que ce soit bien léger, le beurre et la cassonade. Ajouter le lait, en battant. Tamiser ensemble la farine, les épices, la poudre à pâte et le sel. Ajouter au mélange en crème, 1/2 tasse (125 ml) à la fois, en mêlant bien après chaque addition. Ramasser la pâte en boule et la réfrigérer quelques minutes.

Entre-temps, mêler les amandes moulues et le sucre à glacer. Ajouter le œufs, le jus de citron et l'essence d'amande et bien mêler. Mettre de côté.

Chauffer le four à 375 °F (190 °C). Graisser un moule à gâteau roulé de 15 x 10 x 1 po (38 x 25 x 2,5 cm).

Séparer la pâte épicée en deux. Façonner la première parts en un carré légèrement aplati et mettre sur une longue feuille de papier ciré. Couvrir d'une autre feuille de papier ciré et rouler la pâte entre les deux feuilles, en un rectangle de 15 x 10 po (38 x 25 cm). Humecter la table, à l'endroit où vous déposez la première feuille de papier, pour que cette dernière reste bien en place pendant que vous travaillez. Retirer la feuille de dessus et retourner l'abaisse dans le moule, en vous aidant de la feuille de dessous. Enlever cette feuille et presser la pâte dans les coins du moule et contre les bords.

Déposer le mélange aux amandes sur la pâte, par petites cuillerées, et l'étendre uniformément, presque jusqu'aux bords de l'abaisse.

Rouler, comme la première, l'autre part de pâte épicée (utiliser de nouvelles feuilles de papier pour que la pâte n'y adhère pas et tailler, bien droit, les bords de l'abaisse). Retourner l'abaisse sur la préparation. Utiliser, si cela est nécessaire, les retailles de pâte enlevée pour bien remplir les coins. Avec une spatule en caoutchouc, bien presser les 2 abaisses de pâte ensemble, tout autour du moule, pour bien enfermer le mélange aux amandes.

Faire, avec les dents d'une fourchette, des marques dans la pâte: tracer 6 lignes sur la longueur, et 10, sur la largeur, de façon à obtenir 60 carrés. Mettre une amande au centre de chaque carré.

Cuire au four, 20 minutes ou jusqu'à ce que ce soit légèrement bruni. Laisser refroidir quelques minutes dans le moule; retourner ensuite sur une grande clayette et laisser refroidir complètement. Couper ou casser en carrés et servir.

Note: passer les amandes au hachoir, au moins 2 fois, en utilisant le couteau le plus fin; on aura environ 4 tasses (1 L) d'amandes moulues fin. Si on ne peut trouver de graines d'anis moulues, en broyer finement au mortier ou avec le fond d'un petit bocal.

60 CARRÉS

Friandises au chocolat au bain-marie

1/2 tasse	*beurre ramolli*	*125 ml*
1/4 tasse	*sucre*	*60 ml*
3 c. à s.	*cacao*	*45 ml*
1	*œuf*	*1*
1/2 c. à t.	*vanille*	*2 ml*
1/2 c. à t.	*sel*	*2 ml*
2 tasses	*miettes de biscuits Graham*	*500 ml*
1 tasse	*noix de coco en flocons*	*250 ml*
1/2 tasse	*amandes rôties, hachées*	*125 ml*
2 tasses	*sucre à glacer, tamisé*	*500 ml*
1 c. à s.	*beurre fondu*	*15 ml*
environ 2 c. à s.	*crème*	*30 ml*
1/2 c. à t.	*essence d'amande*	*2 ml*
1 oz	*chocolat semi-sucré*	*30 g*
1 1/2 c. à t.	*beurre*	*7 ml*

Mêler le beurre, le sucre, le cacao, l'œuf, la vanille et le sel, dans la casserole supérieure d'un bain-marie. Bien mêler et chauffer au bain-marie frissonnant, en brassant sans arrêt, environ 5 minutes ou jusqu'à ce que la préparation soit légèrement épaissie et lisse. (Le mélange se séparera un peu s'il est trop chauffé mais ceci n'altère en rien la réussite finale des friandises.)

Retirer du feu et ajouter les miettes de biscuits, la noix de coco et les amandes, en mêlant bien. Presser fermement le mélange dans un moule carré de 8 po (20,5 cm) de côté, beurré. Réfrigérer pendant la préparation de la glace.

Bien mêler le sucre à glacer, 1 c. à s. (15 ml) de beurre, la crème et l'essence d'amande, en utilisant juste assez de crème pour que la glace soit facile à étendre. Étendre dans le moule, sur la pâte au chocolat.

Ci-dessus : friandises au chocolat au bain-marie

Faire fondre à feu doux, dans une petite casserole, le chocolat et 1 1/2 c. à t. (7 ml) de beurre. Faire couler en filet sur les friandises. Passer délicatement un couteau dans la glace, avec un mouvement de va-et-vient, pour faire un joli dessin. Réfrigérer jusqu'à peu avant le moment de servir.

16 FRIANDISES

Ci-contre : à gauche, bâtonnets au chocolat et à droite, bâtonnets délicieux

Bâtonnets au chocolat

1 tasse	*beurre*	*250 ml*
4 oz	*chocolat non sucré*	*115 g*
2 tasses	*sucre*	*500 ml*
4	*œufs*	*4*
2 c. à t.	*vanille*	*10 ml*
1 1/2 tasse	*farine tout usage, tamisée*	*375 ml*
1/2 c. à t.	*sel*	*2 ml*
1 1/2 tasse	*pacanes, en moitiés*	*375 ml*
	sucre à glacer	

Chauffer le four à 375 °F (190 °C). Graisser un moule à gâteau de 13 x 9 x 2 po (33 x 23 x 5 cm).

Chauffer ensemble au bain-marie, en brassant de temps à autre, le beurre et le chocolat jusqu'à ce qu'ils soient fondus.

Mettre le sucre dans un bol de grandeur moyenne. Y verser le mélange au chocolat et bien mêler. Ajouter les œufs, un à la fois, sans les avoir battus, et bien mêler avec une cuillère de bois. Ajouter la vanille. Tamiser la farine et le sel dans le mélange et bien mêler. Ajouter les pacanes.

Étendre la pâte dans le moule. Cuire au four, de 25 à 30 minutes ou jusqu'à ce que la pâte soit cuite sur les bords mais légèrement molle au centre et qu'une légère pression du doigt y laisse une empreinte (ces bâtonnets sont meilleurs à peine cuits).

Laisser refroidir dans le moule et saupoudrer généreusement de sucre à glacer. Couper, encore tiède, en bâtonnets.

3 DOUZAINES

Bâtonnets délicieux

1/2 tasse	*beurre ramolli*	*125 ml*
1/2 tasse	*graisse végétale ramollie*	*125 ml*
1 1/4 tasse	*sucre*	*300 ml*
1	*œuf*	*1*
1 c. à t.	*vanille*	*5 ml*
2 1/2 tasses	*farine tout usage, tamisée*	*625 ml*
1 1/2 c. à t.	*poudre à pâte*	*7 ml*
1/2 c. à t.	*sel*	*2 ml*
1 tasse	*brisures de chocolat*	*250 ml*
1/2 tasse	*pacanes, grossièrement cassées*	*125 ml*
1/2 tasse	*noix de coco en flocons*	*125 ml*
1/2 tasse	*cerises au marasquin, bien égouttées et hachées*	*125 ml*
1 tasse	*sucre à glacer, tamisé*	*250 ml*
1 c. à s.	*beurre*	*15 ml*
1/4 c. à t.	*essence d'amande*	*1 ml*
environ 2 c. à s.	*jus de conserve des cerises*	*environ 30 ml*

Chauffer le four à 350 °F (175 °C). Graisser un moule à gâteau roulé de 15 x 10 x 1 po (38 x 25 x 2,5 cm).

Battre ensemble, jusqu'à ce que ce soit léger, le beurre, la graisse végétale, le sucre, l'œuf et la vanille. Tamiser ensemble, dans le mélange, la farine, la poudre à pâte et le sel et bien mêler. Ajouter le chocolat, les pacanes, la noix de coco et les cerises et bien mêler (la pâte sera très ferme).

Presser la pâte uniformément dans le moule. Cuire au four, de 18 à 20 minutes ou jusqu'à ce que ce soit bruni et qu'une légère pression du doigt au centre ne laisse aucune empreinte. Laisser tiédir dans le moule.

Mêler le sucre à glacer, 1 c. à s. (15 ml) de beurre, l'essence d'amande et suffisamment du jus de conserve des cerises pour obtenir une glace plutôt claire. En recouvrir la pâtisserie encore tiède et couper immédiatement. Laisser refroidir.

48 BÂTONNETS

Petits rouleaux aux amandes

2	*blancs d'œufs*	*2*
1/2 tasse	*sucre*	*125 ml*
1/3 tasse	*farine tout usage, tamisée*	*80 ml*
3 c. à s.	*beurre (ou margarine), fondu*	*45 ml*
1/3 tasse	*amandes mondées, finement hachées*	*80 ml*
1/4 c. à t.	*essence d'amande*	*1 ml*
	sucre à glacer (facultatif)	

Chauffer le four à 450 °F (230 °C). Graisser parfaitement de petites plaques à biscuits.

Battre les blancs d'œuf, dans un petit bol, jusqu'à ce qu'ils soient en neige bien ferme. Incorporer le sucre. Ajouter ensuite, très délicatement et en ne brassant qu'aussi peu que possible, la farine, le beurre ou la margarine, les amandes et l'essence d'amande. Déposer sur les plaques, par cuillèrées à thé, en espaçant les petits amas de pâte de 3 po (7,5 cm). Avec le dos d'une cuillère, étendre les petits amas en ronds de 2 à 3 po (5 x 7,5 cm) de diamètre. (Ne préparer et ne cuire que 6 ronds à la fois; autrement ils durciraient avant que vous n'ayez eu le temps de les rouler.)

Cuire au four, 3 ou 4 minutes ou jusqu'à ce que les ronds soient dorés. Les dégager immédiatement des plaques et, rapidement, rouler chacun, sans serrer, en travaillant directement avec les doigts. Laisser refroidir sur une clayette. Cuire et travailler de cette façon toute la pâte. Refroidir les plaques, toutefois, et les graisser de nouveau avant chaque cuisson.

Tamiser un peu de sucre à glacer sur les petits rouleaux refroidis, si on le désire. Ranger dans une boîte de métal fermant bien hermétiquement.

ENVIRON 30 ROULEAUX

Ci-dessus : sablés à la cassonade et sablés aux amandes

Sablés à la cassonade

1 tasse	*cassonade, mesurée bien tassée*	*250 ml*
1 lb	*beurre ramolli*	*450 g*
5 tasses	*farine tout usage, tamisée*	*1,25 L*

Mêler tous les ingrédients. Pétrir la pâte, la travailler en l'écrasant entre les mains, 20 minutes ou jusqu'à ce qu'elle soit bien lisse et satinée. La réfrigérer jusqu'au lendemain.

Chauffer le four à 300 °F (150 °C).

Travailler la pâte directement avec les mains, une petite portion à la fois, et l'assouplir suffisamment pour pouvoir la rouler. En faire des abaisses de 1/4 po (0,5 cm) d'épaisseur et y tailler des biscuits ronds, carrés ou découpés à l'emporte-pièce.

Cuire au four, de 20 à 25 minutes ou jusqu'à ce que les sablés soient fermes mais très légèrement brunis en dessous.

Note: un rouleau à pâte recouvert de motifs en reliefs n'est pas absolument nécessaire mais il fait de jolis sablés.

4 1/2 À 5 DOUZAINES

Sablés aux amandes

2 tasses	*beurre ramolli*	*500 ml*
2/3 tasse	*sucre à glacer, tamisé*	*160 ml*
1/3 tasse	*cassonade, mesurée bien tassée*	*80 ml*
1 c. à t.	*essence d'amande*	*5 ml*
4 1/2 tasses	*farine tout usage, tamisée*	*1,125 L*
environ 1 tasse	*amandes mondées*	*environ 250 ml*
environ 10	*cerises confites*	*environ 10*
2	*jaunes d'œufs*	*2*
2 c. à s.	*lait*	*30 ml*

Mettre le beurre, le sucre à glacer, la cassonade et l'essence d'amande dans un grand bol. Battre jusqu'à ce que le mélange soit bien léger. Ajouter la farine et mêler, d'abord à la cuillère et ensuite directement avec les mains, jusqu'à ce que la pâte soit lisse et veloutée. Réfrigérer plusieurs heures.

Fendre les amandes en deux, comme elles se fendent naturellement. Couper chaque cerise en 6 petits morceaux.

Chauffer le four à 300 °F (150 °C). Graisser légèrement des plaques à biscuits.

Abaisser la pâte à 1/4 de po (0,5 cm) d'épaisseur. Y tailler les sablés avec un emporte-pièce rond, de 2 po (5 cm) de diamètre, ou en forme d'étoile. Mettre un morceau de cerise au centre de chaque sablé et l'entourer de moitiés d'amandes disposées comme les pétales d'une marguerite.

Battre ensemble, à la fourchette, les jaunes d'œufs et le lait et badigeonner le dessus des sablés du mélange.

Cuire au four, de 20 à 25 minutes ou jusqu'à ce que les sablés soient fermes et dorés.

ENVIRON 60 SABLÉS ÉPAIS

Battre le beurre, le sucre à glacer, la cassonade et l'essence d'amande, jusqu'à ce que le mélange soit bien léger.

Ajouter la farine et mêler, d'abord à la cuillère et ensuite directement avec les mains, jusqu'à ce que la pâte soit lisse et veloutée.

Tailler les sablés à l'emporte-pièce.

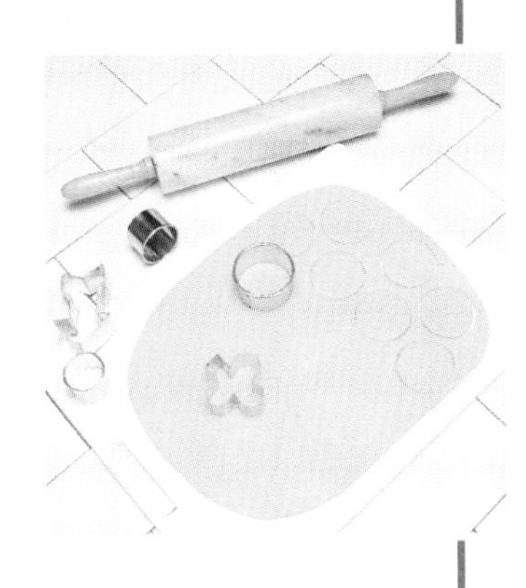

Mettre un morceau de cerise au centre de chaque sablé et l'entourer de moitiés d'amandes disposées comme les pétales d'une marguerite.

Gâteau au chocolat

2 c. à s.	*graisse végétale*	*30 ml*
2 oz	*chocolat non sucré*	*60 g*
1 tasse	*sucre*	*250 ml*
1	*œuf*	*1*
1 1/2 tasse	*farine tout usage, tamisée*	*375 ml*
1 c. à t.	*bicarbonate de soude*	*5 ml*
1/2 c. à t.	*sel*	*2 ml*
1 tasse	*babeurre ou lait sur*	*250 ml*
1 c. à t.	*vanille*	
	glace au chocolat crémeuse (recette ci-après)	

Chauffer le four à 350 °F (175 °C). Graisser un moule à gâteau carré, de 9 po (23 cm) de côté.

Mettre la graisse végétale et le chocolat dans une petite casserole et faire fondre à feu très bas. Mêler le sucre, l'œuf et le mélange au chocolat dans un bol; bien battre.

Tamiser ensemble la farine, le bicarbonate de soude et le sel et ajouter au premier mélange, en alternant avec le babeurre ou le lait auquel on aura ajouté la vanille.

Verser dans le moule et cuire au four, 35 minutes ou jusqu'à ce qu'une légère pression du doigt à la surface du gâteau ne laisse aucune empreinte. Laisser refroidir dans le moule et enrober de glace au chocolat crémeuse.

8 À 10 PORTIONS

Glace au chocolat crémeuse

2 c. à s.	*beurre*	*30 ml*
1 oz	*chocolat non sucré, en morceaux*	*30 g*
1 1/2 c. à s.	*farine*	*22 ml*
1/8 c. à t.	*sel*	*0,5 ml*
1/3 tasse	*lait*	*80 ml*
2 tasses	*sucre à glacer, tamisé*	*500 ml*
1/2 c. à t.	*vanille*	*2 ml*
1/4 tasse	*noix hachées*	*60 ml*
1/2 tasse	*pâte de guimauve, en petites bouchées*	*125 ml*

Mettre le beurre et le chocolat dans une petite casserole et faire fondre à feu très bas. Retirer du feu et ajouter la farine et le sel, en mêlant bien. Ajouter le lait, petit à petit et en brassant. Cuire, à feu bas et en brassant constamment, jusqu'à ce que ce soit épais et lisse.

Retirer du feu et ajouter le sucre et la vanille, en brassant. Disposer la casserole dans un plat d'eau glacée. Brasser alors la glace jusqu'à ce qu'elle soit de la consistance désirée. Ajouter les noix et la pâte de guimauve. Glacer le gâteau.

Ci-contre : gâteau au chocolat

Gâteau aux fruits de Californie

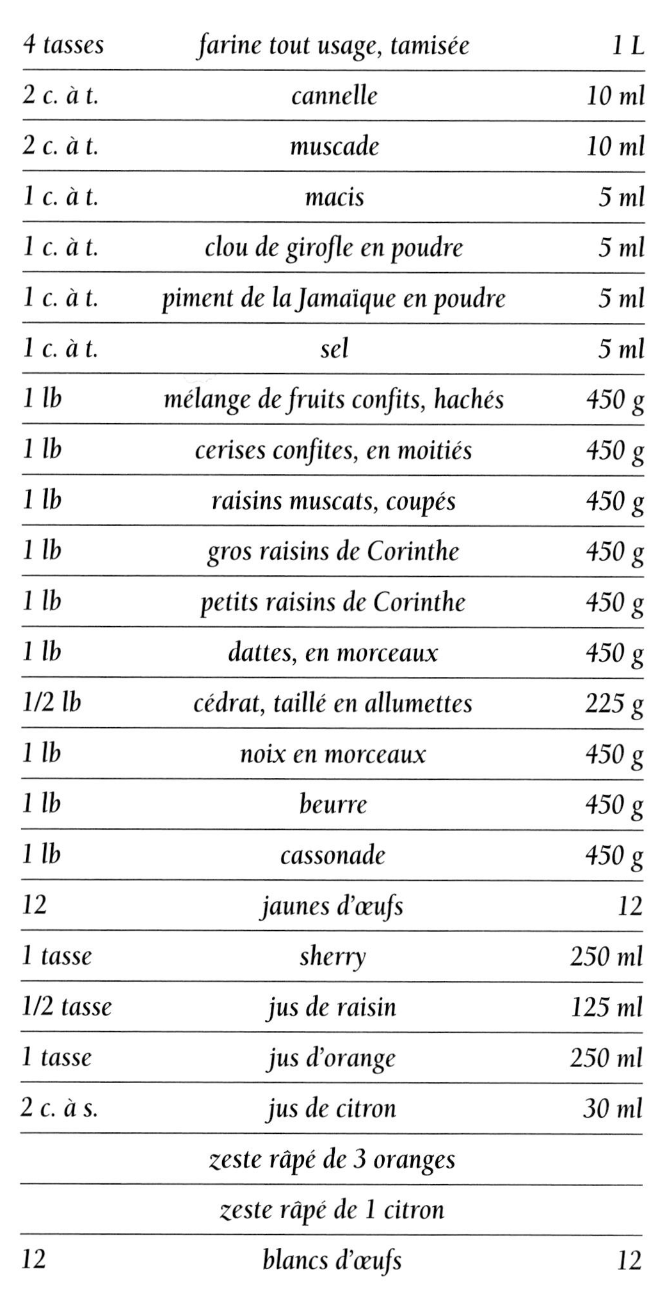

4 tasses	*farine tout usage, tamisée*	*1 L*
2 c. à t.	*cannelle*	*10 ml*
2 c. à t.	*muscade*	*10 ml*
1 c. à t.	*macis*	*5 ml*
1 c. à t.	*clou de girofle en poudre*	*5 ml*
1 c. à t.	*piment de la Jamaïque en poudre*	*5 ml*
1 c. à t.	*sel*	*5 ml*
1 lb	*mélange de fruits confits, hachés*	*450 g*
1 lb	*cerises confites, en moitiés*	*450 g*
1 lb	*raisins muscats, coupés*	*450 g*
1 lb	*gros raisins de Corinthe*	*450 g*
1 lb	*petits raisins de Corinthe*	*450 g*
1 lb	*dattes, en morceaux*	*450 g*
1/2 lb	*cédrat, taillé en allumettes*	*225 g*
1 lb	*noix en morceaux*	*450 g*
1 lb	*beurre*	*450 g*
1 lb	*cassonade*	*450 g*
12	*jaunes d'œufs*	*12*
1 tasse	*sherry*	*250 ml*
1/2 tasse	*jus de raisin*	*125 ml*
1 tasse	*jus d'orange*	*250 ml*
2 c. à s.	*jus de citron*	*30 ml*
	zeste râpé de 3 oranges	
	zeste râpé de 1 citron	
12	*blancs d'œufs*	*12*

Chauffer le four à 250 °F (120 °C). Graisser 4 moules à pain de 9 x 5 x 3 po (23 x 12,5 x 7,5 cm) et les doubler de papier fort, graissé.

Tamiser ensemble la farine, les épices et le sel, sur du papier ciré.

Mêler les fruits et les noix dans un grand bol. Ajouter 1 tasse (250 ml) des ingrédients secs aux fruits et brasser jusqu'à ce que ces dernier soient bien enfarinés.

Travailler le beurre et la cassonade jusqu'à ce que le mélange soit léger. Ajouter les jaunes d'œufs, un à la fois, en battant bien après chaque addition. Continuer à battre jusqu'à ce que le mélange soit souple et bien crémeux. Ajouter, petit à petit et en alternant, ce qui reste des ingrédients secs ainsi que le sherry et les jus de raisin, d'orange et de citron; commencer et terminer ces additions avec les ingrédients secs.

Ajouter les zeste d'orange et de citron et le mélange de fruits et de noix.

Battre les blancs d'œufs en neige très ferme et les incorporer au mélange.

Déposer à la cuillère dans les moules et cuire au four, 3 heures ou jusqu'à ce qu'un cure-dents inséré au centre des gâteaux en ressorte sec. (Mettre un plat d'eau dans le four pour empêcher les gâteaux de sécher.)

Démouler les gâteaux et les laisser refroidir sur une clayette. Enlever le papier de cuisson. Envelopper chaque gâteau, d'abord de plusieurs épaisseurs de gaze mouillée de sherry, ensuite de papier d'aluminium épais. Laisser le gâteau se bonifier ainsi pendant plusieurs semaines, en mouillant quelquefois la gaze de sherry.

Gâteau aux fruits deux tons

1 tasse	*gros raisins de Corinthe*	*250 ml*
1 tasse	*pruneaux en morceaux (voir note)*	*250 ml*
2 tasses	*noix, grossièrement hachées*	*500 ml*
2 tasses	*mélange d'écorces confites*	*500 ml*
2 c. à t.	*cannelle*	*10 ml*
1 c. à t.	*clou de girofle en poudre*	*5 ml*
1 c. à t.	*piment de la Jamaïque en poudre*	*5 ml*
2 c. à s.	*mélasse*	*30 ml*
1 tasse	*raisins secs dorés*	*250 ml*
1 tasse	*abricots secs, hachés*	*250 ml*
2 tasses	*amandes mondées, hachées*	*500 ml*
1 tasse	*ananas confit, en morceaux*	*250 ml*
1 tasse	*mélange d'écorces confites*	*250 ml*
1/2 c. à t.	*gingembre*	*2 ml*
1/2 c. à t.	*macis*	*2 ml*
1 c. à s.	*jus de citron*	*15 ml*
1 1/2 tasse	*graisse végétale ramollie*	*375 ml*
2 tasses	*sucre*	*500 ml*
6	*œufs*	6
4 tasses	*farine tout usage, tamisée*	*1 L*
2 c. à t.	*poudre à pâte*	*10 ml*
2 c. à t.	*sel*	*10 ml*

Bien graisser et doubler de papier fort, graissé, 3 moules à gâteau mesurant respectivement 8 x 8 x 3 1/2 po (20,5 x 20,5 x 8,75 cm), 6 x 6 x 3 3/4 po (15 x 15 x 9,5 cm) et 4 x 4 x 3 po (10 x 10 x 7,5 cm).

Mêler, dans un grand bol, les raisins de Corinthe, les pruneaux, les noix, 2 tasses (500 ml) d'écorces confites, la cannelle, le clou de girofle, le piment de la Jamaïque et la mélasse.

Mêler les raisins dorés, les abricots, les amandes, l'ananas, 1 tasse (250 ml) d'écorces confites, le gingembre, le macis et le jus de citron, dans un autre grand bol.

Travailler ensemble, dans un troisième grand bol, la graisse (en remplacer si on le désire, une partie par du beurre) et le sucre jusqu'à ce que le mélange soit léger et mousseux. Ajouter les œufs, un à la fois, en battant bien après chaque addition.

Tamiser ensemble, dans le mélange en crème, la farine, la poudre à pâte et le sel et bien mêler. Ajouter la moitié de cette pâte à chaque mélange de fruits, en mêlant bien.

Mettre l'un des appareils dans les trois moules, en utilisant environ 1 tasse (250 ml) de pâte pour le petit moule, 2 tasses (500 ml) pour le moyen et ce qui en reste, c'est-à-dire environ 3 1/2 tasses (875 ml) pour le grand; étendre uniformément.

Diviser l'autre appareil de la même façon.

Chauffer le four à 275 °F (135 °C).

Mettre un plat d'eau chaude dans le fond du four. Cuire les gâteaux au four jusqu'à ce qu'un cure-dents inséré au centre des gâteaux en ressorte sec; il faut environ 2 heures de cuisson pour le petit gâteau et 2 3/4 heures pour le moyen et le grand.

Laisser refroidir pendant quelques minutes dans les moules. Retirer le gâteaux des moules, en les soulevant à l'aide du papier de cuisson, et les laisser refroidir sur des clayettes. Enlever le papier de cuisson, envelopper de papier d'aluminium et ranger dans un endroit frais et sec pendant plusieurs semaines ou jusqu'au moment d'utiliser.

Note: utiliser des pruneaux non cuits. S'ils sont trop durs et secs, les couvrir d'eau bouillante et les laisser tremper 5 minutes ou jusqu'à ce qu'ils soient un peu gonflés.

3 GÂTEAUX

Ci-contre : gâteau aux fruits deux tons

Gâteau au sucre brûlé

1/2 tasse	*sucre*	*125 ml*
1/2 tasse	*eau bouillante*	*125 ml*
3	*blancs d'œufs*	*3*
1/2 tasse	*beurre ramolli*	*125 ml*
1 1/2 tasse	*sucre*	*375 ml*
3	*jaunes d'œufs*	*3*
1 tasse	*eau froide*	*250 ml*
1 c. à s.	*crème*	*15 ml*
1 c. à t.	*vanille*	*5 ml*
2 1/4 tasses	*farine tout usage, tamisée*	*560 ml*
2 c. à t.	*poudre à pâte*	*10 ml*
1/2 c. à t.	*sel*	*2 ml*

glace fondante au sucre brûlé (recette ci-après)

Chauffer le four à 350 °F (175 °C). Graisser un moule à gâteau de 13 x 9 x 2 po (33 x 23 x 5 cm).

Mettre 1/2 tasse (125 ml) de sucre dans un poêle épaisse. Faire fondre à feu moyen, en brassant avec une cuillère de bois. Continuer la cuisson jusqu'à ce que le sucre soit devenu un beau sirop brun foncé. (Laisser fondre le sirop plus que pour un caramel ordinaire mais ne pas le laisser noircir, ce qui donnerait un goût amer.) Ajouter l'eau bouillante, petit à petit et en brassant (attention à la vapeur !). Retirer du feu; ceci constitue le sirop au sucre brûlé.

Battre les blancs d'œufs, jusqu'à ce qu'ils forment des pics au bout des batteurs et les mettre de côté.

Battre ensemble, jusqu'à ce que ce soit léger, le beurre, 1 1/2 tasse (375 ml) de sucre et les jaunes d'œufs. Mêler l'eau froide, la crème, 3 c. à s. (45 ml) du sirop au sucre brûlé et la vanille.

→

Tamiser ensemble la farine, la poudre à pâte et le sel. Ajouter au mélange en crème, petit à petit et en alternant, les ingrédients secs et le mélange au sucre brûlé; commencer et terminer les additions toutefois, avec les ingrédients secs.

Incorporer les blancs d'œufs battus. Verser la pâte dans le moule. Cuire au four, 30 minutes ou jusqu'à ce qu'une légère pression du doigt à la surface du gâteau ne laisse aucune empreinte. Laisser refroidir dans le moule. Recouvrir de la glace fondante au sucre brûlé.

1 GÂTEAU

Glace fondante au sucre brûlé

2 tasses	*sucre*	*500 ml*
1/2 tasse	*lait*	*125 ml*
2 c. à s.	*sirop au sucre brûlé (préparé pour le gâteau)*	*30 ml*
1 c. à t.	*sirop de maïs*	*5 ml*
1 c. à t.	*beurre*	*5 ml*

Mêler tous les ingrédients, dans une casserole épaisse. Chauffer à feu moyennement haut et en brassant, jusqu'à ce que le sucre soit dissous. Faire bouillir alors vivement, jusqu'à 234 °F (112 °C). au thermomètre à bonbons ou jusqu'à ce que quelques gouttes du mélange forment une boule molle dans de l'eau froide. Laisser tiédir. Battre jusqu'à ce que la glace commence à être crémeuse. (Ne pas trop battre ou la glace durcira trop.) L'étendre sur le gâteau.

Gâteau éponge léger

6	*jaunes d'œufs*	6
1 1/2 tasse	*sucre*	*375 ml*
1/3 tasse	*eau froide*	*80 ml*
2 c. à t.	*vanille*	*10 ml*
1 c. à t.	*essence d'amande*	*5 ml*
1 1/3 tasse	*farine tout usage, tamisée*	*330 ml*
1 1/2 c. à t.	*poudre à pâte*	*7 ml*
1/2 c. à t.	*sel*	*2 ml*
6	*blancs d'œufs*	6
1/2 c. à t.	*crème de tartre*	*2 ml*

Chauffer le four à 325 °F (160 °C). Avoir sous la main un moule à douille, de 10 po (25 cm) de diamètre, non graissé.

Mettre les jaunes d'œufs dans un petit bol et les battre, à la grande vitesse du malaxeur électrique, 5 minutes ou jusqu'à ce qu'ils soient épais et bien légers. Ajouter le sucre, petit à petit, en battant bien après chaque addition. Régler le malaxeur à sa petite vitesse et ajouter l'eau, la vanille et l'essence d'amande, en battant.

Mesurer la farine. Tamiser ensemble, sur du papier ciré, la farine mesurée, la poudre à pâte et le sel et ajouter aux jaunes d'œufs. Battre, à la petite vitesse du malaxeur et en raclant souvent la paroi du bol, jusqu'à ce que la pâte soit lisse.

Bien laver les batteurs. Mettre les blancs d'œufs et la crème de tartre dans un grand bol et battre jusqu'à ce qu'ils soient en neige très ferme. Ajouter environ la moitié de cette meringue à la pâte et l'incorporer rapidement avec une spatule de caoutchouc. Ajouter le tout au reste de meringue et l'incorporer délicatement et rapidement.

Verser la pâte dans le moule. Cuire au four, de 60 à 65 minutes ou jusqu'à ce qu'une légère pression du doigt à la surface du gâteau ne laisse aucune empreinte. Retourner immédiatement le moule sur un entonnoir ou sur le goulot d'une bouteille et laisser refroidir le gâteau ainsi suspendu. Dégager le gâteau du moule, avec une spatule de métal ou un couteau, et le retourner dans une assiette de service. Laisser le gâteau à l'envers si on le glace ou le retourner si on le sert sans garniture.

1 GÂTEAU

Ci-contre : gâteau au sucre brûlé

Gâteau aux dattes

1 c. à t.	*bicarbonate de soude*	*5 ml*
1 tasse	*eau bouillante*	*250 ml*
1 1/2 tasse	*dattes, en morceaux*	*375 ml*
2/3 tasse	*cassonade, mesurée bien tassée*	*160 ml*
1	*œuf*	*1*
1 c. à s.	*beurre*	*15 ml*
1 c. à t.	*vanille*	*5 ml*
1 tasse	*gros raisins de Corinthe*	*250 ml*
1/2 tasse	*cerises au marasquin, bien égouttées et coupées en deux*	*125 ml*
2 c. à s.	*jus de conserve des cerises*	*30 ml*
2 tasses	*farine tout usage, tamisée*	*500 ml*
1 c. à t.	*poudre à pâte*	*5 ml*
1 c. à t.	*sel*	*5 ml*

Chauffer le four à 325 °F (160 °C). Graisser un moule à pain de 9 x 5 x 3 po (23 x 12,5 x 7,5 cm).

Ajouter le bicarbonate de soude et l'eau bouillante aux dattes, brasser et laisser refroidir un peu.

Battre ensemble, dans un bol, la cassonade, l'œuf, le beurre et la vanille. Ajouter, en brassant, le mélange aux dattes, les raisins, les cerises et le jus de cerises.

Tamiser ensemble, dans le mélange, la farine, la poudre à pâte et le sel et bien mêler. Étendre la pâte dans le moule. Cuire jusqu'à ce qu'un cure-dents, inséré au centre du gâteau, en ressorte sec; le temps de cuisson sera plus ou moins de 1 heure et 15 minutes. Démouler et laisser refroidir sur une clayette.

1 GÂTEAU

Gâteau à la compote de pommes

1 tasse	*gros raisins de Corinthe, grossièrement coupés*	*250 ml*
1 tasse	*noix hachées*	*250 ml*
2 tasses	*farine tout usage, tamisée*	*500 ml*
1 c. à t.	*sel*	*5 ml*
1 c. à t.	*bicarbonate de soude*	*5 ml*
1 c. à t.	*cannelle*	*5 ml*
1/4 c. à t.	*clou de girofle en poudre*	*1 ml*
1/2 tasse	*graisse végétale, ramollie*	*125 ml*
3/4 tasse	*sucre*	*180 ml*
1	*œuf*	*1*
1 tasse	*compote de pommes sucrée*	*250 ml*

Chauffer le four à 350 °F (175 °C). Graisser et enfariner un moule à pain de 9 x 5 x 3 po (23 x 12,5 x 7,5 cm).

Mêler les raisins et les noix, dans un bol. Tamiser dessus la farine, le sel, le bicarbonate de soude, la cannelle et le clou de girofle et brasser délicatement.

Bien travailler ensemble la graisse végétale, le sucre et l'œuf. Ajouter, en alternant, le mélange raisins-noix-farine et la compote de pommes, en battant bien après chaque addition. Étendre la pâte dans le moule.

Cuire au four, 1 heure et 15 minutes ou jusqu'à ce qu'un cure-dents inséré au centre du gâteau en ressorte sec. Laisser tiédir quelques minutes dans le moule, démouler et laisser refroidir sur une clayette.

1 GÂTEAU

Ci-dessus : gâteau à la compote de pommes

Gâteau au citron

2/3 tasse	*beurre (ou margarine), ramolli*	*160 ml*
1 tasse	*sucre*	*250 ml*
4	*œufs*	*4*
1 c. à t.	*zeste de citron râpé*	*5 ml*
1 1/2 c. à s.	*jus de citron*	*22 ml*
2 tasses	*farine à pâtisserie, tamisée*	*500 ml*
1/2 c. à t.	*poudre à pâte*	*2 ml*
1/2 c. à t.	*sel*	*2 ml*

Chauffer le four à 300 °F (150 °C). Graisser un moule à pain de 9 x 5 x 3 po (23 x 12,5 x 7,5 cm).

Travailler le beurre, ou la margarine, pour que ce soit bien léger. Ajouter le sucre, petit à petit et en battant bien après chaque addition; battre jusqu'à ce que le mélange soit très léger. Ajouter les œufs, un à la fois, en battant bien après chaque addition. Ajouter le zeste et le jus de citron et bien mêler.

Tamiser ensemble la farine, la poudre à pâte et le sel et ajouter le tout au premier mélange, en ne brassant que juste assez pour bien mêler les ingrédients. Étendre la pâte dans le moule et cuire au four, 1 heure et 15 minutes ou jusqu'à ce qu'un cure-dents inséré au centre du gâteau en ressorte sec. Démouler et laisser refroidir sur une clayette.

1 GÂTEAU

Gâteau glacé aux liqueurs

2	*blancs d'œufs*	2
1/2 tasse	*sucre*	*125 ml*
1 3/4 tasse	*farine à gâteaux tamisée*	*430 ml*
1 tasse	*sucre*	*250 ml*
3/4 c. à t.	*bicarbonate de soude*	*3 ml*
1 c. à t.	*sel*	*5 ml*
1/3 tasse	*huile à salade*	*80 ml*
1 tasse	*babeurre ou lait sur*	*250 ml*
2	*jaunes d'œufs*	2
2 oz	*chocolat à cuisson non sucré, fondu*	*60 g*
	crème aux liqueurs (recette ci-après)	

Chauffer le four à 350 °F (175 °C). Graisser et enfariner deux moules à gâteau ronds de 8 po (20,5 cm) de diamètre et d'au moins 1 1/2 po (3,75 cm) de profondeur.

Battre les blancs d'œufs en neige. Ajouter 1/2 tasse (125 ml) de sucre, 1 c. à s. (15 ml) à la fois, en battant bien après chaque addition. Continuer à battre jusqu'à ce que la meringue soit ferme et brillante.

Tamiser, dans un grand bol, la farine, 1 tasse (250 ml) de sucre, le bicarbonate de soude et le sel. Ajouter l'huile ainsi que la moitié du babeurre ou du lait sur. Battre 1 minute, à la vitesse moyenne d'un malaxeur ou 150 coups à la main. Ajouter ce qui reste de babeurre ou de lait sur, les jaunes d'œufs et le chocolat et battre encore 1 minute. Ajouter la meringue en l'incorporant délicatement.

Étendre la pâte dans les moules et cuire au four, 30 minutes ou jusqu'à ce qu'une légère pression du doigt à la surface des gâteaux ne laisse aucune empreinte.

Démouler sur des clayettes et laisser refroidir.

Fendre chaque gâteau en deux minces galettes. Étager les quatre morceaux de gâteau, en les séparant d'une couche de crème aux liqueurs. Recouvrir le gros gâteau ainsi construit de crème aux liqueurs. (Tout ceci peut être fait des heures avant le repas.) Réfrigérer jusqu'au moment de servir, en grosses pointes.

12 PORTIONS

Crème aux liqueurs

1 c. à s.	*gélatine en poudre*	*15 ml*
1/4 tasse	*eau froide*	*60 ml*
1/2 tasse	*crème de menthe verte*	*125 ml*
1/3 tasse	*crème de cacao blanche*	*80 ml*
1 chopine	*crème à 35 %*	*625 ml*

Ajouter la gélatine à l'eau froide et laisser reposer 5 minutes. Chauffer ensemble, sans toutefois laisser bouillir, la crème de menthe et la crème de cacao. Ajouter la gélatine détrempée et brasser jusqu'à ce qu'elle soit dissoute. Laisser refroidir, sans réfrigérer.

Fouetter la crème jusqu'à ce qu'elle soit ferme. Ajouter le mélange à la gélatine à la crème en mêlant très délicatement (ne pas battre). Réfrigérer 15 minutes.

Ci-contre : gâteau glacé aux liqueurs

Gâteau de Noël

1 1/2 tasse	*amandes mondées*	*375 ml*
1 1/2 tasse	*noix en morceaux*	*375 ml*
1 tasse	*dattes dénoyautées, coupées en quatre*	*250 ml*
1 tasse	*cerises au marasquin, égouttées et coupées en moitiés*	*250 ml*
1 tasse	*écorce d'orange confite, en allumettes*	*250 ml*
1/2 tasse	*raisins secs*	*125 ml*
3/4 tasse	*farine tout usage, tamisée*	*180 ml*
3/4 tasse	*sucre*	*180 ml*
1/2 c. à t.	*poudre à pâte*	*2 ml*
1/2 c. à t.	*sel*	*2 ml*
3	*œufs*	*3*
1 c. à s.	*jus de conserve des cerises*	*15 ml*
1 c. à t.	*essence d'amande*	*5 ml*

Graisser 2 moules en papier d'aluminium d'environ 7 1/2 x 3 1/2 x 2 1/4 po (19,25 x 8,75 x 5,5 cm).

Mêler, dans un grand bol, les amandes, les noix, les dattes, les cerises, l'écorce d'orange et les raisins. Tamiser ensemble, sur le mélange, la farine, le sucre, la poudre à pâte et le sel; bien remuer le tout, directement avec les mains.

Chauffer le four à 300 °F (150 °C).

Battre les œufs, à la grande vitesse d'un malaxeur électrique, 5 minutes ou jusqu'à ce qu'ils soient épais et d'un beau jaune citron. Ajouter, en brassant, le jus de conserve des cerises et l'essence d'amande. Verser sur le premier mélange et bien mêler. Mettre dans les moules, en pressant fermement avec le dos d'une cuillère.

Cuire au four, 1 heure et 45 minutes ou jusqu'à ce que le centre du gâteau soit ferme au toucher. Laisser refroidir quelques minutes dans les moules; démouler alors les gâteaux et les faire refroidir sur des clayettes. Envelopper de papier d'aluminium et ranger au réfrigérateur, ou envelopper de pellicule plastique et nouer d'un ruban pour un beau et bon cadeau. Ces gâteaux sont prêts à être dégustés après 2 ou 3 jours.

Torte de la forêt-noire

8	*jaunes d'œufs*	*8*
1	*œuf entier*	*1*
1 c. à s.	*eau*	*15 ml*
1 tasse	*sucre*	*250 ml*
3/4 tasse	*chapelure fine*	*180 ml*
1/2 tasse	*amandes mondées, finement moulues*	*125 ml*
1/2 c. à t.	*essence d'amande*	*2 ml*
1/3 tasse	*cacao*	*80 ml*
1/2 tasse	*farine tout usage, tamisée*	*125 ml*
8	*blancs d'œufs*	*8*
1 c. à s.	*gélatine*	*15 ml*
2 c. à s.	*eau froide*	*30 ml*
2 1/2 tasses	*crème à 35 %*	*625 ml*
1/2 tasse	*sucre à glacer, tamisé*	*125 ml*
1 pincée	*sel*	*1 pincée*
1 c. à t.	*vanille*	*5 ml*
1/2 c. à t.	*essence d'amande*	*2 ml*
	garniture aux cerises (recette ci-après)	
	chocolat râpé ou boucles de chocolat	
	cerises confites ou au marasquin	

Chauffer le four à 350 °F (175 °C). Graisser et enfariner 2 moules à gâteau ronds de 9 po (23 cm) de diamètre et de 1 1/2 po (3,75 cm) de profondeur.

Battre ensemble les jaunes d'œufs, l'œuf entier et 1 c. à s. (15 ml) d'eau, à la grande vitesse du malaxeur, 5 minutes ou jusqu'à ce que le mélange soit épais et mousseux. Ajouter le sucre, petit à petit et en battant bien après chaque addition. Ajouter la chapelure, les amandes et 1/2 c. à t. (2 ml) d'essence d'amande, en brassant aussi peu que possible. Tamiser ensemble, dans le mélange, le cacao et la farine et bien mêler.

Battre les blancs d'œufs en neige ferme sans être trop sèche. Incorporer rapidement à la préparation.

Répartir la pâte dans les moules. Cuire au four, 25 minutes ou jusqu'à ce qu'un cure-dents inséré au centre du gâteau en ressorte sec.

→

Laisser refroidir quelques minutes, démouler et laisser refroidir complètement sur des clayettes. Fendre chaque gâteau en deux.

Mettre la gélatine dans un petit bol. Ajouter 2 c. à s. (30 ml) d'eau froide et laisser reposer 5 minutes. Mettre le bol dans une petite casserole d'eau bouillante et chauffer pour faire fondre la gélatine. Laisser refroidir environ 1 minute.

Entre-temps, battre la crème, le sucre à glacer, le sel, la vanille et l'essence d'amande jusqu'à ce que la crème commence à épaissir. Continuer à battre (à vitesse moindre si la crème épaissit trop rapidement) et ajouter la gélatine, en filet (ceci est important). Battre jusqu'à ce que le mélange forme des pics.

Mettre l'une des galettes de gâteau dans un plat de service. Recouvrir de garniture aux cerises. Ajouter une autre galette et recouvrir du quart de la crème fouettée. Ajouter encore une galette de gâteau et un quart de la crème. Recouvrir de la dernière galette et glacer le gâteau avec ce qui reste de crème.

Parsemer les côtés et le dessus de la torte de chocolat râpé ou en boucles (je recommande le chocolat non sucré). Couper en deux quelques cerises et en décorer la torte.

Réfrigérer pendant au moins 1 heure avant de servir. À cause de la gélatine dans la crème, la torte gardera sa belle apparence. Vous pouvez donc la préparer la veille du jour où vous voulez la servir.

12 PORTIONS

Ci-dessus : torte de la forêt-noire

Garniture aux cerises

14 oz	*cerises rouges, dénoyautées*	*398 ml*
1 c. à s.	*fécule de maïs*	*15 ml*
1/2 c. à t.	*essence d'amande*	*2 ml*

Égoutter parfaitement les cerises. Mesurer 3/4 tasse (180 ml) de jus; s'il n'y en a pas suffisamment, ajouter un peu d'eau pour avoir 3/4 tasse (180 ml) de liquide. Ajouter la fécule de maïs au jus, dans une petite casserole et brasser jusqu'à ce que ce soit lisse. Cuire, à feu vif, en brassant sans arrêt, jusqu'à pleine ébullition. Baisser le feu au plus bas et continuer la cuisson pendant 1 minute, sans arrêter de brasser.

Retirer du feu et ajouter l'essence d'amande et les cerises. Réfrigérer jusqu'à épaississement. Garnir la torte.

Gâteau aux fraises

5 tasses	*fraises, lavées et équeutées*	*1,25 L*
1 tasse	*eau*	*250 ml*
	colorant végétal rouge (facultatif)	
1 1/2 tasse	*sucre*	*375 ml*
1/3 tasse	*fécule de maïs*	*80 ml*
1/2 tasse	*eau*	*125 ml*
2	*galettes de gâteau éponge, refroidies (recette ci-après)*	2
	glace bouillie (recette ci-après)	

Préparer 2 tasses (500 ml) de fraises tranchées. Les mettre dans une casserole avec 1 tasse (250 ml) d'eau. Porter à ébullition, baisser le feu et faire mijoter 3 minutes ou jusqu'à ce que les fruits soient tendres. Réduire en purée, en écrasant les fraises ou en les passant au mélangeur. Remettre le tout dans la casserole et ajouter quelques gouttes de colorant, si on désire donner au mélange une plus belle couleur. Chauffer, à feu vif, jusqu'à ébullition.

Mêler le sucre, la fécule de maïs et 1/2 tasse (125 ml) d'eau en une pâte lisse. Ajouter au mélange bouillant, petit à petit et en brassant constamment; cuire ainsi jusqu'à ce que le mélange soit épais et lisse. Baisser alors le feu et continuer la cuisson 1 minute, en brassant. Retirer du feu, couvrir de papier ciré et laisser refroidir à la température de la pièce. Trancher la moitié de ce qui reste de fraises et ajouter au mélange cuit.

→

Fendre chaque gâteau en deux, de façon à obtenir 4 galettes minces. Recouvrir une galette d'un quart du mélange aux fraises (une mince couche). Ajouter une deuxième puis une troisième galette, en recouvrant chacune d'une mince couche de fraises. Couvrir de la quatrième galette.

Recouvrir tout l'extérieur du gâteau de la glace bouillie en construisant sur le dessus, tout autour, une sorte de petit remblai. Étendre, dans la dépression ainsi formée au centre, ce qui reste du mélange aux fraises. Disposer joliment les fraises entières qui restent sur le mélange aux fraises.

Réfrigérer jusqu'à l'heure du dessert; servir le jour même cependant. Au dernier moment, entourer le gâteau de fraises entières, si on le désire.

12 À 16 PORTIONS

Gâteau éponge

6	*œufs*	6
1 tasse	*sucre*	*250 ml*
1 c. à t.	*vanille*	*5 ml*
1/4 tasse	*beurre*	*60 ml*
1 tasse	*farine à pâtisserie, tamisée*	*250 ml*

Mettre les œufs dans un bol et les couvrir d'eau chaude, du robinet. Laisser tiédir, égoutter et couvrir de nouveau d'eau chaude. Laisser tiédir. (Ne pas utiliser d'eau bouillante; il s'agit de réchauffer les œufs et non de les cuire.)

Chauffer le four à 350 °F (175 °C). Graisser 2 moules à gâteau ronds, de 9 po (23 cm) de diamètre et de 1 1/2 po (3,75 cm) de profondeur. Doubler le fond des moules de papier fort et graisser ce dernier.

Bien réchauffer le grand bol d'un malaxeur, en le passant sous le robinet d'eau chaude. L'assécher. Casser les œufs dans le bol. Ajouter le sucre et la vanille et battre, à la plus grande vitesse du malaxeur, de 15 à 30 minutes ou jusqu'à ce que le mélange se tienne bien et forme des pics; racler souvent les bords du bol avec une spatule en caoutchouc.

Faire fondre le beurre et le laisser tiédir.

Saupoudrer le mélange aux œufs de 2 c. à s. (30 ml) de farine; incorporer la farine rapidement mais délicatement, avec une spatule de caoutchouc. Ajouter de la même façon toute la farine, 2 c. à s. (30 ml) à la fois. Ajouter le beurre, 1 c. à t. (5 ml) à la fois, en mêlant rapidement et délicatement après chaque addition.

Verser la pâte dans les moules. Cuire au four, 40 minutes ou jusqu'à ce qu'une légère pression au centre des gâteaux ne laisse aucune empreinte.

Dégager les gâteaux des moules, tout autour, et les démouler sur des clayettes. Les laisser refroidir et enlever le papier de cuisson.

Glace bouillie

3/4 tasse	*sucre*	*180 ml*
3 c. à s.	*eau*	*45 ml*
1/3 tasse	*sirop de maïs*	*80 ml*
3	*blancs d'œufs*	3
1 1/2 c. à t.	*vanille*	*7 ml*

Mêler le sucre, l'eau et le sirop de maïs, dans une petite casserole. Porter à ébullition; faire bouillir vivement, sans brasser, jusqu'à 242 °F (116 °C) au thermomètre à bonbons ou jusqu'à ce que le sirop forme des fils de 6 à 8 po (15 à 20,5 cm) au bout des dents d'une fourchette.

Battre les blancs d'œufs en neige ferme. Verser le sirop bouillant dans les blancs, en filet et en battant constamment. Battre jusqu'à ce que le mélange soit suffisamment ferme pour former des pics. Ajouter la vanille.

Ci-contre : gâteau aux fraises

Gâteau aux bananes et à la crème

	gâteau aux épices (recette ci-après)	
	crème bavaroise (recette ci-après)	
environ 5	*bananes bien fermes*	*environ 5*
2 tasses	*crème à 35 %*	*500 ml*
1/2 tasse	*sucre à glacer, tamisé*	*125 ml*
2 c. à t.	*vanille*	*10 ml*
	noix, en moitiés (facultatif)	

Préparer le gâteau aux épices la veille du jour où l'on veut servir le dessert (ou le faire à l'avance et le congeler jusqu'au moment de l'utiliser). Préparer la crème bavaroise peu avant de faire le dessert et la garder à la température de la pièce pour l'empêcher de prendre.

Couper chaque gâteau en deux, pour en faire deux galettes. Remettre dans les moules les moitiés inférieures des gâteaux, le côté coupé sur le dessus. Étendre 1/2 tasse (125 ml) de crème bavaroise sur chacun. Bien refroidir, pour faire prendre un peu la crème (j'ai mis les gâteaux quelques minutes au congélateur). Déposer 2 bananes entières sur chaque gâteau; si les bananes ne font pas toute la longueur des gâteaux, les prolonger par des morceaux de la cinquième banane. Répartir ce qui reste de crème bavaroise sur les gâteaux — environ 1 1/2 tasse (375 ml) par gâteau — en l'étendant sur les bananes et en la laissant couler tout autour pour remplir tous les espaces libres. (Les moules devraient être à peu près pleins.) Refroidir au réfrigérateur jusqu'à ce que la crème soit prise mais encore un peu collante et qu'une autre galette de gâteau puisse y adhérer fermement. Recouvrir des 2 galettes qui restent et réfrigérer plusieurs heures ou jusqu'à ce que la crème bavaroise soit très ferme.

Démouler dans des plats de service, peu avant le moment de servir. Fouetter la crème pour l'épaissir un peu. Ajouter alors le sucre à glacer et la vanille, petit à petit et en battant. Battre jusqu'à ce que la crème soit très ferme et en recouvrir les deux gâteaux. Décorer de moitiés de noix et réfrigérer jusqu'au moment de servir, en tranches épaisses.

DESSERT DE FÊTE POUR 24 PERSONNES

→

Ci-contre : gâteau aux bananes et à la crème

Gâteau aux épices

1 tasse	*beurre ramolli*	*250 ml*
2 tasses	*sucre*	*500 ml*
4	*œufs*	*4*
1 1/2 c. à t.	*vanille*	*7 ml*
3 tasses	*farine tout usage, tamisée*	*750 ml*
1/2 c. à t.	*bicarbonate de soude*	*2 ml*
1/2 c. à t.	*poudre à pâte*	*2 ml*
3/4 c. à t.	*sel*	*3 ml*
1 c. à t.	*cannelle*	*5 ml*
1 c. à t.	*muscade*	*5 ml*
1/2 c. à t.	*piment de la Jamaïque en poudre*	*2 ml*
1/8 c. à t.	*clou de girofle en poudre*	*0,5 ml*
1 tasse	*babeurre*	*250 ml*

Chauffer le four à 350 °F (175 °C). Graisser et enfariner 2 moules à pain de 10 1/4 x 3 3/4 x 2 1/2 po (25,5 x 8,25 x 6,25 cm).

Travailler le beurre en pommade. Ajouter le sucre, petit à petit et en battant, pour bien mêler, après chaque addition. Ajouter les œufs (non battus), un à la fois et en battant bien après chaque addition. Ajouter la vanille.

Tamiser ensemble la farine, le bicarbonate de soude, la poudre à pâte, le sel et les épices. Ajouter au premier mélange, ainsi que le babeurre, petit à petit et en mêlant; commencer et terminer les additions, toutefois, avec les ingrédients secs.

Mettre la pâte dans les moules. Cuire au four, 1 heure et 15 minutes ou jusqu'à ce qu'un cure-dents piqué au centre des gâteaux en ressorte sec. Démouler sur des clayettes et laisser refroidir.

Crème bavaroise

1/2 tasse	*sucre*	*125 ml*
1 c. à s.	*gélatine en poudre*	*15 ml*
1/4 c. à t.	*sel*	*1 ml*
2 1/4 tasses	*lait*	*560 ml*
4	*jaunes d'œufs, légèrement battus*	*4*
1 tasse	*crème fouettée*	*250 ml*
1 c. à t.	*vanille*	*5 ml*
1/2 c. à t.	*essence d'amande*	*2 ml*

Mêler, dans une casserole moyenne, le sucre, la gélatine, le sel, le lait et les jaunes d'œufs. Cuire à feu moyen, en brassant constamment, jusqu'à pleine ébullition. Faire refroidir, en plaçant la casserole dans de l'eau glacée, jusqu'à ce que le mélange garde un peu sa forme quand on le remue à la cuillère. Incorporer la crème fouettée et les parfums.

Refroidir quelques minutes pour que la crème épaississe légèrement. (Attention ! elle ne doit pas prendre.) Garder à la température de la pièce en attendant d'utiliser.

Ci-dessus : tarte aux pommes en roue de charrette

Pâte à tarte

2 tasses	*farine tout usage, tamisée*	*500 ml*
1 c. à t.	*sel*	*5 ml*
2/3 tasse	*saindoux*	*160 ml*
	ou	
3/4 tasse	*graisse végétale*	*180 ml*
1/4 tasse	*eau glacée*	*60 ml*

Mettre la farine dans un bol. Ajouter le sel et bien mêler, à la fourchette. Ajouter le saindoux ou la graisse végétale et couper grossièrement dans la farine, avec un mélangeur à pâtisserie ou avec deux couteaux.

Arroser d'eau glacée, 1 c. à s. (15 ml) à la fois, en mêlant à la fourchette juste assez pour que toute la farine soit humectée.

Ramasser la pâte en boule et la presser fermement avec les doigts. Utiliser comme nous l'indiquons.

2 ABAISSES DE 9 PO (23 CM)

Tarte aux pommes en roue de charrette

pâte à tarte pour 2 abaisses de 9 po (23 cm) (recette précédente)

1 c. à s.	*sucre*	*15 ml*
1 1/2 c. à t.	*farine*	*7 ml*
1 tasse	*sucre*	*250 ml*
3 c. à s.	*farine*	*45 ml*
1/4 c. à t.	*sel*	*1 ml*
1/4 c. à t.	*cannelle*	*1 ml*
1/8 c. à t.	*muscade*	*0,5 ml*
2/3 tasse	*eau*	*160 ml*
2/3 tasse	*raisins secs*	*160 ml*
2 c. à s.	*beurre*	*30 ml*
5 tasses	*pommes, pelées et tranchées*	*1,25 L*

sucre

Chauffer le four à 400 °F (205 °C). Avec la moitié de la pâte, foncer une assiette à tarte de 9 po (23 cm), en construisant à la tarte un bord haut et dentelé. Mêler 1 c. à s. (15 ml) de sucre et 1 1/2 c. à t. (7 ml) de farine et en saupoudrer uniformément la pâte.

Mêler, dans une casserole, 1 tasse de sucre, 3 c. à s. (45 ml) de farine, le sel, la cannelle, et la muscade. Ajouter l'eau, en brassant. Ajouter les raisins. Cuire à feu moyen, en brassant constamment, jusqu'à ce que la sauce bouille et soit épaisse et lisse. Retirer du feu et ajouter le beurre et les pommes. Verser le tout dans la pâte.

Faire une abaisse avec ce qui reste de pâte, y tailler un rond et le déposer au centre de la tarte pour figurer le moyeu de la roue. Faire ensuite, avec ce qui reste de l'abaisse, des bandes d'environ 1/2 po (1,25 cm) de largeur; les disposer sur la tarte comme les rayons d'une roue. Saupoudrer généreusement de sucre tous ces morceaux de pâte.

Cuire au four, 40 minutes ou jusqu'à ce que la pâte soit bien brunie et les pommes tendres.

6 À 8 PORTIONS

Ajouter le saindoux ou la graisse végétale et couper grossièrement dans la farine, avec un mélangeur à pâtisserie ou avec deux couteaux.

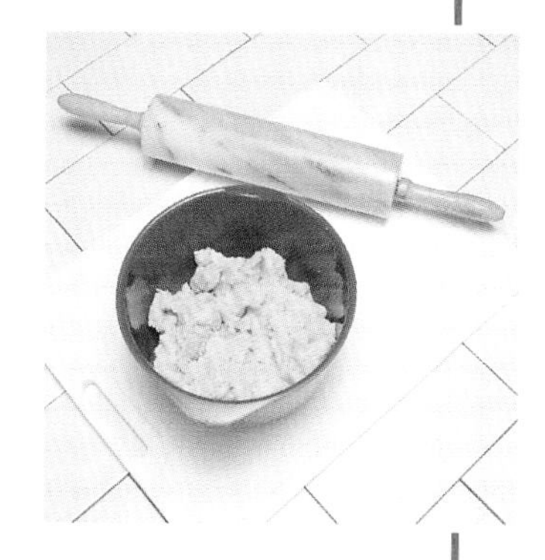

Arroser d'eau glacée, 1 c. à s. (15 ml) à la fois, en mêlant à la fourchette juste assez pour que toute la farine soit humectée.

Tailler un rond dans l'abaisse pour figurer le moyeu de la roue. Faire ensuite, avec ce qui reste de l'abaisse, des bandes d'environ 1/2 po (1,25 cm) de largeur pour figurer les rayons de la roue.

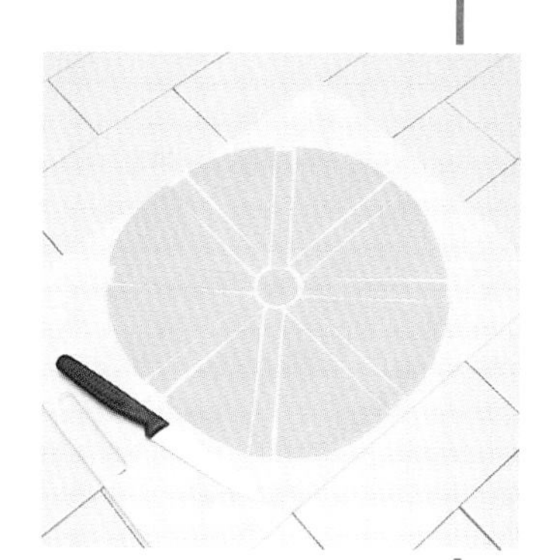

Tarte au chocolat et au rhum

pâte à tarte pour 1 abaisse de 9 po (23 cm)

1 oz	*chocolat non sucré*	*30 g*
1 c. à s.	*beurre*	*15 ml*
2	*œufs*	*2*
1/3 tasse	*sucre*	*80 ml*
1/2 tasse	*sirop de maïs*	*125 ml*
1/2 c. à t.	*vanille*	*2 ml*
1/2 tasse	*pacanes, en moitiés*	*125 ml*
3	*jaunes d'œufs*	*3*
2/3 tasse	*sucre*	*160 ml*
1/2 tasse	*eau froide*	*125 ml*
1 c. à s.	*gélatine en poudre*	*15 ml*
1/3 tasse	*rhum brun*	*80 ml*
1 1/2 tasse	*crème à 35 %*	*375 ml*

chocolat râpé ou pacanes en moitiés

Chauffer le four à 375 °F (190 °C).

Foncer de l'abaisse une assiette à tarte de 9 po (23 cm) en construisant un bord haut et dentelé. Mettre de côté.

Mettre le chocolat et le beurre dans une petite casserole et faire fondre à feu doux.

Bien battre ensemble les œufs, 1/3 tasse (80 ml) de sucre, le sirop de maïs, le mélange au chocolat et la vanille. Ajouter 1/2 tasse (125 ml) de pacanes. Verser le tout dans la pâte.

Cuire au four, de 15 à 20 minutes ou jusqu'à ce que la garniture soit prise et la pâte légèrement brunie. Laisser refroidir.

Battre les jaunes d'œufs jusqu'à ce qu'ils soient mousseux. Ajouter 2/3 tasse (160 ml) de sucre, petit à petit et en battant.

Mêler l'eau et la gélatine, dans une petite casserole. Laisser reposer 5 minutes; porter à ébullition, en brassant. Ajouter aux jaunes d'œufs, petit à petit et en battant constamment. Ajouter le rhum et bien mêler.

Mettre le bol contenant la préparation dans de l'eau glacée; refroidir ainsi jusqu'à ce que la préparation commence à prendre et garde un peu sa forme quand on la remue à la cuillère.

Fouetter la crème jusqu'à ce qu'elle soit ferme et l'incorporer au mélange. Refroidir de nouveau, dans de l'eau glacée, jusqu'à ce que le mélange forme des pics quand on le remue. Déposer à la cuillère, sur la garniture au chocolat dans l'abaisse.

Garnir de râpures de chocolat ou de moitiés de pacanes. Réfrigérer jusqu'à peu avant le moment de servir.

6 À 8 PORTIONS

Tarte au citron

1 1/2 tasse	*sucre*	*375 ml*
1/3 tasse	*fécule de maïs*	*80 ml*
1/8 c. à t.	*sel*	*0,5 ml*
12 oz	*yogourt nature*	*350 g*
1/4 tasse	*jus de citron*	*60 ml*
1/4 tasse	*jus d'orange*	*60 ml*
3	*jaunes d'œufs*	*3*
2 c. à t.	*zeste de citron râpé*	*10 ml*
	croûte aux flocons de maïs (recette ci-après)	
3	*blancs d'œufs*	*3*
1/4 c. à t.	*crème de tartre*	*1 ml*
1/3 tasse	*sucre*	*80 ml*

Bien mêler 1 1/2 tasse (375 ml) de sucre, la fécule de maïs et le sel, dans une casserole épaisse, de grandeur moyenne. Ajouter le yogourt et les jus de citron et d'orange et battre jusqu'à ce que ce soit lisse. Chauffer à feu vif, en brassant constamment, jusqu'à pleine ébullition. Baisser le feu au plus bas et continuer la cuisson 2 minutes, en brassant.

Battre les jaunes d'œufs. Ajouter environ la moitié du mélange chaud, petit à petit et en battant sans arrêt. Remettre dans la casserole et cuire 2 minutes, en brassant. Retirer du feu, ajouter le zeste de citron et laisser tiédir. Mettre dans l'abaisse.

Chauffer le four à 400 °F (205 °C).

Battre en neige les blancs d'œufs et la crème de tartre. Ajouter 1/3 tasse (80 ml) de sucre, 1 c. à s. (15 ml) à la fois et en battant bien après chaque addition. Battre jusqu'à ce que la meringue soit brillante et forme des pics. Étendre sur la garniture au citron en scellant bien la meringue au bord de la tarte, tout autour.

Cuire au four, 8 à 10 minutes ou jusqu'à ce que la meringue soit délicatement brunie. Refroidir avant de servir.

6 À 8 PORTIONS

Ci-dessus : tarte au citron

Croûte aux flocons de maïs

1 1/2 tasse	*flocons de maïs, en fines miettes*	*375 ml*
1/4 tasse	*beurre, fondu*	*60 ml*
2 c. à s.	*sucre*	*30 ml*

Chauffer le four à 350 °F (175 °C). Avoir sous la main une assiette à tarte de 9 po (23 cm).

Mêler tous les ingrédients. Presser le mélange dans l'assiette, pour former une croûte, en construisant un bord aussi haut que possible. Cuire au four environ 10 minutes. Laisser refroidir.

Tarte aux pruneaux et à la crème sure

4 oz	*mélange pour tarte au citron*	*115 g*
1/2 tasse	*sucre*	*125 ml*
1/4 tasse	*eau*	*60 ml*
2	*jaunes d'œufs*	2
1 3/4 tasse	*eau*	*425 ml*
1/4 c. à t.	*zeste de citron râpé*	*1 ml*
1 tasse	*pruneaux secs mais tendres, hachés*	*250 ml*
1 tasse	*crème sure*	*250 ml*
1	*abaisse cuite de 9 po (23 cm)*	*1*

Mettre le mélange dans une casserole moyenne. Ajouter le sucre et 1/4 tasse (60 ml) d'eau, en brassant. Ajouter les jaunes d'œufs et mêler parfaitement. Ajouter, en brassant, 1 3/4 tasse (425 ml) d'eau, le zeste de citron et les pruneaux.

Cuire à feu moyen, en brassant constamment, jusqu'à ce que la préparation bouille vivement et ait épaissi. Baisser le feu et continuer la cuisson 3 minutes, en brassant constamment. Laisser refroidir et incorporer la crème sure.

Mettre dans l'abaisse refroidie et réfrigérer.

6 À 8 PORTIONS

La meilleure des tartes aux raisins

1 tasse	*sucre*	*250 ml*
3 c. à s.	*fécule de maïs*	*45 ml*
1/2 c. à t.	*sel*	*2 ml*
1 tasse	*jus d'orange*	*250 ml*
2 c. à s.	*jus de citron*	*30 ml*
1 tasse	*eau*	*250 ml*
1 c. à t.	*zeste d'orange râpé*	*5 ml*
3 c. à s.	*beurre*	*45 ml*
2 tasses	*gros raisins de Corinthe*	*500 ml*
	pâte à tarte pour 2 abaisses de 9 po (23 cm) (recette à la page 302)	
	crème glacée ou crème fouettée (facultatif)	

Bien mêler, dans une casserole, le sucre, la fécule de maïs et le sel. Ajouter les jus d'orange et de citron ainsi que l'eau, petit à petit et en brassant jusqu'à ce que le mélange soit lisse. Ajouter le zeste d'orange, le beurre et les raisins. À feu vif, porter à ébullition, en brassant sans arrêt. Baisser le feu et faire mijoter 3 minutes, en brassant. Laisser refroidir.

Chauffer le four à 450 °F (230 °C).

Foncer une assiette à tarte de 9 po (23 cm), avec la moitié de la pâte, et y mettre la garniture. Rouler ce qui reste de pâte et en recouvrir la tarte; denteler le bord de la pâte et faire quelques fentes, dans l'abaisse du dessus, pour laisser échapper la vapeur pendant la cuisson. Couvrir le bord de la tarte d'une étroite bande de papier d'aluminium pour l'empêcher de brunir trop rapidement.

Cuire au four, de 25 à 30 minutes ou jusqu'à ce que ce soit bien bruni. Servir tiède ou refroidi, avec de la crème fouettée ou de la crème glacée, si on le désire.

6 À 8 PORTIONS

Tarte aux raisins californienne

2 tasses	*gros raisins de Corinthe*	*500 ml*
2 tasses	*eau*	*500 ml*
1 tasse	*sucre*	*250 ml*
1/4 tasse	*beurre*	*60 ml*
1/2 tasse	*eau*	*125 ml*
1/4 tasse	*farine*	*60 ml*
3	*jaunes d'œufs*	*3*
4 c. à t.	*zeste de citron râpé*	*20 ml*
1/4 tasse	*jus de citron*	*60 ml*
1 c. à t.	*cannelle*	*5 ml*
1/4 c. à t.	*clou de girofle en poudre*	*1 ml*
1	*abaisse à tarte, de 9 po (23 cm)*	*1*
1/2 tasse	*noix hachées*	*125 ml*

Mettre les raisins, l'eau et le sucre, dans une casserole moyenne. Chauffer à feu vif jusqu'à ébullition. Baisser le feu à moyen et cuire 10 minutes, en brassant souvent. Ajouter le beurre. Faire un mélange lisse avec 1/2 tasse (125 ml) d'eau et la farine et l'ajouter, petit à petit et en brassant, à la préparation bouillante. Faire bouillir, en brassant constamment, 1 minute ou jusqu'à épaississement.

Battre les jaunes d'œufs, légèrement; y ajouter un peu du liquide chaud, petit à petit et en battant constamment. Remettre dans la casserole, petit à petit et en brassant; ajouter aussi le zeste et le jus de citron et les épices. Faire mijoter, en brassant, pendant 1 minute. Retirer du feu et laisser tiédir.

Verser la garniture dans l'abaisse et la parsemer de noix hachées. Servir tiède ou refroidi.

6 À 8 PORTIONS

Ci-contre : tarte aux pruneaux et à la crème sure

Tarte aux pacanes

	1 abaisse de 9 po (23 cm)	
4	*œufs*	*4*
1 tasse	*sucre*	*250 ml*
1 tasse	*sirop de maïs*	*250 ml*
1/4 tasse	*beurre fondu*	*60 ml*
1 1/2 c. à t.	*farine*	*7 ml*
1/4 c. à t.	*sel*	*1 ml*
1 c. à t.	*vanille*	*5 ml*
1/2 c. à t.	*essence d'amande*	*2 ml*
2 tasses	*pacanes, en moitiés*	*500 ml*

Chauffer le four à 350 °F (175 °C). Foncer de l'abaisse une assiette à tarte de 9 po (23 cm), en construisant un bord haut et dentelé.

Battre les œufs parfaitement. Ajouter, en battant, le sucre, le sirop de maïs, le beurre la farine, le sel, la vanille et l'essence d'amande. Ajouter les pacanes, en brassant.

Verser cette garniture dans la pâte. Couvrir le bord de la tarte d'une étroite bande de papier d'aluminium pour l'empêcher de brunir trop rapidement.

Cuire au four, 1 heure ou jusqu'à ce que la garniture soit prise. Servir tiède ou refroidi.

6 À 8 PORTIONS

Tarte dans une poêle

2 tasses	*farine tout usage, tamisée*	*500 ml*
1 c. à s.	*poudre à pâte*	*45 ml*
1 c. à t.	*sel*	*5 ml*
1/3 tasse	*graisse végétale*	*80 ml*
environ 1 tasse	*lait*	*environ 250 ml*
4 tasses	*rhubarbe, finement hachée*	*1 L*
2 tasses	*pommes hachées*	*500 ml*
2 tasses	*sucre*	*500 ml*
1/3 tasse	*farine*	*80 ml*
1 c. à t.	*macis*	*5 ml*
1/4 c. à t.	*sel*	*1 ml*
3 c. à s.	*beurre*	*45 ml*
	lait	
	sucre	
	crème fouettée sucrée *ou* *garniture à dessert, du commerce*	

→

Ci-dessus : tarte dans une poêle

Chauffer le four à 400 °F (205 °C). Avoir sous la main une poêle de fonte épaisse de 10 po (25,5 cm) de diamètre, allant au four, légèrement graissée.

Tamiser, dans un bol, 2 tasses (500 ml) de farine, la poudre à pâte et le sel. Ajouter la graisse végétale et la couper finement avec deux couteaux ou un mélangeur à pâtisserie. Ajouter suffisamment de lait — 1 tasse (250 ml) ou un peu moins — en brassant délicatement à la fourchette, pour que la pâte soit souple et facile à manipuler.

Mettre sur une planche enfarinée et pétrir, 6 fois ou jusqu'à ce que la pâte soit souple. Former une boule. Abaisser en un cercle d'environ 14 po (36 cm) de diamètre. Mettre l'abaisse dans la poêle en laissant l'excès de pâte dépasser tout autour.

Mêler la rhubarbe, les pommes, 2 tasses (500 ml) de sucre, 2/3 tasse (160 ml) de farine, le macis et 1/4 c. à t. (1 ml) de sel; mettre dans l'abaisse. Parsemer de noisettes de beurre.

Replier la pâte sur les fruits, tout autour; laisser le centre de la tarte à découvert. Badigeonner légèrement la pâte de lait et saupoudrer généreusement de sucre.

Cuire au four, 50 minutes ou jusqu'à ce que les fruits soient tendres. Après 30 minutes de cuisson, couvrir de papier d'aluminium, sans serrer, pour empêcher le dessus de la tarte de brunir trop rapidement.

Servir tiède, en pointes nappées de crème fouettée ou de garniture à desserts.

6 À 8 PORTIONS

Crêpes et sauce à l'orange

2	*œufs*	2
1 c. à t.	*sucre*	*5 ml*
1/2 c. à t.	*sel*	*2 ml*
1/2 tasse	*farine tout usage, tamisée*	*125 ml*
1 1/3 tasse	*lait*	*330 ml*
2 .c à s.	*beurre fondu*	*30 ml*
10 oz	*crème à 35 %*	*300 ml*
2 c. à s.	*sucre à glacer*	*30 ml*
2 c. à s.	*kirsch, cointreau ou curaçao*	*30 ml*

riche sauce à l'orange
(recette ci-après)

Battre les œufs pour qu'ils soient bien légers, dans un petit bol. Ajouter le sucre et le sel, en battant. Sans arrêter de battre, ajouter, en alternant, la farine, le lait et le beurre fondu. La pâte sera claire.

Cuire les crêpes sur une plaque légèrement graissée. Utiliser 3 c. à s. (45 ml) ou à peine 1/4 tasse (60 ml) de pâte par crêpe en l'étendant aussi mince que possible; chaque crêpe doit avoir de 5 à 6 po (12,5 à 15 cm) de diamètre. Faire brunir les crêpes d'un côté et les retourner, avec précaution, pour faire dorer l'autre côté. Placer les crêpes cuites entre les plis d'une serviette de cuisine et les laisser refroidir. (La serviette empêche les crêpes de coller les unes aux autres et les garde bien souples.)

Fouetter la crème et ajouter le sucre à glacer. Ajouter le kirsch, le cointreau ou le curaçao, mais sans battre. Mettre une grosse cuillerée de crème fouettée au centre de chaque crêpe refroidie. Replier les crêpes sur la crème, de façon à enfermer complètement la garniture. Faire congeler jusqu'à peu avant le moment de servir.

Chauffer la sauce à l'orange jusqu'à petite ébullition, dans une grande poêle épaisse. Déposer les crêpes congelées dans le sirop et chauffer 2 minutes ou jusqu'à ce que les crêpes soient bien chaudes, en arrosant constamment de sirop. (Ne pas chauffer trop longtemps pour ne pas faire fondre la crème; celle-ci doit être un peu ferme.) Servir immédiatement les crêpes nappées de sauce.

ENVIRON 12 CRÊPES OU 6 PORTIONS

Riche sauce à l'orange

1/2 tasse	*beurre ramolli*	*125 ml*
1 tasse	*sucre*	*250 ml*
1/2 tasse	*jus d'orange*	*125 ml*
1	*œuf bien battu*	*1*

zeste râpé d'une orange

Dans une petite casserole, mêler le beurre, le sucre, le jus d'orange et l'œuf battu.

Ajouter le zeste d'orange et cuire à feu moyen, en brassant constamment, jusqu'à ébullition.

Chaussons aux pommes

1/4 tasse	*beurre*	*60 ml*
6	*pommes moyennes, pelées et évidées*	*6*
1/2 tasse	*cassonade, mesurée bien tassée*	*125 ml*
1 c. à t.	*cannelle*	*5 ml*
	pâte au fromage (recette ci-après)	
	crème à 15 %	
	sucre	

Chauffer le beurre dans une grande poêle épaisse. Râper les pommes dans la poêle, en utilisant une grosse râpe. Couvrir et cuire à feu doux, 3 minutes ou juste assez pour que les pommes soient tendres sans être en compote. Retirer du feu et ajouter, en brassant, la cassonade et la cannelle. Si, à ce point, le mélange est en partie liquide, le chauffer rapidement à découvert, pour en faire évaporer la plus grande partie. Laisser refroidir.

Chauffer le four à 425 °F (220 °C). Avoir sous la main des plaques à biscuits non graissées.

Rouler la pâte en abaisses minces et y tailler des carrés de 5 po (12,5 cm) de côté. Mettre une généreuse cuillerée de pommes sur chaque carré et replier ce dernier sur sa garniture, en triangle. Bien sceller les chaussons en pressant les bords avec une fourchette. Mettre dans les plaques et piquer chacun, en deux endroits, avec les dents d'une fourchette.

Badigeonner de crème le dessus des chaussons et saupoudrer généreusement de sucre. Cuire au four, de 10 à 12 minutes ou jusqu'à ce que ce soit bien doré.

16 À 20 CHAUSSONS

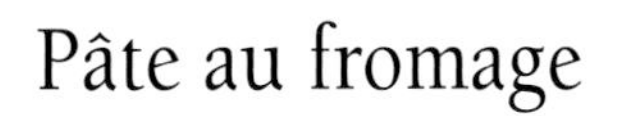

Pâte au fromage

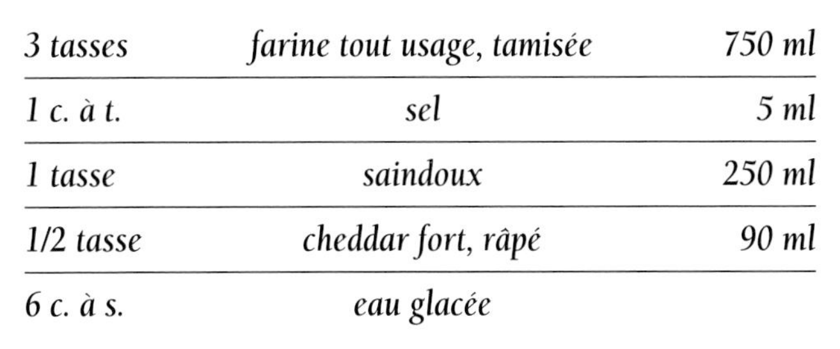

3 tasses	*farine tout usage, tamisée*	*750 ml*
1 c. à t.	*sel*	*5 ml*
1 tasse	*saindoux*	*250 ml*
1/2 tasse	*cheddar fort, râpé*	*90 ml*
6 c. à s.	*eau glacée*	

Mêler la farine et le sel, dans un bol. Ajouter le saindoux et le couper grossièrement dans la farine, avec un mélangeur à pâtisserie. Ajouter le fromage et mêler délicatement, à la fourchette. Ajouter l'eau, en pluie, 1 c. à s. (15 ml) à la fois, en mêlant délicatement, à la fourchette, pour humecter tous les ingrédients secs.

Ramasser la pâte en boule et presser fermement entre les doigts. En faire deux parts, rouler chacune en une abaisse mince et y tailler des carrés, comme nous l'indiquons plus haut.

Ci-contre : crêpes et sauce à l'orange

Tartelettes aux cerises

14 oz	*cerises rouges dénoyautées*	*398 ml*
1/2 tasse	*sucre*	*125 ml*
2 c. à s.	*fécule de maïs*	*30 ml*
1 pincée	*sel*	*1 pincée*
1/4 c. à t.	*essence d'amande*	*1 ml*
	colorant végétal rouge (facultatif)	
4 oz	*fromage à la crème*	*115 g*
1 c. à t.	*sucre*	*5 ml*
1 c. à s.	*crème à 15 %*	*15 ml*
8	*abaisses de tartelettes, moyennes*	
	crème fouettée sucrée (facultatif)	

Égoutter les cerises parfaitement. Mesurer le jus de conserve des cerises et y ajouter suffisamment d'eau pour obtenir 1 tasse (250 ml) de liquide.

Mêler, dans une casserole moyenne, 1/2 tasse (125 ml) de sucre, la fécule de maïs et le sel. Ajouter le jus de cerises délayé, petit à petit et en mêlant jusqu'à ce que ce soit lisse. Mettre sur feu vif et porter à ébullition, en brassant sans arrêt. Baisser le feu et continuer la cuisson 1 minute, en brassant. Retirer du feu et ajouter l'essence d'amande, en brassant, et, si on le désire, suffisamment de colorant pour donner au mélange une belle couleur rouge. Laisser tiédir.

Faire un mélange bien lisse avec le fromage à la crème, la crème et le sucre. Répartir également le mélange dans les 8 abaisses; l'étendre pour bien couvrir les fonds. Mettre une partie des cerises dans les abaisses, sur le fromage. Ajouter un peu de jus de cerises épaissi. Ajouter encore des cerises et du jus épaissi, en répartissant bien le reste de ces ingrédients dans les abaisses. Terminer avec une couche de jus pour que le dessus des tartelettes soit glacé. Réfrigérer.

Servir les tartelettes, décorées d'une touche de crème fouettée, si on le désire.

8 TARTELETTES

Tartelettes au fromage et à l'ananas

3/4 tasse	*biscuits Graham, en fines miettes*	*180 ml*
3 c. à s.	*beurre ramolli*	*45 ml*
1 c. à s.	*sucre*	*15 ml*
8 oz	*fromage à la crème, ramolli*	*225 g*
1	*jaune d'œuf*	*1*
5 c. à s.	*sucre*	*75 ml*
1/4 c. à t.	*vanille*	*1 ml*
1/8 c. à t.	*muscade*	*0,5 ml*
1 tasse	*ananas déchiqueté, bien égoutté*	*250 ml*
1	*blanc d'œuf*	*1*
1/2 tasse	*crème sure*	*125 ml*
1 c. à s.	*sucre*	*15 ml*
1/4 c. à t.	*vanille*	*1 ml*

Chauffer le four à 375 °F (190 °C). Beurrer 6 ramequins de 5 oz (150 ml).

Mesurer et mettre de côté 1 c. à s. (15 ml) de miettes de biscuits. Mêler le reste des miettes, le beurre et le sucre. Presser, avec une cuillère, environ 2 c. à s. (30 ml) du mélange dans le fond et sur les côtés de chaque ramequin, pour bien l'en recouvrir.

Battre le fromage jusqu'à ce qu'il soit léger. Ajouter, en battant, le jaune d'œuf, 5 c. à s. (75 ml) de sucre, la vanille et la muscade. Ajouter l'ananas, en brassant. Battre le blanc d'œuf en neige ferme et l'incorporer au mélange. Répartir le mélange dans les ramequins, mettre ceux-ci sur une plaque peu profonde et cuire au four 20 minutes.

Mêler la crème sure, 1 c. à s. (15 ml) de sucre et 1/4 c. à t. (1 ml) de vanille. Recouvrir uniformément les tartelettes du mélange. Saupoudrer chaque tartelette de 1/2 c. à t. (2 ml) des miettes de biscuits Graham mises de côté. Continuer la cuisson au four 5 minutes. Démouler dans des assiettes de service, les tartelettes, tièdes ou refroidies.

6 PORTIONS

Tartelettes des fêtes

pâte à tarte pour 2 abaisses de 9 po (23 cm) (recette à la page 302)

2	*œufs*	2
2/3 tasse	*cassonade, mesurée bien tassée*	*160 ml*
2/3 tasse	*sirop de maïs*	*160 ml*
3 c. à s.	*beurre ramolli*	*45 ml*
1/4 c. à t.	*sel*	*1 ml*
1/4 c. à t.	*muscade*	*1 ml*
1/4 c. à t.	*cannelle*	*1 ml*
1/4 c. à t.	*essence d'amande*	*1 ml*
1/4 c. à t.	*vanille*	*1 ml*
1/2 tasse	*mélange de fruits confits, hachés*	*125 ml*
1/4 tasse	*petits raisins de Corinthe*	*60 ml*
1/4 tasse	*noix hachées*	*60 ml*

Avoir sous la main 32 petites assiettes à tartelettes de 2 po (5 cm) de diamètre.

Rouler la pâte très mince et tailler, à l'emporte-pièce, 32 ronds de 3 po (7,5 cm) de diamètre. Habiller les assiettes de ces ronds de pâte.

Chauffer le four à 450 °F (220 °C).

Battre les œufs légèrement. Ajouter, en battant, la cassonade, le sirop de maïs, le beurre, le sel, la muscade, la cannelle, l'essence d'amande et la vanille. Ajouter les fruits et les noix et bien mêler.

Mettre le mélange dans les petites assiettes, en emplissant ces dernières aux deux tiers environ.

Cuire au four 10 minutes, à 450 °F (220 °C). Réduire alors la température à 325 °F (160 °C) et continuer la cuisson, 10 minutes ou jusqu'à ce que la garniture des tartelettes soit prise et leur pâte brunie.

Dégager des moules celles des tartelettes dont la garniture, en bouillonnant, aurait débordé pour se glisser sous la croûte; laisser ensuite tiédir toutes les tartelettes dans les assiettes. Retourner les assiettes sur une serviette de cuisine et en laisser tomber les tartelettes. Laisser ces dernières refroidir complètement, sur des clayettes.

32 PETITES TARTELETTES

Ci-contre : tartelettes des fêtes

Gâteau au fromage cottage

1 tasse	*biscottes, en fines miettes*	*250 ml*
3 c. à s.	*beurre fondu*	*45 ml*
3 c. à s.	*sucre*	*45 ml*
3/4 c. à t.	*cannelle*	*3 ml*
2 lb	*fromage cottage*	*900 g*
5	*œufs*	*5*
1/2 tasse	*farine tout usage, tamisée*	*125 ml*
1 tasse	*sucre*	*250 ml*
2 c. à t.	*zeste de citron râpé*	*10 ml*
2 c. à s.	*jus de citron*	*30 ml*
1/2 c. à t.	*vanille*	*2 ml*
1 tasse	*crème à 35 %*	*250 ml*
	garniture aux fraises (recette ci-après)	

Chauffer le four à 350 °F (175 °C). Beurrer légèrement un moule démontable, de 9 po (23 cm) de diamètre.

Mêler les miettes de biscottes, le beurre fondu, le sucre et la cannelle. Presser le mélange au fond du moule et cuire au four, 10 minutes.

Passer le fromage au tamis, dans un bol. Ajouter les œufs, un à la fois, en battant bien après chaque addition. Mêler la

farine et 1 tasse (250 ml) de sucre et ajouter le tout au mélange au fromage, en battant. Ajouter le zeste et le jus de citron, ainsi que la vanille. Fouetter la crème et l'incorporer à la préparation. Verser sur la croûte, dans le moule.

Cuire au four, 1 heure et 10 minutes ou jusqu'à ce que le gâteau soit pris. Laisser refroidir dans le moule puis réfrigérer. Couvrir de garniture aux fraises et réfrigérer de nouveau.

8 À 12 PORTIONS

Mêler les miettes de biscottes, le beurre fondu, le sucre et la cannelle. Presser le mélange au fond du moule et le cuire au four 10 minutes.

Passer le fromage au tamis, dans un bol.

Mêler la farine et 1 tasse (250 ml) de sucre et ajouter au fromage, en battant. Ajouter le zeste et le jus de citron, ainsi que la vanille. Fouetter la crème et l'incorporer à la préparation.

Couvrir le gâteau au fromage de fraises entières et déposer la sauce tiède sur les fruits, à la cuillère.

Garniture aux fraises

2 tasses	*fraises*	*500 ml*
1/4 tasse	*fécule de maïs*	*60 ml*
1 tasse	*sucre*	*250 ml*
1/4 tasse	*jus d'orange*	*60 ml*
2 c. à s.	*zeste d'orange râpé*	*30 ml*
3 tasses	*fraises entières*	*750 ml*

Réduire en purée les 2 tasses (500 ml) de fraises, au mélangeur ou en les passant au tamis. Mêler la fécule de maïs et le sucre, dans une casserole. Ajouter, en brassant, la purée de fraises ainsi que le jus et le zeste d'orange. Chauffer à feu vif, en brassant constamment, jusqu'à ce que la préparation soit épaisse et ait une apparence un peu translucide. Baisser le feu et continuer la cuisson 1 minute, en brassant. Laisser refroidir un peu.

Couvrir le gâteau au fromage de fraises entières et déposer la sauce tiède sur les fruits, à la cuillère.

Ci-contre : gâteau au fromage cottage

Neige au citron

1 tasse	*sucre*	*250 ml*
3 c. à s.	*fécule de maïs*	*45 ml*
2 tasses	*eau bouillante*	*500 ml*
	jus et zeste râpé de 2 citron	
2	*blancs d'œufs*	2
	sauce aux œufs (recette ci-après)	

Mêler le sucre et la fécule de maïs, dans une casserole. Ajouter l'eau, petit à petit et en brassant. Ajouter le jus et le zeste de citron. Cuire à feu vif, en brassant sans arrêt, jusqu'à ébullition. Baisser le feu et continuer la cuisson 2 minutes, en brassant. Laisser tiédir.

Battre les blancs d'œufs jusqu'à ce qu'ils soient fermes sans être secs. Ajouter le mélange au citron, lentement, en battant. Verser dans un bol ou dans des plats individuels. Réfrigérer plusieurs heures ou jusqu'au lendemain. Servir avec la sauce aux œufs.

4 PORTIONS

Sauce aux œufs

3/4 tasse	*lait*	*180 ml*
2	*jaunes d'œufs*	2
2 c. à s.	*sucre*	*30 ml*
1/8 c. à t.	*sel*	*0,5 ml*
1 c. à t.	*vanille*	*5 ml*

Porter le lait à ébullition, dans la casserole supérieure d'un bain-marie, en plaçant la casserole directement sur le feu.

Battre les jaunes d'œufs, dans un petit bol. Ajouter le sucre et le sel, puis le lait bouillant, petit à petit et en brassant. Remettre dans la casserole et cuire au bain-marie frissonnant, en brassant constamment, 10 minutes ou jusqu'à ce que le mélange adhère à une cuillère de métal. Laisser refroidir et ajouter la vanille.

Crème à l'orange couronnée de poires

1	*œuf*	*1*
1/3 tasse	*sucre*	*80 ml*
1/8 c. à t.	*sel*	*0,5 ml*
1 1/2 tasse	*lait*	*375 ml*
3 c. à s.	*tapioca à cuisson rapide*	*45 ml*
2 c. à s.	*zeste d'orange râpé*	*30 ml*
1 tasse	*crème à 35 %*	*250 ml*
1 c. à t.	*vanille*	*5 ml*
	poires pochées (recette ci-après)	
	amandes rôties, taillées en allumettes (facultatif)	

Mettre l'œuf, le sucre et le sel, dans une casserole. Bien battre avec une cuillère de bois. Ajouter le lait, le tapioca et le zeste d'orange, en brassant. Cuire à feu moyen, en brassant constamment, jusqu'à pleine ébullition. Baisser le feu et continuer la cuisson 1 minute, en brassant. Retirer du feu et laisser refroidir.

Fouetter la crème et l'incorporer au tapioca, ainsi que la vanille. Verser dans un bol et réfrigérer.

Au moment de servir, mettre la crème bien refroidie dans des coupes à sorbet et garnir chaque portion d'une demi-poire pochée. Parsemer d'amandes, si on le désire.

6 PORTIONS

→

Ci-contre : crème à l'orange couronnée de poires

Poires pochées

1 tasse	*sucre*	*250 ml*
1 tasse	*eau*	*250 ml*
2 c. à s.	*jus de citron*	*30 ml*
1	*morceau de 2 po (5 cm) de gousse de vanille* *ou*	*1*
2 c. à t.	*essence de vanille*	*10 ml*
3	*grosses poires mûres*	*3*

Mettre le sucre et l'eau dans une casserole et porter à ébullition. Ajouter le jus de citron et la vanille.

Peler les poires et les couper en deux, en leur enlevant la queue et le cœur. Les déposer dans le sirop bouillant et les laisser mijoter 3 minutes ou jusqu'à ce qu'elles soient tendres. Les laisser refroidir un peu et les réfrigérer ensuite, dans leur sirop. Au moment de servir, retirer les poires du sirop, avec une cuillère perforée, et les utiliser comme nous l'indiquons.

Soufflé glacé aux fraises

1 chopine	*fraises*	*625 ml*
1 c. à s.	*gélatine en poudre*	*15 ml*
1/4 tasse	*eau froide*	*60 ml*
4	*jaunes d'œufs, battus*	*4*
1/2 tasse	*sucre*	*125 ml*
1 c. à s.	*jus de citron*	*15 ml*
	colorant végétal rouge (facultatif)	
4	*blancs d'œufs*	*4*
1 pincée	*sel*	*1 pincée*
1/4 tasse	*sucre*	*60 ml*
1 tasse	*crème à 35 %*	*250 ml*
1/4 tasse	*amandes rôties, en allumettes*	*60 ml*

Laver et équeuter les fraises. Mettre 4 grosses fraises de côté, pour la décoration du soufflé. Réduire en purée les autres fraises au mélangeur.

Mêler la gélatine et l'eau froide dans un petit bol. Laisser reposer 5 minutes. Mettre le plat dans de l'eau bouillante et chauffer jusqu'à ce que la gélatine soit dissoute. Battre ensemble, dans la casserole supérieure d'un bain-marie, les jaunes d'œufs et 1/2 tasse (125 ml) de sucre, jusqu'à ce que le mélange soit épais et d'un beau jaune citron. Ajouter le jus de citron, en brassant. Chauffer au bain-marie frissonnant, en brassant constamment, 5 minutes ou jusqu'à épaississement. Ajouter la gélatine, en brassant. Retirer du feu et laisser refroidir sans toutefois réfrigérer.

→

Ajouter en brassant la purée de fraises, et quelques gouttes de colorant, si l'on veut, pour donner à la préparation une belle teinte rose.

Battre en mousse les blancs d'œufs et le sel. Ajouter 1/4 tasse (60 ml) de sucre, petit à petit et en battant bien. Continuer à battre jusqu'à la formation de pics fermes. Incorporer délicatement au mélange aux fraises, d'abord les blancs d'œufs et ensuite la crème, en brassant le moins possible.

Prendre un moule à soufflé de 6 tasses (1,5 L) et en hausser le bord de 3 po (7,5 cm), à l'aide d'une solide bande de papier ciré. Y verser la préparation et réfrigérer jusqu'à ce que ce soit ferme.

Enlever le papier ciré, avec précaution. Décorer le soufflé des fraises mises de côté, et d'amandes.

Ci-contre : soufflé glacé aux fraises

Mousse aux pêches et à la banane

1 tasse	*sucre*	*250 ml*
1 1/2 tasse	*eau*	*375 ml*
3	*grosses pêches mûres*	*3*
1 c. à s.	*gélatine en poudre*	*15 ml*
1/4 tasse	*eau froide*	*60 ml*
1/4 tasse	*jus de citron*	*60 ml*
1 pincée	*sel*	*1 pincée*
1	*grosse banane mûre*	*1*
1/2 tasse	*crème à 35 %*	*125 ml*

Mêler le sucre et l'eau, dans une casserole. Porter à ébullition et laisser bouillir 5 minutes. Peler les pêches et les hacher grossièrement. Les ajouter au sirop bouillant, attendre que l'ébullition recommence, baisser le feu et laisser mijoter, 5 minutes ou jusqu'à ce que les pêches soient tendres.

Égoutter les pêches et mesurer 1 1/2 tasse (375 ml) de leur sirop de cuisson. Remettre ce sirop dans la casserole et le porter à ébullition. Laisser refroidir les pêches.

Ajouter la gélatine à l'eau froide et laisser reposer 5 minutes. Ajouter alors au sirop bouillant et brasser pour bien dissoudre la gélatine. Ajouter le jus de citron et le sel, en brassant. Refroidir, en plaçant la casserole qui contient le mélange dans de l'eau glacée, jusqu'à ce que le mélange commence à épaissir; brasser souvent pendant le refroidissement.

Écraser la banane à la fourchette et l'ajouter au mélange, en brassant. Ajouter aussi les pêches, en brassant délicatement. Refroidir encore un peu, si nécessaire (la gelée doit garder un peu sa forme quand on la remue à la cuillère). Fouetter la crème et l'incorporer au mélange. Mettre dans les coupes à sorbet et réfrigérer jusqu'à ce que ce soit pris.

6 PORTIONS

Crème caramel

1/2 tasse	*sucre*	*125 ml*
4	*jaunes d'œufs*	*4*
1/3 tasse	*sucre*	*80 ml*
1/4 c. à t.	*sel*	*1 ml*
2 tasses	*lait*	*500 ml*
1 c. à t.	*vanille*	*5 ml*

Mettre 1/2 tasse (125 ml) de sucre dans une poêle épaisse et le chauffer à feu bas, en brassant constamment avec une cuillère de bois, jusqu'à ce qu'il soit complètement fondu et d'un beau brun doré.

Répartir le sirop obtenu dans 6 ramequins ou petits moules pouvant aller au four. Incliner immédiatement chaque ramequin en un mouvement circulaire, pour que le sirop en recouvre le fond et les côtés autant que possible. On peut chauffer les moules, en les passant à l'eau bouillante, mais bien assécher avant d'y mettre le sirop; le sucre durcit alors moins rapidement et on dispose d'un peu plus de temps pour bien l'étendre. Ne pas s'en faire, toutefois, si les moules ne sont pas entièrement enduits de sirop.

Chauffer le four à 350 °F (175 °C). Mettre au four une plaque suffisamment grande pour recevoir les ramequins et contenant 1/2 po (1,25 cm) d'eau bouillante.

Battre ensemble les jaunes d'œufs, 1/3 tasse (80 ml) de sucre et le sel. Porter le lait à ébullition et l'ajouter aux jaunes d'œufs, petit à petit et en brassant. Ajouter la vanille.

Répartir cette crème dans les ramequins et mettre au four, dans la plaque d'eau bouillante.

Cuire au four, 45 à 50 minutes ou jusqu'à ce qu'un couteau de métal inséré au centre des petits plats en ressorte sec. Retirer immédiatement les ramequins de l'eau chaude. Laisser refroidir et réfrigérer. Démouler, au moment de servir; le caramel coulera sur la crème, comme une sauce.

6 PORTIONS

Dessert au rhum et à l'ananas

4	*jaunes d'œufs*	*4*
1/2 tasse	*sucre*	*125 ml*
1 1/4 tasse	*lait*	*300 ml*
1/2 tasse	*jus d'ananas en conserve*	*125 ml*
2 c. à s.	*gélatine en poudre*	*30 ml*
1/4 tasse	*eau froide*	*60 ml*
1/4 tasse	*rhum ambré*	*60 ml*
1 tasse	*crème à 35 %*	*250 ml*
	gâteau éponge (recette ci-après)	
1 c. à s.	*rhum*	*15 ml*
6 tranches	*ananas en conserve*	*6 tranches*
	cerises au marasquin	
	crème fouettée sucrée (facultatif)	

Dans la casserole supérieure d'un bain-marie, battre avec une cuillère de bois, les jaunes d'œufs et le sucre. Ajouter le lait et le jus d'ananas, en brassant. Cuire au bain-marie, en brassant, 10 minutes ou jusqu'à ce que la préparation soit très chaude et légèrement épaissie.

Ajouter la gélatine à l'eau froide et laisser reposer 5 minutes. Ajouter à la préparation bouillante et brasser jusqu'à ce que la gélatine soit dissoute. Mettre la casserole qui contient le mélange dans de l'eau glacée; refroidir ainsi le mélange, en brassant, jusqu'à ce qu' il commence à épaissir (attention de ne pas le laisser prendre). Retirer de l'eau et ajouter 1/4 tasse (60 ml) de rhum, en brassant.

Fouetter 1 tasse (250 ml) de crème et l'ajouter délicatement à la gelée. Verser dans un moule à gâteau, de 8 po (20,5 cm) de diamètre, et refroidir jusqu'à ce que ce soit ferme.

Mettre le gâteau éponge dans une assiette de service. Arroser de 1 c. à s. (15 ml) de rhum. Démouler la gelée sur le gâteau. Couper en deux les tranches d'ananas et les disposer sur la gelée, ainsi que les cerises. Réfrigérer jusqu'au moment de servir. Décorer le dessert, si on le désire, de crème fouettée.

6 PORTIONS

→

Ci-dessus : dessert au rhum et à l'ananas

Gâteau éponge

1	*œuf*	*1*
1/2 tasse	*sucre*	*125 ml*
1 1/2 c. à s.	*eau*	*22 ml*
1/4 c. à t.	*vanille*	*1 ml*
1/3 tasse	*farine tout usage, tamisée*	*80 ml*
1/4 c. à t.	*poudre à pâte*	*1 ml*
1 pincée	*sel*	*1 pincée*

Chauffer le four à 375 °F (190 °C). Couvrir, d'un cercle de papier ciré, le fond d'un moule à gâteau rond, de 9 po (23 cm) de diamètre, et en graisser la paroi.

Battre l'œuf, dans un petit bol, à la grande vitesse d'un malaxeur, 5 minutes ou jusqu'à ce qu'il soit épais et d'un beau jaune citron. Ajouter le sucre, petit à petit et en battant. Ajouter l'eau et la vanille, en battant. Tamiser ensemble, dans le mélange, la farine, la poudre à pâte et le sel et battre jusqu'à ce que la pâte soit lisse. La mettre dans le moule.

Cuire au four, 12 minutes ou jusqu'à ce qu'une légère pression du doigt à la surface du gâteau ne laisse aucune empreinte. Démouler sur une clayette et enlever le papier de cuisson. (Ce gâteau doit être très mince.) Laisser refroidir.

Bavarois aux framboises

1 lb	*framboises congelées, décongelées*	*450 g*
2/3 tasse	*lait évaporé*	*160 ml*
1 c. à s.	*gélatine en poudre*	*15 ml*
1/4 tasse	*sucre*	*60 ml*
1/8 c. à t.	*sel*	*0,5 ml*
2	*jaunes d'œufs*	*2*
1/4 tasse	*eau*	*60 ml*
1 c. à t.	*zeste de citron*	*5 ml*
2	*blancs d'œufs*	*2*
2 c. à s.	*sucre*	*30 ml*
1 c. à s.	*jus de citron*	*15 ml*

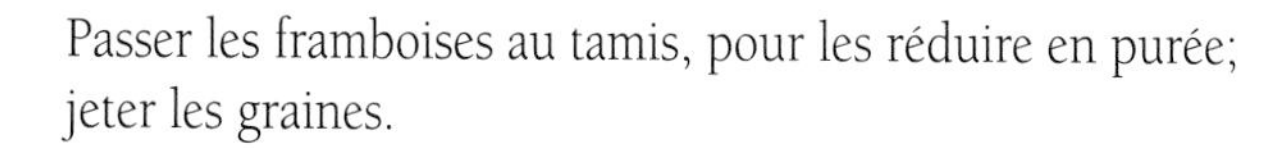

Passer les framboises au tamis, pour les réduire en purée; jeter les graines.

Mettre le lait évaporé dans un moule de métal et le faire congeler jusqu'à ce que de petits cristaux se forment près des bords du moule.

Bien mêler, dans une casserole, la gélatine, 1/4 tasse (60 ml) de sucre et le sel. Battre ensemble les jaunes d'œufs et l'eau et ajouter, ainsi que la purée de framboises, au mélange sec dans la casserole. Bien mêler et cuire à feu moyen, jusqu'au point d'ébullition, en brassant constamment. Retirer du feu et ajouter le zeste de citron, en brassant. Refroidir, en plaçant la casserole dans de l'eau glacée, jusqu'à ce que la préparation commence à épaissir.

Battre les blancs d'œufs en neige. Ajouter 2 c. à s. (30 ml) de sucre, petit à petit et en battant jusqu'à ce que la meringue soit ferme et brillante. Incorporer à la gelée.

Mettre le lait évaporé partiellement gelé dans un bol et le battre jusqu'à ce qu'il forme des pics. Ajouter le jus de citron et continuer à battre jusqu'à ce que la crème soit bien épaisse. Incorporer à la gelée.

Répartir le mélange dans 6 moules de 6 oz (180 ml) et réfrigérer jusqu'à ce que ce soit ferme.

Note: si on le désire, dégeler partiellement un second paquet de framboises et décorer le dessert des fruits. Les framboises encore garnies de petits cristaux gardent mieux leur forme et ont presque l'air de fruits frais.

16 PORTIONS

Ci-contre : bavarois aux framboises

Bagatelle délicieuse

3/4 tasse	*lait froid*	*180 ml*
3 oz	*mélange instantané pour pouding à la vanille*	*85 g*
2 tasses	*lait de poule froid*	*500 ml*
1/2 c. à t.	*essence d'amande*	*2 ml*
1/2 tasse	*crème à 35 %*	*125 ml*
1	*gâteau éponge, du commerce (2 galettes d'environ 7 po (18 cm) de diamètre)*	*1*
1/2 tasse	*sherry doux*	*125 ml*
8 oz	*confiture de framboises*	*227 ml*
1 tasse	*crème à 35 %*	*250 ml*
2 c. à s.	*sucre à glacer, tamisé*	*30 ml*
1/2 c. à t.	*vanille*	*2 ml*
	cerises	
	morceaux d'angélique	

Mettre le lait froid dans un petit bol. Ajouter le mélange à pouding et battre au malaxeur, à petite vitesse, jusqu'à ce que ce soit lisse. Ajouter le lait de poule, petit à petit et en battant. Ajouter l'essence d'amande. Fouetter 1/2 tasse (125 ml) de crème, jusqu'à ce qu'elle forme des pics, et l'incorporer au mélange. Mettre de côté.

Fendre chacun des 2 morceaux du gâteau pour obtenir 4 galettes minces. Mettre l'une d'elles, le côté coupé en dessus, dans un bol profond. Arroser de sherry et recouvrir du tiers de la confiture. Arroser du quart du mélange au lait de poule. Répéter, à deux reprises, les additions de gâteaux, de sherry, de confiture et de mélange au lait de poule. Recouvrir de la quatrième galette de gâteau, arroser de 2 c. à s. (30 ml) de sherry et recouvrir de ce qui reste de mélange au lait de poule. Réfrigérer plusieurs heures ou jusqu'au lendemain.

Fouetter, au moment de servir, 1 tasse (250 ml) de crème à laquelle on ajoutera le sucre et la vanille. Mettre dans une seringue à pâtisserie et garnir la bagatelle de rosettes de crème. Décorer d'une branche de houx en utilisant des moitiés de cerises pour faire les fruits et de l'angélique pour y tailler les feuilles.

8 PORTIONS

Fendre chacun des 2 morceaux du gâteau pour obtenir 4 galettes minces.

Mettre l'une d'elles, le côté coupé en dessus, dans un bol profond. Arroser de sherry et recouvrir du tiers de la confiture.

Recouvrir de la quatrième galette de gâteau, arroser de sherry et recouvrir de ce qui reste de mélange au lait de poule. Réfrigérer plusieurs heures.

Garnir la bagatelle de rosettes de crème. Décorer d'une branche de houx en utilisant des moitiés de cerises pour faire les fruits et l'angélique pour y tailler les feuilles.

Charlotte russe

3/4 tasse	*mélange de fruits confits*	*180 ml*
1/2 tasse	*cerises au marasquin, hachées*	*125 ml*
1/4 tasse	*jus de conserve des cerises*	*60 ml*
4	*jaunes d'œufs*	*4*
1/3 tasse	*sucre*	*80 ml*
1 pincée	*sel*	*1 pincée*
1 1/2 tasse	*lait*	*375 ml*
2 c. à s.	*gélatine en poudre*	*30 ml*
3/4 tasse	*eau*	*180 ml*
1 c. à t.	*essence d'amande*	*5 ml*
1/2 tasse	*pacanes légèrement rôties, hachées*	*125 ml*
1 1/2 tasse	*crème à 35 %*	*375 ml*
	doigts de dame (recette ci-après)	
	crème fouettée sucrée	
	cerises au marasquin	

Mêler les fruits confits et 1/2 tasse (125 ml) de cerises, dans un petit plat. Ajouter le jus des cerises et laisser reposer, à la température de la pièce et en brassant souvent, pendant 1 heure.

Battre les jaunes d'œufs, dans la casserole supérieure d'un bain-marie. Ajouter le sucre, en battant. Ajouter le sel et le lait et bien mêler. Cuire au bain-marie frissonnant, en brassant, environ 20 minutes ou jusqu'à ce que la préparation adhère à une cuillère de métal.

Ajouter la gélatine à l'eau et laisser reposer 5 minutes. Ajouter au mélange aux jaunes d'œufs très chaud et brasser jusqu'à ce que la gélatine soit dissoute. Retirer du feu. Ajouter les fruits et leur jus ainsi que l'essence d'amande. Mettre la casserole dans de l'eau glacée et laisser refroidir le mélange jusqu'à ce qu'il garde un peu sa forme quand on le remue à la cuillère. Ajouter les pacanes.

Fouetter 1 1/2 tasse (375 ml) de crème jusqu'à ce qu'elle forme des pics et l'incorporer à la préparation.

Couvrir entièrement de doigts de dame (en les taillant au besoin) la paroi d'un moule à charlotte, un plat ou un bol de 8 tasses (2 L). Y verser la préparation.

Réfrigérer pendant plusieurs heures ou jusqu'à ce que ce soit ferme. Démouler dans un grand plat, au moment de servir, et entourer la base de la charlotte de rosettes de crème fouettée et de cerises.

8 À 10 PORTIONS

→

Ci-contre : charlotte russe

Doigts de dame

3	*blancs d'œufs*	*3*
1 pincée	*sel*	*1 pincée*
1/3 tasse	*sucre*	*80 ml*
3	*jaunes d'œufs*	*3*
1 c. à t.	*vanille*	*5 ml*
2/3 tasse	*farine à pâtisserie, tamisée*	*160 ml*

Chauffer le four à 350 °F (175 °C). Graisser et enfariner une grande plaque à biscuits.

Battre les blancs d'œufs et le sel, jusqu'à ce qu'ils forment des pics. Ajouter le sucre, petit à petit et en battant bien après chaque addition. Battre jusqu'à ce que la meringue soit ferme et brillante.

Battre les jaunes d'œufs et la vanille, jusqu'à ce qu'ils soient épais et d'un beau jaune citron. Incorporer aux blancs d'œufs, délicatement mais rapidement. Incorporer la farine, délicatement.

Déposer la pâte sur la plaque en bâtonnets de 2 1/2 po (6,25 cm) de longueur. Vous pouvez utiliser une seringue à pâtisserie ou une petite presse à biscuits munie d'une douille ou d'un bout uni ou simplement façonner la pâte avec une cuillère; utiliser, pour chaque bâtonnet, une grosse cuillerée à thé de pâte.

Cuire au four pendant 8 ou 10 minutes ou jusqu'à ce que les doigts soient fermes et très légèrement brunis en dessous. Retirer de la plaque et laisser refroidir sur une clayette. Ranger dans une boîte métallique fermant hermétiquement.

3 DOUZAINES

Battre les blancs d'œufs et le sel, jusqu'à ce qu'ils forment des pics.

Incorporer le mélange de jaunes d'œufs et de vanille aux blancs d'œufs, délicatement mais rapidement. Incorporer la farine, délicatement.

Déposer la pâte sur la plaque en bâtonnets.

Glace à la noix de coco

3/4 tasse	*noix de coco en flocons*	*180 ml*
5 tasses	*crème glacée au café (voir note)*	*1,25 L*
environ 3/4 tasse	*liqueur de café*	*environ 180 ml*

Chauffer le four à 350 °F (175 °C). Étendre la noix de coco dans une plaque peu profonde et la faire chauffer au four, environ 10 minutes ou jusqu'à ce qu'elle soit dorée. Laisser refroidir.

Mettre la crème glacée dans 6 plats à dessert. Napper chaque portion d'un peu de liqueur de café et la parsemer de 2 c. à s. (30 ml) de noix de coco. Servir immédiatement.

Note: la crème glacée à la vanille est également excellente pour ce dessert, si vous ne pouvez obtenir de crème glacée au café. On peut aussi ramollir de la crème glacée à la vanille, en la battant, dans un bol refroidi, avec une cuillère de bois ou un malaxeur et y ajouter, en brassant, 2 c. à t. (10 ml) de café instantané.

Travailler rapidement pour que la crème ramollisse, sans fondre, et recongeler la crème pour qu'elle soit bien ferme au moment de faire le dessert.

6 PORTIONS

Sorbet aux pêches et à l'orange

1 tasse	*pêches en tranches en conserve, bien égouttées*	*250 ml*
1 c. à t.	*gélatine en poudre*	*5 ml*
1 c. à s.	*jus de citron*	*15 ml*
1/2 tasse	*sirop de conserve des pêches*	*125 ml*
1	*jaune d'œuf*	*1*
1/2 tasse	*jus d'orange*	*125 ml*
1/2 c. à s.	*zeste d'orange râpé*	*7 ml*
1/4 tasse	*sucre*	*60 ml*
1 pincée	*sel*	*1 pincée*
1 tasse	*crème à 15 %*	*250 ml*
1	*blanc d'œuf*	*1*
	tranches de pêches en conserve, égouttées (facultatif)	

Réduire en purée lisse 1 tasse (250 ml) de pêches en les écrasant à la fourchette ou en les passant au mélangeur. Ajouter la gélatine au jus de citron et laisser reposer 5 minutes. Chauffer le sirop de pêches et y ajouter la gélatine détrempée. Brasser jusqu'à ce qu'elle soit dissoute et laisser refroidir (sans toutefois réfrigérer).

Battre légèrement le jaune d'œuf. L'ajouter à la préparation, en brassant, ainsi que le jus et le zeste d'orange, le sucre, le sel, la crème et la purée de pêches. Verser dans un moule de métal et faire congeler jusqu'à ce que ce soit ferme.

Battre le blanc d'œuf en neige ferme.

Mettre le mélange congelé dans un bol refroidi, en raclant bien le moule, et le battre jusqu'à ce qu'il soit bien lisse. Incorporer le blanc d'œuf battu et remettre le tout dans le moule. Congeler jusqu'à ce que ce soit ferme.

Mettre dans des coupes à sorbet, au moment de servir, et garnir de tranches de pêches si on le désire.

6 À 9 PORTIONS

Ci-dessus : à gauche, sorbet aux pêches et à l'orange et à droite, mousse au sirop d'érable

Mousse au sirop d'érable

1 tasse	*sirop d'érable*	*250 ml*
1 1/2 c. à t.	*gélatine en poudre*	*7 ml*
2 c. à s.	*eau froide*	*30 ml*
2	*jaunes d'œufs, légèrement battus*	*2*
1 chopine	*crème glacée à la vanille, ramollie*	*625 ml*

Mettre le sirop d'érable dans une petite casserole et porter à ébullition. Faire bouillir vivement environ 15 minutes, pour le réduire de moitié.

Ajouter la gélatine à l'eau froide et laisser reposer 5 minutes. Ajouter alors le sirop très chaud, en brassant pour dissoudre la gélatine. Verser le mélange obtenu, bien chaud, dans les jaunes d'œufs, petit à petit et en battant constamment. Ajouter la crème glacée ramollie et bien mêler.

Verser dans 4 moules à pouding de 4 oz (125 ml). Congeler jusqu'à ce que ce soit ferme et démouler avant de servir.

4 PORTIONS

Sorbet à l'orange et à l'abricot

1 tasse	*crème à 15 %*	*250 ml*
1 tasse	*sucre*	*250 ml*
3/4 tasse	*sirop de maïs*	*180 ml*
1 tasse	*nectar d'abricot en conserve*	*250 ml*
1 tasse	*jus d'orange frais*	*250 ml*
1/4 tasse	*jus de citron frais*	*60 ml*
2 c. à t.	*zeste d'orange râpé*	*10 ml*
1 c. à t.	*zeste de citron râpé*	*5 ml*
2	*blancs d'œufs*	*2*

Mêler la crème, le sucre et le sirop de maïs dans une casserole. Porter à ébullition. Retirer du feu et laisser refroidir. Ajouter, en brassant, le nectar d'abricot, les jus et les zestes d'orange et de citron. Verser dans un moule de métal et congeler jusqu'à ce que ce soit ferme.

Battre les blancs d'œufs en une neige ferme. Mettre le sorbet congelé dans un bol refroidi et le battre jusqu'à ce qu'il soit léger; travailler rapidement pour que le sorbet ne fonde pas. Incorporer les blancs d'œufs. Remettre dans le moule et congeler jusqu'à ce que ce soit ferme.

ENVIRON 5 TASSES (1,25 L)

Tortoni au chocolat et au lait de poule

3/4 tasse	*lait froid*	*180 ml*
4 oz	*mélange instantané pour pouding au chocolat*	*115 g*
1 1/4 tasse	*lait de poule*	*300 ml*
1/2 c. à t.	*vanille*	*2 ml*
1/2 c. à t.	*essence d'amande*	*2 ml*
1/2 tasse	*crème à 35 %*	*125 ml*
2/3 tasse	*gaufrettes à la vanille, finement émiettées*	*160 ml*
1/2 tasse	*amandes mondées finement hachées, rôties*	*125 ml*
1/2 tasse	*noix de coco en flocons, rôties*	*125 ml*
	cerises au marasquin	
	amandes entières rôties	

Mettre le lait dans un petit bol. Ajouter le mélange et battre au malaxeur, à petite vitesse, jusqu'à ce que ce soit lisse. Ajouter le lait de poule, petit à petit et en mêlant. Ajouter la vanille et l'essence d'amande.

Fouetter la crème jusqu'à ce qu'elle forme des pics et l'incorporer à la crème au chocolat. Ajouter les miettes de gaufrettes, les amandes hachées et la noix de coco.

Foncer de caissettes de papier plissé, 12 grands moules à muffins. Y mettre la préparation en remplissant les petites caissettes jusqu'au bord. Couvrir de papier d'aluminium et faire congeler jusqu'à ce que ce soit ferme, c'est-à-dire pendant 4 heures ou jusqu'au lendemain. Décorer chaque petit dessert d'une cerise et d'amandes rôties et déposer les caissettes, pour servir, sur de petits napperons de papier dans des assiettes.

12 PETITES PORTIONS

Ci-dessus : tortoni au chocolat et au lait de poule

Coupes de fruits rouges

16 oz	*framboises congelées, décongelées*	*450 g*
1/2 tasse	*sucre*	*125 ml*
1/4 tasse	*eau*	*60 ml*
2 tasses	*cerises fraîches, équeutées et dénoyautées*	*500 ml*
2 tasses	*melon d'eau, en petites boules*	*500 ml*
environ 3/4 tasse	*vin rosé pétillant, bien refroidi*	*environ 180 ml*

Égoutter les framboises, en mettant le jus dans une casserole. Mettre les fruits de côté. Ajouter le sucre et l'eau au jus et porter à ébullition. Faire bouillir vivement, pendant 10 minutes pour réduire le mélange de moitié environ. Laisser refroidir et réfrigérer.

Mêler les framboises, les cerises et le melon d'eau, en brassant délicatement à la fourchette. Répartir dans 6 coupes à sorbet. Déposer le sirop à la cuillère sur les fruits, en le répartissant également. Ajouter du vin pour remplir les coupes et servir immédiatement.

6 PORTIONS

Pouding aux pommes et au citron

2 c. à s.	*fécule de maïs*	*30 ml*
1 tasse	*sucre*	*250 ml*
1 c à t.	*zeste de citron râpé*	*5 ml*
3 c. à s.	*jus de citron*	*45 ml*
2	*œufs*	*2*
1 tasse	*eau bouillante*	*250 ml*
3/4 tasse	*farine tout usage, tamisée*	*180 ml*
1 c. à t.	*poudre à pâte*	*5 ml*
1/4 c. à t.	*sel*	*1 ml*
3/4 tasse	*cassonade, mesurée bien tassée*	*180 ml*
2/3 tasse	*chapelure fine*	*160 ml*
1/2 tasse	*noix de coco en flocons*	*125 ml*
1/2 tasse	*beurre ramolli*	*125 ml*
2	*pommes*	*2*

crème de table, crème glacée ou crème fouettée

Chauffer le four à 350 °F (175 °C). Beurrer un plat à cuire de 9 x 6 x 1 1/2 po (23 x 15 x 3,75 cm).

Mêler la fécule de maïs et le sucre, dans la casserole supérieure d'un bain-marie. Ajouter le zeste et le jus de citron, en brassant. Ajouter les œufs et bien battre. Ajouter l'eau bouillante, petit à petit et en brassant. Cuire au bain-marie frissonnant, en brassant constamment, jusqu'à ce que le mélange soit épais et lisse. Laisser refroidir.

Tamiser, dans un bol, la farine, la poudre à pâte et le sel. Ajouter la cassonade, la chapelure et la noix de coco. Ajouter le beurre et mêler, d'abord à la fourchette, ensuite directement avec les doigts; le mélange sera grumeleux. Mettre un peu plus de la moitié du mélange dans le plat à cuire et tasser.

Peler les pommes, les évider et les trancher mince; étendre uniformément dans le plat. Couvrir du mélange au citron. Parsemer le tout de ce qui reste du mélange grumeleux.

Cuire au four de 40 à 45 minutes. Servir tiède, avec de la crème de table ou de la crème glacée, ou froid, avec de la crème fouettée.

6 À 8 PORTIONS

Pouding aux pommes et à la marmelade

6	*pommes à cuire moyennes*	*6*
3/4 tasse	*cassonade, mesurée bien tassée*	*180 ml*
1 2/3 tasse	*farine tout usage, tamisée*	*410 ml*
3 c. à t.	*poudre à pâte*	*45 ml*
1/2 c. à t.	*sel*	*2 ml*
1/2 tasse	*sucre*	*125 ml*
1/3 tasse	*graisse végétale*	*80 ml*
1	*œuf*	*1*
1/3 tasse	*marmelade d'orange*	*80 ml*
1/2 tasse	*lait*	*125 ml*
1 c. à t.	*cannelle*	*5 ml*
2 c. à s.	*sucre*	*30 ml*

sauce au caramel (recette ci-après)

Chauffer le four à 400 °F (205 °C). Beurrer un plat à cuire peu profond de 13 x 9 x 2 po (33 x 23 x 5 cm).

Peler les pommes et les débarrasser de leur cœur. Les couper en tranches très minces et étendre ces dernières dans le plat à cuire. Parsemer de cassonade. Mettre le plat dans le four chaud et l'y laisser pendant la préparation de la garniture.

Tamiser ensemble, dans un bol, la farine, la poudre à pâte, le sel et 1/2 tasse (125 ml) de sucre. Ajouter la graisse végétale et la couper finement dans la farine. Battre l'œuf; y ajouter la marmelade et le lait, en brassant. Ajouter aux ingrédients secs et ne brasser que juste assez pour mêler tous les ingrédients.

Retirer le plat du four et étendre la pâte sur les pommes. Mêler la cannelle et 2 c. à s. (30 ml) de sucre et saupoudrer la pâte du mélange. Cuire au four, de 20 à 25 minutes ou jusqu'à ce que la pâte soit bien cuite et les pommes tendres. Servir, en gros carrés, nappés de la sauce au caramel.

8 À 12 PORTIONS

→

Ci-dessus : à gauche, pouding aux pommes et au citron et à droite, pouding aux pommes et à la marmelade

Sauce au caramel

3 c. à s.	*fécule de maïs*	*45 ml*
1 tasse	*cassonade, mesurée bien tassée*	*250 ml*
1 pincée	*sel*	*1 pincée*
1 tasse	*eau froide*	*250 ml*
1 tasse	*eau bouillante*	*250 ml*
1/4 tasse	*beurre*	*60 ml*
2 c. à t.	*vanille*	*10 ml*

Mêler parfaitement, dans une casserole, la fécule de maïs, la cassonade et le sel. Ajouter l'eau froide, en brassant jusqu'à ce que le mélange soit lisse. Ajouter l'eau bouillante.

Porter à ébullition, à feu vif et en brassant constamment. Faire bouillir 1 minute. Retirer du feu. Ajouter le beurre et la vanille, en brassant. Servir très chaud.

Croustillant aux pêches et au miel

6	*pêches, pelées et tranchées*	6
1/2 tasse	*noix cassées*	*125 ml*
1 c. à s.	*jus de citron*	*15 ml*
1/3 tasse	*miel liquide*	*80 ml*
1/2 tasse	*farine tout usage, tamisée*	*125 ml*
1/2 tasse	*gruau d'avoine*	*125 ml*
3/4 c. à t.	*cannelle*	*3 ml*
1/3 tasse	*beurre ramolli*	*80 ml*
	crème à 15 % ou crème glacée	

Chauffer le four à 375 °F (190 °C). Beurrer un plat à cuire de 8 tasses (2 L).

Mettre les pêches dans le plat et les parsemer des noix.

Bien mêler le jus de citron et le miel et verser sur les pêches.

Mêler la farine, le gruau, la cannelle et le beurre, d'abord à la fourchette, ensuite directement avec les doigts; le mélange sera grumeleux. L'étendre sur les pêches.

Cuire au four, de 30 à 35 minutes ou jusqu'à ce que les pêches soient tendres, que le jus bouillonne et que le dessus du plat soit bruni. Servir tiède, avec de la crème à 15 % ou de la crème glacée.

6 PORTIONS

Croustillant aux cerises

1 tasse	*gruau d'avoine à cuisson rapide*	*250 ml*
1/2 tasse	*amandes mondées, hachées*	*125 ml*
1/2 tasse	*farine tout usage, tamisée*	*125 ml*
1 tasse	*sucre*	*250 ml*
1/2 tasse	*beurre*	*125 ml*
1/2 c. à t.	*essence d'amande*	*2 ml*
19 oz	*garniture pour tarte aux cerises*	*540 ml*
	crème de table ou crème glacée	

Chauffer le four à 375 °F (190 °C). Avoir sous la main un moule à gâteau carré, de 8 po (20,5 cm) de côté.

Mêler le gruau, les amandes, la farine et le sucre. Ajouter le beurre et mêler, d'abord à la fourchette, ensuite directement avec les doigts; le mélange sera grumeleux.

Ajouter l'essence d'amande à la garniture aux cerises.

Presser la moitié du mélange grumeleux au fond du moule. Déposer la garniture aux cerises, par petites cuillerées, sur cette croûte, et l'étendre uniformément jusqu'à 1/2 po (1,25 cm) des bords du moule. Parsemer de ce qui reste du mélange grumeleux. Cuire au four 40 minutes et servir tiède, avec la crème.

6 PORTIONS

Croustillant à la rhubarbe

4 tasses	*rhubarbe, en morceaux*	*1 L*
1 tasse	*sucre*	*250 ml*
1/4 tasse	*farine tout usage*	*60 ml*
1/2 c. à t.	*cannelle*	*2 ml*
1/2 tasse	*eau*	*125 ml*
1 tasse	*farine tout usage, tamisée*	*250 ml*
1/2 tasse	*gruau d'avoine à cuisson rapide*	*125 ml*
1 tasse	*cassonade, mesurée bien tassée*	*250 ml*
1/2 tasse	*beurre fondu*	*125 ml*
	crème fraîche	

Chauffer le four à 375 °F (190 °C). Beurrer un plat à cuire d'environ 8 x 8 x 2 po (20,5 x 20,5 x 5 cm).

Mêler la rhubarbe, le sucre, 1/4 tasse (60 ml) de farine et la cannelle et mettre le tout dans le plat. Verser l'eau sur le tout. Travailler ensemble, à la fourchette, 1 tasse de farine, le gruau, la cassonade et le beurre fondu. Étendre sur la rhubarbe, le mélange grumeleux obtenu.

Cuire au four, 15 minutes ou jusqu'à ce que la rhubarbe soit tendre. Servir tiède, avec de la crème.

6 PORTIONS

Ci-contre : à gauche, croustillant aux pêches et au miel et à droite, croustillant à la rhubarbe

Pouding tout simple

1 3/4 tasse	*farine tout usage, tamisée*	*425 ml*
2 c. à t.	*poudre à pâte*	*10 ml*
1/2 c. à t.	*sel*	*2 ml*
3/4 tasse	*sucre*	*180 ml*
1/4 tasse	*graisse végétale, ramollie*	*60 ml*
1	*œuf*	*1*
3/4 tasse	*lait*	*180 ml*
1 c. à t.	*vanille*	*5 ml*

sauce aux bleuets ou sauce dorée (recettes ci-après)

Chauffer le four à 375 °F (190 °C). Graisser un moule carré, de 9 po (23 cm).

Tamiser, dans un bol, la farine, la poudre à pâte, le sel et le sucre. Ajouter la graisse, l'œuf, le lait et la vanille et battre vigoureusement jusqu'à ce que la pâte soit lisse. Verser dans le moule et cuire au four, 25 à 30 minutes ou jusqu'à ce qu'une légère pression du doigt au centre du pouding ne laisse aucune empreinte. Couper en carrés et servir tiède, avec la sauce aux bleuets ou la sauce dorée, bien chaude.

Sauce aux bleuets

1/2 tasse	*sucre*	*125 ml*
2 c à s.	*fécule de maïs*	*30 ml*
1/2 c. à t.	*cannelle*	*2 ml*
1 pincée	*sel*	*1 pincée*
1 tasse	*eau*	*250 ml*
11 oz	*bleuets congelés*	*310 g*

Bien mêler, dans une casserole, le sucre, la fécule de maïs, la cannelle et le sel. Ajouter l'eau, petit à petit et en brassant, après chaque addition, jusqu'à ce que le mélange soit lisse. Ajouter les bleuets. Chauffer à feu vif, en brassant sans arrêt, jusqu'à ébullition. Baisser le feu au plus bas et laisser mijoter, en brassant, pendant 1 minute.

Sauce dorée

2 c. à s.	*fécule de maïs*	*30 ml*
1/4 tasse	*sucre*	*60 ml*
1 tasse	*jus d'orange*	*250 ml*
2 c. à s.	*jus de citron*	*30 ml*
2 tasse	*ananas déchiqueté en conserve, avec son jus*	*500 ml*
3	*grosses oranges, pelées, coupées en petits morceaux*	*3*

Bien mêler, dans une casserole moyenne, la fécule de maïs et le sucre. Ajouter le jus d'orange, petit à petit et en brassant jusqu'à ce que le mélange soit lisse. Ajouter le jus de citron et l'ananas, en mêlant bien. Cuire à feu vif, jusqu'à ébullition, en brassant constamment. Baisser le feu et continuer l'ébullition 5 minutes, en brassant. Ajouter les morceaux d'oranges, en mêlant bien. Garder la sauce bien chaude jusqu'au moment de servir.

Note: cette sauce est également délicieuse sur de la crème glacée.

ENVIRON 3 TASSES (750 ML)

Ci-dessus : à gauche, pouding tout simple et à droite, pouding au riz

Pouding au riz

6	*œufs*	6
3 tasses	*lait*	*750 ml*
1 tasse	*sucre*	*250 ml*
2 c. à t.	*vanille*	*10 ml*
1/2 c. à t.	*sel*	*2 ml*
1 1/2 tasse	*riz cuit*	*375 ml*
1 tasse	*raisins secs*	*250 ml*
	muscade	

Chauffer le four à 350 °F (175 °C). Beurrer un plat à cuire de 10 tasses (2,5 L). Mettre dans le four une plaque suffisamment grande pour recevoir le plat à cuire et contenant 1 po (2,5 cm) d'eau bouillante.

Casser les œufs, dans le plat à cuire, et bien battre à la fourchette. Ajouter, en mêlant bien, le lait, le sucre, la vanille et le sel. Ajouter le riz et les raisins, mêler et saupoudrer généreusement de muscade.

Mettre au four, dans la plaque d'eau bouillante, et cuire environ 1 heure et 25 minutes. Brasser après 30 minutes de cuisson. Servir tiède ou refroidi.

8 PORTIONS

Gâteau aux abricots

20 oz	*abricots en moitiés, en conserve*	*568 ml*
1/4 tasse	*beurre, fondu*	*60 ml*
1/2 tasse	*cassonade, mesurée bien tassée*	*125 ml*
1/4 tasse	*noix de coco en flocons*	*60 ml*
	cerises au marasquin (facultatif)	
1/3 tasse	*graisse végétale ramollie*	*80 ml*
1	*œuf*	*1*
1 tasse	*sucre*	*250 ml*
1 1/3 tasse	*farine tout usage, tamisée*	*330 ml*
2 c. à t.	*poudre à pâte*	*10 ml*
1/2 c. à t.	*sel*	*2 ml*
2/3 tasse	*lait*	*160 ml*
1/2 c. à t.	*essence d'amande*	*2 ml*
1/2 tasse	*noix de coco en flocons*	*125 ml*
	sauce aux abricots (recette ci-après)	

Chauffer le four à 350 °F (175 °C). Avoir sous la main un moule à gâteau carré, de 9 po (23 cm) de côté.

Bien égoutter les abricots en conservant leur jus de conserve pour la sauce. Bien mêler, dans le moule, le beurre, la cassonade et 1/4 tasse (60 ml) de noix de coco. Disposer les moitiés d'abricots dans ce mélange, certaines le côté creux en dessus, d'autres, sur une cerise, le côté creux en dessous.

Mêler, dans un petit bol, la graisse végétale, l'œuf et le sucre. Battre, à la grande vitesse d'un malaxeur, jusqu'à ce que ce soit très léger. Tamiser ensemble la farine, la poudre à pâte et le sel. Mêler le lait et l'essence d'amande. Ajouter, au mélange en crème, les ingrédients secs et les ingrédients liquides, petit à petit et en alternant. Commencer et terminer les additions, toutefois, avec les ingrédients secs et bien mêler après chacune. Ajouter 1/2 tasse (125 ml) de noix de coco.

Étendre la pâte sur les abricots dans le moule. Cuire au four de 55 à 60 minutes ou jusqu'à ce qu'une légère pression du doigt au centre du gâteau ne laisse aucune empreinte.

Renverser le gâteau dans une assiette de service. Attendre une minute avant d'enlever le moule, pour que les abricots et le sirop s'en détachent bien. Servir tiède, en carrés, nappés d'un peu de sauce aux abricots.

6 OU 9 PORTIONS

→

Sauce aux abricots

	jus de conserve des abricots du gâteau	
2 c. à s.	*fécule de maïs*	*30 ml*

Mesurer le jus et y ajouter de l'eau, si cela est nécessaire, pour obtenir 2 tasses (500 ml) de liquide. Mettre environ 1/4 tasse (60 ml) de ce liquide dans un petit bol, y ajouter la fécule de maïs et brasser pour que le mélange soit lisse. Chauffer ce qui reste du liquide, jusqu'à ébullition, et y ajouter la fécule délayée, petit à petit et en brassant. Chauffer à feu vif jusqu'à ce que l'ébullition reprenne et laisser bouillir 1 minute. Servir tiède.

Pain d'épice et compote de pommes

1/2 tasse	*beurre ramolli*	*125 ml*
2/3 tasse	*sucre*	*180 ml*
2	*œufs*	*2*
1/4 tasse	*mélasse*	*60 ml*
2 tasses	*farine tout usage, tamisée*	*500 ml*
1 c. à t.	*bicarbonate de soude*	*5 ml*
1/2 c. à t.	*sel*	*2 ml*
1 c. à t.	*gingembre*	*5 ml*
1 c. à t.	*cannelle*	*5 ml*
1/4 c. à t.	*piment de la Jamaïque en poudre*	*1 ml*
1 tasse	*lait*	*250 ml*
	compote de pommes, très chaude ou refroidie	

Chauffer le four à 350 °F (175 °C). Graisser un moule carré de 9 x 9 x 2 po (23 x 23 x 5 cm)

Travailler le beurre en pommade. Ajouter le sucre et battre jusqu'à ce que le mélange soit bien léger. Ajouter les œufs et battre pour que le mélange soit homogène et léger. Ajouter la mélasse, en battant.

Tamiser ensemble la farine, le bicarbonate, le sel, le gingembre, la cannelle et le piment de la Jamaïque. Ajouter au premier mélange, ainsi que le lait, en alternant et en mêlant bien après chaque addition.

Verser la pâte dans le moule et cuire au four, 35 minutes ou jusqu'à ce qu'une légère pression du doigt au centre du gâteau ne laisse aucune empreinte. Servir tiède, en gros morceaux garnis de compote de pommes.

6 PORTIONS

Ci-contre : à gauche, gâteau aux abricots et à droite, pain d'épice et compote de pommes

Soufflé à l'orange

	sucre	
1/4 tasse	*beurre*	*60 ml*
1/3 tasse	*farine*	*80 ml*
1 pincée	*sel*	*1 pincée*
1 tasse	*lait*	*250 ml*
1 c. à s.	*zeste d'orange râpé*	*15 ml*
1/2 tasse	*jus d'orange*	*125 ml*
6	*jaunes d'œufs*	*6*
6	*blancs d'œufs*	*6*
1/4 tasse	*sucre*	*60 ml*
	sauce à l'orange (recette ci-après)	

Fixer solidement, autour d'un plat à soufflé de 10 tasses (2,5 L), une double bande de papier d'aluminium épais de façon à en hausser le bord de 2 po (5 cm). Beurrer l'intérieur du plat et de la bande. Saupoudrer le plat de 2 c. à s. (30 ml) de sucre et l'incliner en un mouvement circulaire, de façon à en couvrir tout l'intérieur, et celui de la bande, d'une petite couche de sucre.

Chauffer le four à 325 °F (160 °C).

Faire fondre le beurre dans une casserole moyenne. Saupoudrer de farine et de sel et bien mêler. Retirer du feu et ajouter le lait, d'un trait et en mêlant bien. Continuer la cuisson, à feu moyen et en brassant, jusqu'à ce que la préparation bouille et soit épaisse et lisse. Retirer du feu. Ajouter le zeste et le jus d'orange, en mêlant bien.

Battre les jaunes d'œufs, à la grande vitesse d'un malaxeur, 5 minutes ou jusqu'à ce qu'ils soient d'un beau jaune citron. Ajouter le mélange à l'orange, petit à petit et en battant (au malaxeur, si l'on veut, mais à la petite vitesse).

Battre les blancs d'œufs en neige. Ajouter le sucre, petit à petit et en battant bien après chaque addition. Battre jusqu'à ce que la meringue soit ferme et brillante. Ajouter aux jaunes d'œufs, en brassant très délicatement. Verser dans le plat à soufflé.

Cuire au four, 1 heure et 15 minutes ou jusqu'à ce que le soufflé soit bien bruni et pris. Servir immédiatement, nappé de sauce à l'orange tiède.

Note: ce délicieux soufflé n'est pas sucré. La sauce, elle, est sucrée et le complète merveilleusement.

8 PORTIONS

Sauce à l'orange

1/2 tasse	*sucre*	*125 ml*
2 c. à s.	*fécule de maïs*	*30 ml*
1 pincée	*sel*	*1 pincée*
1 1/2 tasse	*jus d'orange*	*375 ml*
1 c. à s.	*beurre*	*15 ml*
1	*orange, pelée, séparée en suprêmes et coupée en dés*	*1*

Mêler parfaitement, dans une casserole moyenne, le sucre, la fécule de maïs et le sel. Ajouter le jus d'orange, petit à petit et en brassant jusqu'à ce que ce soit lisse. Cuire à feu vif, en brassant constamment, jusqu'à ébullition. Baisser le feu au plus bas et continuer la cuisson 1 minute, en brassant. Ajouter le beurre, bien mêler et garder tiède. Ajouter les petits morceaux d'orange, au moment de servir.

Ci-dessus : fraises et ananas en gelée

Fraises et ananas en gelée

1/4 tasse	*sucre*	*60 ml*
2 tasses	*fraises fraîches, tranchées*	*500 ml*
1/2 tasse	*jus d'ananas (jus de conserve des bouchées)*	*125 ml*
3 oz	*poudre de gelée aux fraises*	*90 g*
2 c. à s.	*jus de citron*	*30 ml*
1 pincée	*sel*	*1 pincée*
1 tasse	*bouchées d'ananas, bien égouttées*	*250 ml*

Ajouter le sucre aux fraises et brasser délicatement.

Laisser reposer 30 minutes, à la température de la pièce. Bien égoutter, mesurer le jus des fraises et y ajouter de l'eau pour obtenir 1 tasse de liquide.

Mêler ce liquide et le jus d'ananas, dans une petite casserole, et porter à ébullition. Mettre la poudre de gelée dans un bol et verser dessus le liquide bouillant. Brasser jusqu'à ce que la poudre soit dissoute. Ajouter le jus de citron et le sel, en brassant. Refroidir dans de l'eau glacée, en brassant de temps à autre, jusqu'à ce que la gelée commence à épaissir. Incorporer les fraises et les bouchées d'ananas, mettre dans des coupes à sorbet et réfrigérer jusqu'à ce que ce soit ferme.

6 PORTIONS

Dessert aux fruits

2/3 tasse	*jus d'orange*	*160 ml*
2 c. à s.	*jus de citron*	*30 ml*
1/3 tasse	*sucre*	*80 ml*
2 c. à t.	*zeste d'orange râpé*	*10 ml*
1 c. à t.	*zeste de citron râpé*	*5 ml*
1/8 c. à t.	*sel*	*0,5 ml*
3	*pêches*	*3*
3	*poires*	*3*
1 tasse	*bleuets (frais ou congelés)*	*250 ml*
	brindilles de menthe	

Mêler les jus d'orange et de citron, le sucre, les zestes d'orange et de citron et le sel, dans une petite casserole. Porter à ébullition, baisser le feu et laisser mijoter 5 minutes. Verser dans un moule de métal peu profond et laisser tiédir. Refroidir, au congélateur, jusqu'à ce que des cristaux se forment près des bords du moule.

Peler et trancher les pêches. Peler les poires et les couper en cubes. Mêler ces fruits et les bleuets et répartir le mélange dans 6 coupes à sorbet. Répartir le sirop à l'orange sur les fruits et garnir chaque coupe d'une brindille de menthe. Servir immédiatement.

6 PORTIONS

Soufflé au chocolat

	beurre	
	sucre	
3 oz	*chocolat non sucré*	*90 g*
2 c. à s.	*beurre*	*30 ml*
3/4 tasse	*farine tout usage, tamisée*	*180 ml*
3/4 tasse	*sucre*	*180 ml*
1/8 c. à t.	*sel*	*0,5 ml*
2 tasses	*lait*	*500 ml*
6	*jaunes d'œufs*	*6*
1/2 c. à t.	*vanille*	*2 ml*
8	*blancs d'œufs*	*8*
1/4 c. à t.	*crème de tartre*	*0,5 ml*
	sauce à la liqueur de café (recette ci-après)	

Bien beurrer un plat à soufflé de 10 tasses (2,5 L). Le saupoudrer de 2 c. à s. (30 ml) de sucre et l'incliner d'un mouvement circulaire, pour en couvrir tout l'intérieur d'une mince couche de sucre. Tailler une double bande de papier d'aluminium qui puisse hausser le bord du plat. Beurrer la bande et la couvrir d'une mince couche de sucre, comme le plat. Fixer solidement la bande, autour du plat, le côté sucré en dedans.

Mettre le chocolat et 2 c. à s. (30 ml) de beurre dans un petit bol; faire fondre le chocolat et le beurre en plaçant le bol qui les contient dans de l'eau frissonnante.

Mêler la farine, le sucre et le sel dans une grande casserole épaisse. Ajouter le lait, petit à petit et en mêlant bien. Cuire, à feu vif et en brassant constamment, jusqu'à ce que le mélange soit très épais et commence à bouillonner. Retirer du feu.

Bien battre les jaunes d'œufs, avec une cuillère de bois. Ajouter un peu du mélange chaud, en battant. Ajouter alors les jaunes d'œufs au mélange chaud dans la casserole, petit à petit et en brassant. Cuire, en brassant, jusqu'à ce que la préparation bouillonne. Retirer du feu. Ajouter le chocolat fondu et la vanille et bien battre. Laisser refroidir 10 minutes.

Chauffer le four à 350 °F (160 °C).

Mettre les blancs d'œufs et la crème de tartre dans un grand bol. Battre en une neige qui soit ferme sans être sèche. Ajouter environ 1/3 de cette neige au mélange au chocolat et mêler, parfaitement mais très délicatement. Ajouter ce qui reste des blancs d'œufs et brasser délicatement, juste ce qu'il faut pour rendre le mélange homogène.

Verser dans le plat à soufflé. Cuire au four, 55 à 60 minutes ou jusqu'à ce que ce soit pris. Servir immédiatement, nappé de sauce à la liqueur de café.

8 PORTIONS

Sauce à la liqueur de café

4	*jaunes d'œufs*	*4*
2 c. à s.	*sucre*	*30 ml*
1/4 tasse	*liqueur de café*	*60 ml*
1/3 tasse	*crème fouettée*	*80 ml*

Battre les jaunes d'œufs, jusqu'à épaississement, dans la casserole supérieure d'un bain-marie. Ajouter le sucre, petit à petit et en battant jusqu'à ce que le mélange soit épais et d'un beau jaune citron. Mettre au bain-marie frissonnant et ajouter la liqueur de café, lentement et en battant. Battre 5 minutes ou jusqu'à ce que le mélange soit bien léger. Mettre la casserole dans de l'eau glacée et battre le mélange jusqu'à ce qu'il soit refroidi. Ajouter la crème, en brassant très délicatement. Réfrigérer jusqu'au moment de servir.

Ci-contre : soufflé au chocolat

Poudings aux fruits individuels

2/3 tasse	*mélange de fruits confits*	*160 ml*
3/4 tasse	*dattes, en morceaux*	*180 ml*
2/3 tasse	*raisins dorés*	*160 ml*
2 c. à t.	*zeste d'orange râpé*	*10 ml*
1/2 tasse	*noix, grossièrement hachées*	*125 ml*
2 c. à s.	*farine tout usage*	*30 ml*
1/4 tasse	*graisse végétale ramollie*	*60 ml*
1/4 tasse	*sucre*	*60 ml*
1	*œuf*	*1*
1 c. à s.	*jus d'orange*	*15 ml*
1/2 tasse	*farine tout usage, tamisée*	*125 ml*
1/2 c. à t.	*poudre à pâte*	*2 ml*
1/4 c. à t.	*sel*	*1 ml*

crème fouettée sucrée
ou sauce au beurre et au brandy
(recette ci-après)

Graisser six moules à pouding, de 6 oz (18 ml).

Mêler les fruits confits, les dattes, les raisins, le zeste d'orange et les noix, dans un bol. Ajouter 2 c. à s. (30 ml) de farine et brasser pour bien enfariner les fruits.

Bien travailler ensemble la graisse végétale, le sucre et l'œuf. Ajouter le jus d'orange, en brassant.

Tamiser ensemble, dans le mélange en crème, 1/2 tasse (125 ml) de farine, la poudre à pâte et le sel et bien mêler. Ajouter aux fruits, en mêlant bien.

Mettre le mélange dans les moules et couvrir ces derniers, hermétiquement, de carrés de papier d'aluminium. Mettre sur une clayette, dans une grande marmite. Ajouter juste assez d'eau bouillante pour que la base des moules y trempe. Couvrir la marmite hermétiquement et cuire à la vapeur, 1 heure et 15 minutes ou jusqu'à ce qu'une légère pression à la surface des poudings ne laisse aucune empreinte.

Démouler dans des assiettes et servir avec de la crème fouettée sucrée ou de la sauce au beurre et au brandy.

6 PORTIONS

Sauce au beurre et au brandy

1 tasse	*cassonade, mesurée bien tassée*	*250 ml*
1 tasse	*crème à 15 %*	*250 ml*
1/2 tasse	*beurre*	*125 ml*
1/2 tasse	*brandy*	*125 ml*

Dissoudre la cassonade dans la crème, dans une petite casserole, et bien mêler. Mettre sur feu bas, ajouter le beurre et porter à ébullition, en battant souvent.

Retirer du feu, ajouter le brandy, en mêlant bien, et servir très chaud.

ENVIRON 1 3/4 TASSE (430 ML)

Pouding aux pommes et aux raisins

1/4 tasse	*beurre*	*60 ml*
1/2 tasse	*cassonade, mesurée bien tassée*	*125 ml*
1	*œuf*	*1*
1/2 tasse	*mélasse*	*125 ml*
1 c. à s.	*zeste d'orange râpé*	*15 ml*
2 tasses	*gruau d'avoine à cuisson rapide, finement moulu (voir note)*	*500 ml*
1/2 c. à t.	*sel*	*2 ml*
1/2 c. à t.	*bicarbonate de soude*	*2 ml*
1 c. à t.	*poudre à pâte*	*5 ml*
1 c. à t.	*gingembre en poudre*	*5 ml*
1 c. à t.	*cannelle*	*5 ml*
1/2 tasse	*babeurre ou lait sur*	*125 ml*
1 tasse	*pommes pelées et hachées*	*250 ml*
1/2 tasse	*gros raisins de Corinthe*	*125 ml*
	sauce au citron (recette ci-après)	

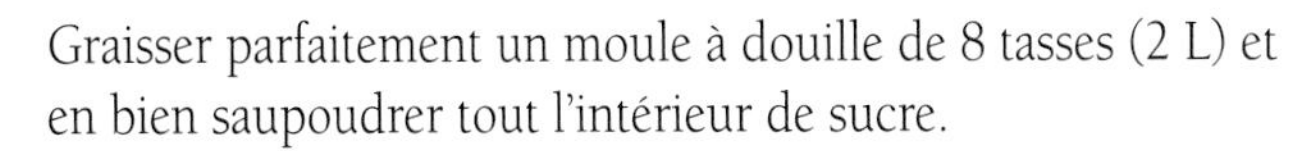

Graisser parfaitement un moule à douille de 8 tasses (2 L) et en bien saupoudrer tout l'intérieur de sucre.

Bien travailler ensemble le beurre et la cassonade. Ajouter l'œuf, la mélasse et le zeste d'orange, en battant.

Bien mêler le gruau moulu, le sel, le bicarbonate, la poudre à pâte et les épices et ajouter au premier mélange. de même que le babeurre ou le lait sur, en alternant. Ajouter les pommes et les raisins. Mettre dans le moule. Couvrir de papier d'aluminium et disposer sur une clayette, dans une grande marmite. Mettre de l'eau bouillante dans la marmite, jusqu'à mi-hauteur du moule, et couvrir hermétiquement. Cuire à la vapeur pendant 1 1/2 heure.

Démouler, couper en grosses pointes et servir, très chaud, avec la sauce.

Note: moudre le gruau au hachoir, en utilisant le couteau le plus fin, ou avec un mélangeur électrique.

8 PORTIONS

Ci-dessus : pouding aux pommes et aux raisins

Sauce au citron

1 tasse	*sucre*	*250 ml*
1/4 c. à t.	*sel*	*1 ml*
2 c. à s.	*fécule de maïs*	*30 ml*
1/4 tasse	*jus de citron*	*60 ml*
1 1/4 tasse	*eau bouillante*	*300 ml*
2 c. à t.	*zeste de citron râpé*	*10 ml*
1 c. à t.	*zeste d'orange râpé*	*5 ml*
1 c. à s.	*beurre*	*15 ml*

Bien mêler, dans une casserole, sucre, sel et fécule de maïs. Ajouter le jus de citron et l'eau bouillante, petit à petit et en brassant. À feu vif, porter à ébullition en brassant sans arrêt. Baisser le feu et laisser mijoter 1 minute. Retirer du feu et ajouter, en brassant, les zestes de citron et d'orange ainsi que le beurre. Servir très chaud, sur le pouding.

Avocat, pêches, raisins et fraises

1	*avocat mûr, en cubes*	1
1/2 tasse	*pêches en conserve, en cubes*	125 ml
1 tasse	*raisins épépinés en moitiés*	250 ml
1/2 tasse	*fraises congelées*	125 ml
1/4 tasse	*sirop de conserve des pêches*	60 ml
2 c. à s.	*jus de limette*	30 ml
2 c. à s.	*miel*	30 ml

Mêler les fruits, dans un bol. Mêler le sirop de pêches, le jus de limette et le miel et verser sur les fruits. Couvrir de pellicule plastique et réfrigérer, en brassant de temps à autre. Mettre dans des coupes à sorbet et servir.

4 À 6 PORTIONS

Fruits en gelée

28 oz	*bouchées d'ananas*	796 ml
28 oz	*pêches tranchées*	796 ml
14 oz	*cerises rouges dénoyautées*	398 ml
4	*oranges, en suprêmes*	4
6 oz	*poudre de gelée au citron*	165 g
2 tasses	*Sauternes*	500 ml
4	*bananes, en tranches épaisses*	4
3 tasses	*raisins verts ou rouges sans pépins, coupés en deux*	750 ml

Égoutter l'ananas et les pêches et mesurer 1 tasse (250 ml) du jus de conserve de chaque sorte de fruits. (Réfrigérer ce qui en reste pour d'autres usages.) Égoutter les cerises. Assécher, sur du papier absorbant, les ananas, les pêches, les cerises et les suprêmes d'oranges.

Porter à ébullition les 2 tasses (500 ml) de jus de conserve, mises de côté. Mettre la poudre de gelée dans un bol et y verser le jus bouillant en brassant pour bien dissoudre la poudre. Ajouter le Sauternes. Mettre le bol qui contient la préparation dans un plat d'eau glacée et refroidir, en brassant souvent, jusqu'à ce que la gelée commence à épaissir.

Entre-temps, déposer les fruits dans un grand bol en verre (un bol de 14 tasses (3,5 L) fait l'affaire) dans l'ordre suivant: les tranches de pêches, les tranches de bananes, la moitié des raisins, les cerises, les bouchées d'ananas, les suprêmes d'oranges et le reste des raisins. Verser la gelée sur le tout. Couvrir et réfrigérer plusieurs heures. (La gelée sera suffisamment prise pour adhérer aux morceaux de fruits.) Servir dans de grandes coupes à sorbet ou dans des plats creux.

12 PORTIONS

Ci-contre : avocat, pêches, raisins et fraises

Pommes croustillantes

1/3 tasse	*beurre (ou margarine), ramolli*	*80 ml*
3/4 tasse	*cassonade, mesurée bien tassée*	*180 ml*
3/4 tasse	*farine tout usage, tamisée*	*180 ml*
1 1/2 c. à t.	*cannelle*	*7 ml*
3/4 c. à t.	*gingembre*	*3 ml*
1/4 c. à t.	*muscade*	*1 ml*
1/8 c. à t.	*sel*	*0,5 ml*
6	*pommes à cuire moyennes*	*6*
2 c. à s.	*cassonade*	*30 ml*
	crème fouettée ou crème de table	

Chauffer le four à 350 °F (175 °C). Avoir sous la main un plat à cuire juste assez grand pour qu'on puisse y déposer les pommes en les espaçant un peu.

Travailler le beurre en crème et y ajouter 3/4 tasse (180 ml) de cassonade, en mêlant bien. Ajouter la farine, la cannelle, le gingembre, la muscade et le sel et bien mêler.

Peler les pommes et les évider. Les strier tout autour, profondément, avec les dents d'une fourchette. Bien enrober les pommes du mélange à la cassonade; presser fermement, avec les mains, pour faire coller la garniture. Mettre les pommes dans le plat à cuire et déposer 1 c. à t. (5 ml) de cassonade au centre de chacune.

Cuire au four, 40 minutes ou jusqu'à ce que les pommes soient tendres et leur enrobage de sucre bien croustillante. Servir tiède, avec de la crème.

6 POMMES

Travailler le beurre et la cassonade, en mêlant bien. Ajouter la farine, la cannelle, le gingembre, la muscade et le sel et bien mêler.

Peler les pommes et les évider. Les strier tout autour, profondément, avec les dents d'une fourchette.

Bien enrober les pommes du mélange à la cassonade.

Mettre les pommes dans le plat à cuire et déposer 1 c. à t. (5 ml) de cassonade au centre de chacune.

Cuire au four jusqu'à ce que les pommes soient tendres et leur enrobage de sucre, bien croustillant.

Pain de blé entier aux noix

3 tasses	*farine de blé entier*	*750 ml*
2 c. à s.	*sucre*	*30 ml*
3 c. à t.	*bicarbonate de soude*	*15 ml*
1 c. à t.	*sel*	*5 ml*
1/2 c. à t.	*muscade*	*2 ml*
1/2 tasse	*mélasse*	*125 ml*
2 tasses	*babeurre ou lait sur*	*500 ml*
1/2 tasse	*pacanes hachées*	*125 ml*
1 c. à s.	*mélasse*	*15 ml*
1 c. à s.	*beurre fondu*	*15 ml*
1/4 tasse	*pacanes, finement hachées*	*60 ml*

Chauffer le four à 350 °F (160 °C). Graisser un moule à pain de 9 x 5 x 3 po (23 x 12,5 x 7,5 cm).

Mettre la farine dans un bol. Ajouter le sucre, le bicarbonate de soude, le sel et la muscade et mêler délicatement, à la fourchette. Battre ensemble à la fourchette, 1/2 tasse (125 ml) de mélasse et le babeurre et ajouter le mélange aux ingrédients secs, en brassant juste assez pour bien mêler. Ajouter 1/2 tasse (125 ml) de pacanes et mêler très délicatement. Mettre la pâte dans le moule.

Cuire au four, 45 minutes ou jusqu'à ce qu'un cure-dents piqué au centre du pain en ressorte sec. Mêler 1 c. à s. (15 ml) de mélasse, le beurre fondu et 1/4 tasse (60 ml) de pacanes et couvrir le pain du mélange. Mettre au four et cuire encore 5 minutes. Démouler le pain et le laisser refroidir sur une clayette.

1 PAIN

Pain de maïs

1/2 tasse	*eau tiède*	*125 ml*
1 c. à t.	*sucre*	*5 ml*
1 sachet	*levure sèche*	*1 sachet*
3/4 tasse	*eau bouillante*	*180 ml*
1/2 tasse	*farine de maïs*	*125 ml*
1 c. à s.	*zeste d'orange râpé*	*15 ml*
3 c. à s.	*graisse végétale ramollie*	*45 ml*
1/4 tasse	*mélasse*	*60 ml*
2 c. à t.	*sel*	*10 ml*
1	*œuf*	*1*
2 3/4 tasses	*farine tout usage, tamisée*	*685 ml*

Graisser un moule à pain de 9 x 5 x 3 po (23 x 12,5 x 7,5 cm).

Mesurer l'eau tiède. Ajouter le sucre et brasser pour le dissoudre. Saupoudrer de la levure et laisser reposer 10 minutes. Bien brasser.

Mettre, dans un grand bol, l'eau bouillante, la farine de maïs, le zeste d'orange, la graisse végétale, la mélasse et le sel; battre, à la petite vitesse d'un malaxeur. Laisser tiédir. Ajouter la levure, l'œuf et la moitié de la farine tout usage. Battre à la petite vitesse du malaxeur, pour mêler les ingrédients. Battre ensuite 2 minutes à la vitesse moyenne. Ajouter ce qui reste de farine en battant avec une cuillère de bois.

Mettre la pâte dans les moules et en aplanir le dessus, en tapotant d'une main légèrement enfarinée. Laisser lever, dans un endroit chaud, environ 50 minutes.

Chauffer le four à 375 °F (190 °C). Cuire au four, 35 minutes ou jusqu'à ce que le pain rende un son creux quand on le frappe du bout des doigts.

1 PAIN

Ci-contre : à gauche, pain de blé entier aux noix et à droite, pain de maïs

Pain à la compote de pommes

2	*œufs*	2
2/3 tasse	*cassonade, mesurée bien tassée*	*160 ml*
1/3 tasse	*huile à salade*	*80 ml*
1 tasse	*compote de pommes sucrée*	*250 ml*
1 1/2 tasse	*farine tout usage, tamisée*	*375 ml*
1 c. à t.	*poudre à pâte*	*5 ml*
1 c. à t.	*bicarbonate de soude*	*5 ml*
1 c. à t.	*sel*	*5 ml*
1 c. à t.	*cannelle*	*5 ml*
1/2 c. à t.	*muscade*	*2 ml*
1 1/2 tasse	*gruau d'avoine*	*375 ml*
3/4 tasse	*pruneaux secs crus, en morceaux*	*180 ml*
1/2 tasse	*noix hachées*	*125 ml*

Chauffer le four à 350 °F (175 °C). Graisser un moule à pain de 9 x 5 x 3 po (23 x 12,5 x 7,5 cm).

Bien battre ensemble les œufs, la cassonade et l'huile. Ajouter la compote, en brassant.

Tamiser ensemble, dans le mélange, la farine, la poudre à pâte, le bicarbonate de soude, le sel et les épices. Ajouter le gruau, les pruneaux et les noix et bien mêler.

Déposer la pâte dans le moule et cuire au four pendant une période de 45 à 50 minutes ou jusqu'à ce qu'un cure-dents inséré au centre du pain en ressorte sec.

1 PAIN

Muffins au son et au blé entier

1/4 tasse	*huile à cuisson*	*60 ml*
1/4 tasse	*sucre*	*60 ml*
1/4 tasse	*miel*	*60 ml*
2	*œufs*	*2*
1 tasse	*lait*	*250 ml*
1 1/2 tasse	*son naturel (voir note)*	*375 ml*
1/2 tasse	*dattes hachées*	*125 ml*
1 1/2 c. à t.	*poudre à pâte*	*7 ml*
1/2 c. à t.	*bicarbonate de soude*	*2 ml*
1 c. à t.	*sel*	*5 ml*
1 tasse	*farine de blé entier*	*250 ml*

Chauffer le four à 400 °F (205 °C). Graisser 12 grands moules à muffins.

Mettre, dans un bol, l'huile, le sucre, le miel, les œufs et le lait et bien battre à la fourchette. Ajouter le son et bien mêler. Ajouter les dattes.

Mêler ensemble la poudre à pâte, le bicarbonate de soude et le sel à la farine de blé entier et bien mêler, à la fourchette. Ajouter au premier mélange en brassant juste assez pour bien mêler (environ 25 coups).

Mettre la pâte dans les moules en ne les remplissant qu'aux deux tiers. Cuire au four, environ 15 minutes.

Note: le son naturel n'est pas une céréale à déjeuner. Si vous ne pouvez le trouver au supermarché, achetez-le dans une boutique d'aliments naturels.

12 GROS MUFFINS

Muffins au riz et aux fines herbes

2/3 tasse	*eau*	*160 ml*
1/8 c. à t.	*sel*	*0,5 ml*
1/3 tasse	*riz brun*	*80 ml*
3 c. à s.	*huile à cuisson*	*45 ml*
2	*œufs*	*2*
1 tasse	*lait*	*250 ml*
1/4 tasse	*fromage parmesan râpé*	*60 ml*
1/4 c. à t.	*origan séché*	*1 ml*
1/4 c. à t.	*marjolaine séchée*	*1 ml*
1/4 c. à t.	*basilic séché*	*1 ml*
2 tasse	*farine tout usage, tamisée*	*500 ml*
4 c. à t.	*poudre à pâte*	*20 ml*
1/2 c. à t.	*sel*	*2 ml*

Mettre l'eau et le sel dans une petite casserole et porter à ébullition. Ajouter le riz, porter de nouveau à ébullition, couvrir, baisser le feu au plus bas et laisser mijoter, 30 minutes ou jusqu'à ce que le riz soit tendre et ait absorbé toute l'eau. Laisser refroidir.

Chauffer le four à 425 °F (220 °C). Graisser 12 grands moules à muffins.

Battre ensemble, à la fourchette et dans un bol moyen, l'huile, les œufs et le lait. Ajouter le riz, le fromage et les fines herbes, en brassant. Tamiser ensemble, dans le mélange, la farine, la poudre à pâte et le sel et battre, juste assez pour bien mêler (la pâte doit être un peu grumeleuse). Mettre dans les moules en les remplissant aux deux-tiers.

Cuire au four, 30 minutes ou jusqu'à ce que ce soit bruni.

12 MUFFINS

Index

Soupes

Bœuf

Veau

Porc

Agneau

Volailles

Poissons et fruits de mer

Accompagnements

Salades

Desserts